Jeremy Clarkson

Świat według Clarksona

przełożyli Maria i Tomasz Brzozowscy

insignis

Tytuł oryginału
The World According to Clarkson

Published by the Penguin Group
Penguin Books Ltd, 80 Strand, London WC2R ORL, England
These articles first appeared in the Sunday Times between 2001 and 2003
This collection first published by Michael Joseph 2004
Published in Penguin Books 2005

Redakcja i korekta
Piotr Mocniak

Skład
Tomasz M. Brzozowski

ISBN-13: 978-83-61428-00-8

Insignis Media
ul. Bronowicka 42
30-091 Kraków
telefon / fax +48 (12) 6333746
biuro@insignis.pl
www.insignis.pl

Druk i oprawa:
OPOL*graf*SA
www.opolgraf.com.pl

Wyłączna dystrybucja:
fk Olesiejuk – www.olesiejuk.pl

Dla Francie

Spis treści

Kolejny wolny dzień? O nie, pozwólcie mi odpocząć!

W ostatnich badaniach opinii publicznej przytłaczająca większość ankietowanych, którzy tydzień temu z trudem powrócili do swoich zajęć, wyraziła opinię, że Anglia powinna była pójść śladem Szkocji i ustanowić zeszły wtorek dniem wolnym od pracy.

Dwie sprawy wzbudzają tu moje zdziwienie. Po pierwsze: kto mógł sobie zawracać głowę przeprowadzeniem takiego sondażu? Po drugie: kto przy zdrowych zmysłach może twierdzić, że bożonarodzeniowa przerwa świąteczna była za krótka?

Wziąłem 10 dni wolnego, ale już pierwszego dnia do 11 przed południem zdążyłem wypić 14 filiżanek kawy, przeczytać wszystkie gazety i „The Guardian", a potem... Właśnie, co potem?

Do obiadu zdążyłem się już tak wynudzić, że postanowiłem zawiesić kilka obrazów. Chwyciłem za młotek, a potem przyszedł gość, który zagipsował uszkodzone przeze mnie fragmenty ścian. Następnie chciałem naprawić elektryczną bramę wjazdową, która działa tylko wtedy, gdy w nazwie miesiąca występuje duże „X". Uzbrojony w klucz francuski ruszyłem ku bramie, a potem zjawił się kolejny gość, by z powrotem poskładać ją do kupy.

Już zabierałem się za naprawę kuchenki elektrycznej, która – jak to zwykle bywa – wysiadła w Wigilię, gdy moja żona chwyciła mnie za ucho i odciągnęła na bok. Powiedziała, że skoro budowlańcy, ogólnie rzecz biorąc, nie spędzają swojego wolnego czasu na pisaniu, to pisarze nie powinni spędzać urlopu na budowaniu i remontowaniu. „To sporo nas kosztuje i może być niebezpieczne" – dodała.

Ma rację. Mamy w jadalni takie lampki, które na znajdującym się pod nimi stole powinny wyświetlać gwiazdki. Nigdy nie przejmowałem się, że światło żarówki przedostaje się przez boki obudowy i gwiazdek nie widać. Gdy jednak człowiek się nudzi, takie właśnie rzeczy najbardziej działają mu na nerwy.

Kupiłem więc nieprzezroczystą, uniwersalną taśmę samoprzylepną i nagle moje życie odzyskało sens. Miałem co robić.

Całe szczęście, że Boże Narodzenie nadeszło, zanim zdążyłem doprowadzić do jeszcze większego spustoszenia. Święta jednak minęły i znów dni wlokły się tak, jakbym oglądał je przez trzymaną na odwrót lornetkę. Tak odległy wydawał mi się każdego poranka sen i związana z nim ulga – błogosławiona utrata świadomości.

W kuchennej podłodze wydeptałem ścieżkę do lodówki. Za każdym razem miałem nadzieję, że podczas jednej z poprzednich 4000 wypraw w jakiś przedziwny sposób przeoczyłem półmisek pełen zimnych kiełbasek. Potem, bez wyraźnej przyczyny, postanowiłem kupić sobie stołek.

Wybrałem się więc z całą rodziną do jednego z tych sklepów z prezentami-duperelami, gdzie zapach różnych suszonych pachnidełek jest tak intensywny, że można dostać zeza. Nie bacząc na to, że dzieci leżały na podłodze dusząc się, spędzałem w sklepie kolejne godziny wybierając sobie stołek za mały lub w złym kolorze, tak, żebym mógł stracić jeszcze trochę czasu na jego zwrot do sklepu.

Następnego dnia, wciąż jeszcze pachnąc jak bielizna Delii Smith[1], postanowiłem kupić nie odpowiadający mi stylizowany regał na książki. Ale po porażce ze stołkiem, moja żona powiedziała: Nie! Wyglądało więc na to, że najlepiej zrobię, gdy na coś zachoruję. To wspaniały pomysł, gdy już naprawdę nie masz co z sobą zrobić, bo wszystko, łącznie z opryszczką narządów płciowych, jest lepsze niż zanudzić się na śmierć.

Nie jest łatwo, wiem, wywołać siłą woli pryszcze na genitaliach, ale przy niewielkim wysiłku można złapać przeziębienie, które – jeśli się jeszcze trochę bardziej postarać – przejdzie w grypę. Właśnie. Nawet leżenie w łóżku i oglądanie Judy Finnegan[2] przebranej za Świętego Mikołaja wygrywa z nieuleczalnym nowotworem – nudą.

To nuda sprawia, że dzwonisz do ludzi, z którymi nie rozmawiałeś od osiemnastu lat, aby w połowie rozmowy przypomnieć sobie, dlaczego. Nuda to stan, w którym zaczynasz czytać nie tylko katalogi firm wysyłkowych, ale również wypadające z nich ulotki. Nuda powoduje, że zastanawiasz się, czy nie wziąć broni i nie urządzić jatki w najbliższym centrum handlowym, mimo że dobrze wiesz, do czego to prowadzi. Wreszcie, nuda oznacza, że zaczynasz uprawiać golf.

---

[1] Popularna angielska autorka kulinarnych programów TV (przypisy pochodzą od tłumaczy, chyba że zaznaczono inaczej).

[2] Prezenterka angielskiej TV.

Dzień przed Wigilią siedziałem w pociągu obok gościa, który, jak tylko minęliśmy Paddington, zadzwonił do swojej żony i powiedział, że właśnie skończył, że przeszedł na emeryturę, że teraz jego życie będzie rzeczywiście należało tylko do niego. Usiłował przy tym wyglądać na zadowolonego, ale w jego oczach spostrzegłem to mętne, pełne przerażenia spojrzenie, które powiedziało mi wszystko.

Spędzi w domu jeden, góra dwa miesiące, dewastując mieszkanie i obracając ogród w cmentarzysko roślin, a potem przyjmie zaproszenie na golfa i wtedy będzie już naprawdę po nim. Jego życie skończy się dużo wcześniej, niż wyda z siebie ostatnie tchnienie. Szkoda go. Wyglądał na bardzo sympatycznego.

A może wędkarstwo? Patrzysz na tych ludzi, którzy pomimo mżawki tkwią przy brzegu kanału i zastanawiasz się tylko: „Jak bardzo musieli być znudzeni w domu, że znaleźli się tutaj?".

Odpowiedź brzmi: podejrzewam, że nie aż tak bardzo, jak można by przypuszczać. Już po tygodniu urlopu byłem u kresu wytrzymałości. Nie mogłem nawet przyrządzić sobie kiełbasek, by potem włożyć je do lodówki, bo pewnego popołudnia – wykorzystując chwilę nieuwagi żony – znów próbowałem naprawić kuchenkę elektryczną. Wtedy, niestety, coś od niej odpadło.

Mogłem oczywiście założyć to z powrotem, ale, co najdziwniejsze, kiedy nie jest się naprawdę zajętym, nigdy na nic nie starcza czasu. Napisałem list, ale w ciągu całego dnia nie znalazłem ani chwili, by włożyć go do koperty. Pewnie miało to coś wspólnego z moim ośmiogodzinnym pobytem w ubikacji w zeszły wtorek. Cóż, hobby dobre jak każde inne.

Brytyjczycy pracują najdłużej ze wszystkich Europejczyków. Poważni lekarze wmawiają nam, że powoduje to stres i choroby układu krążenia. Zgadzam się. Ale brak zajęcia, zapewniam, grozi nam wszystkim hemoroidami.

Niedziela, 7 stycznia 2001 r.

Wykańcza mnie ta cała gadka o zdrowiu i bezpieczeństwie

Przypominacie sobie pewnie, że po zeszłorocznej katastrofie kolejowej w Hatfield nasz wicepremier – Pan Prescott[1] z sześcioma podbródkami – pojawił się na scenie, wyraźnie dając do zrozumienia, że przy odrobinie wysiłku i o wiele większych nakładach finansowych, nikt z podróżujących pociągami już nigdy nie zginie.

Podobne reakcje wywołała wiadomość, że w okresie przedświątecznym wzrosła o 0.1% liczba osób prowadzących pod wpływem alkoholu. Aktywiści wszelkiej maści wypowiadali się na antenie wyjaśniając, że gdyby dopuszczalny poziom alkoholu we krwi obniżono do minus ośmiu promili, a policja miałaby prawo strzelać bez ostrzeżenia do motocyklistów, śmierć na drodze stałaby się kwestią przeszłości.

Ci sami ludzie wmawiają nam, że telefony komórkowe mogą usmażyć uszy naszym dzieciom, że długie loty prawie na pewno skończą się dla nas zakrzepami w nogach i że jedzenia mięsa to morderstwo. Chcą zupełnie wyeliminować śmierć – a to i tak jeszcze nie koniec. Nie zgadzają się nawet na odrobinę niewygody spowodowanej jakimś lekkim skaleczeniem czy potłuczeniem.

Co tydzień, gdy nagrywamy mój program telewizyjny, na podłogę rozlewa się jakiś napój. I co tydzień nagranie

---

[1] Brytyjski wicepremier, mężczyzna o słusznej tuszy.

musi być przerwane, by szybko to uprzątnąć. „Pomyśl, co by się stało – zapytał inspektor BHP – gdyby operator kamery poślizgnął się na takiej mokrej plamie?". „Cóż – chętnie bym odpowiedział – zapewne musiałby wstać."

Dziś, tak jak każda duża firma, również i BBC ma obsesję na punkcie zdrowia i bezpieczeństwa każdego, kto znajdzie się w jej siedzibie. Poszczególne studia muszą umieszczać ostrzeżenia, gdy na planie znajduje się prawdziwe szkło, a kiedyś dostałem broszurę, wyjaśniającą jak korzystać z drzwi. Wcale nie żartuję.

Możecie sobie teraz chyba wyobrazić problemy, przed jakimi stanę w tym tygodniu. Dla potrzeb kręconego przeze mnie cyklu programów telewizyjnych będę musiał wejść do komory dekompresyjnej, aby sprawdzić jak to jest, gdy w samolocie lecącym na wysokości 9 kilometrów jedno z okien ulegnie uszkodzeniu.

Biedny producent dostał już formularz wielkości Luksemburga, w którym należy podać wszystkie możliwe niebezpieczeństwa, na jakie będę narażony. No cóż, moje płuca mogą eksplodować, a powietrze zgromadzone w zębach pod plombami dziewięciokrotnie zwiększy swoją objętość doprowadzając do niemiłosiernej agonii, choć pewnie nie będę tego czuł, bo istnieje całkiem spore prawdopodobieństwo, że postępujące niedotlenienie zmieni mnie wcześniej w śliniące się warzywo.

Uważam, że to ryzyko warto ponieść, ale moje przemyślenia są bez znaczenia, bo w dzisiejszych czasach moje życie i to, jak nim kieruję, jest w rękach ludzi od BHP. Tych samych, którzy rok temu stwierdzili, że nie mogę lecieć w amerykańskim helikopterze wojskowym, bo pilot nie ma certyfikatu wydanego przez BBC.

Ech, dalibyście spokój. Każdy wie, że amerykańskim siłom powietrznym nie wolno rozbijać helikopterów. Po katastrofie w Somalii w 1994 roku, kiedy Amerykanie stracili 16 ludzi wysłanych na ratunek dwóm martwym już wtedy żołnierzom, podjęto decyzję, że amerykańscy żołnierze nie mogą ulegać obrażeniom. Nawet walcząc na wojnie.

To wszystko dociera teraz do Wielkiej Brytanii. Na pewno czytaliście o uszkodzeniach słuchu, spowodowanych przez starszych sierżantów, którzy wrzeszczeli na szeregowców, ale ta plaga sięga jeszcze dalej. Kiedy w zeszłym tygodniu gościłem w Henlow w bazie Królewskich Sił Powietrznych, zadziwiło mnie, że ktoś z BHP przypiął do tablicy ogłoszeń plakat ostrzegający pilotów myśliwców, że alkohol może wywołać u nich agresję i gwałtowność. Nie, nie, to absolutnie ostatnia rzecz jakiej nam trzeba – agresywni i gwałtowni piloci myśliwców.

Brytyjska flota łodzi podwodnych o napędzie atomowym zostanie pewnie uziemiona, czy co tam się robi z łodziami podwodnymi, przez ludzi z BHP, bo stwierdzą, że to może być niebezpieczne.

Następny problem dotyczy brytyjskiej rezerwy pocisków z głowicami zawierającymi zubożony uran, które – jak dotąd – są najskuteczniejszą bronią niszczącą pancerze wrogich czołgów. Świetnie, tyle że BHP za nimi nie przepada, bo okazuje się, że takie pociski mogą kogoś zabić.

W telewizji występują byli rekruci i mówią, że będąc w Kosowie wystrzelili kilka serii takich pocisków, a teraz chorują na raka. Moje najgłębsze wyrazy współczucia, ale przyjrzyjmy się pewnym faktom. Jedynym sposobem, by zubożony uran przeniknął przez skórę, jest oberwanie od kogoś takim uranowym nabojem. Zubożony uran może się dostać do ciała również drogą oddechową, ale ponieważ jest o 40% mniej radioaktywny niż naturalny uran spotykany w glebie, nie wydaje mi się, by mógł powodować jakieś uszkodzenia organizmu. Byłem w kopalni uranu w zachodniej Australii i jak dotąd nie wyrosła mi druga głowa.

Mimo wszystko uważam, że to bardzo dziwne, że Ministerstwo Obrony podda badaniom tylko tych żołnierzy, którzy służyli w Kosowie, a nie tych, którzy walczyli w Zatoce, gdzie zużyto 300 ton zubożonego uranu i gdzie promieniowanie alfa mogło dłużej czynić swoją powinność. Koniec końców, jeśli badania wykażą, że nasi chłopcy zostali napromieniowani i w wyniku tego jeden z nich zmarł, możemy być pewni, że pociski ze zubożonym uranem będą używane przeciwko NATO, ale nie przez NATO.

Dokąd to wszystko nas zaprowadzi? Siłom Powietrznym USA udało się zabić w Zatoce siedmiu żołnierzy brytyjskich za pomocą czegoś, co z lubością nazywają „blokadą ognia skierowanego do przyjaciela". Czy nie będzie to wystarczającym powodem dla tych z BHP, by wykluczyć Amerykanów z pola walki?

Niektórzy twierdzą, że zabije nas globalne ocieplenie i dziura ozonowa. Lecz mnie martwią bardziej ludzie, którzy swoim nadrzędnym obowiązkiem uczynili troskę o utrzymanie nas wszystkich przy życiu.

Niedziela, 14 stycznia 2001 r.

Mężczyźni to beznadziejny przypadek i jesteśmy z tego dumni!

Ponieważ jestem mężczyzną, niechętnie zjeżdżam na bok, żeby zapytać kogoś o drogę, bo to oznaczałoby, że ten ktoś pod pewnym względem jest mądrzejszy ode mnie. A na pewno tak nie jest, bo ja siedzę sobie wygodnie w cieplutkim samochodzie, a on włóczy się pieszo.

Czasami jednak, głównie w miastach, których burmistrz zlecił grupie czternastolatków ze szkoły specjalnej zaprojektowanie systemu dróg jednokierunkowych, staję się mimowolnym zdrajcą mojej płci i proszę przechodniów o wskazówki.

Co za strata czasu. Jeśli tylko rozpoczynają swoją wypowiedź od „yyy", na pewno nie znają drogi i spędzimy pół dnia słuchając ich ględzenia, gdy będą się zastanawiać: czy na następnych światłach trzeba skręcić w lewo, czy w prawo? Dam wam więc dobrą radę. Jeśli ktoś zapytany o drogę ociąga się z odpowiedzią, lub gdy najmniejszy nawet wyraz konsternacji pojawi się choćby na ułamek sekundy na jego twarzy, od razu odjeżdżajcie.

Oczywiście, są i tacy, którzy natychmiast wyrzucają z siebie potok wojskowych dyrektyw, wśród których pojawiają się przejrzyste, zwięzłe znaki rękami i drzewa z krzaczastymi czubkami po lewej stronie na wprost.

Cóż z tego, skoro i tak nic z tych wyjaśnień do nas nie dotrze. Od zarania dziejów medycyna wie, że mężczyzna po usłyszeniu pierwszego słowa wyjaśnień wyłącza się.

Kiedy Rzymianie dokonali inwazji na Anglię, wyjechali z powrotem do siebie, by uczcić ten fakt i wrócili dopiero po osiemdziesięciu latach. Dlaczego? Bo nie mogli znaleźć drogi, a jeśliby nawet zapytali we Francji, jak trafić do Anglii, i tak by nie słuchali.

Pod koniec trzynastego wieku Edward I Długonogi powierzył manewry wojskami kobietom, bo w przeciwieństwie do mężczyzn, potrafiły słuchać i robić użytek ze wskazówek. Tak naprawdę to teraz zmyślam. Ale musi być w tym ziarnko prawdy, bo gdyby król w zupełności polegał na orientacji swoich rycerzy, skończyłby zapewne w Falmouth[1], a nie w Falkirk[2].

W zeszłym tygodniu, błądząc w poszukiwaniu pewnego sklepu, znalazłem się w polu magnesu, który niezwykle silnie działa na mężczyzn: Tottenham Court Road[3]. Magnes ten wciągnął mnie do pogańskiej świątyni pełnej dziwnych elektronicznych dźwięków i niezrozumiałego pisma hieroglificznego – „Computers 'R' Us".

Nie słuchałem. Nie słuchałem ani wewnętrznego głosu, który mówił mi, żebym opuścił sklep, ani sprzedawcy, który pokazywał mi nowego laptopa Sony. Nazwa tego laptopa zawiera tak wiele samogłosek, że nie można jej wymówić. Zaczyna się od V, a potem trzeba wydać z siebie odgłos kota, który dostał się do wyżymaczki.

Spokojnie, nie bójcie się, nie będę pisał o tym, jak nie mogę się połapać w komputerach, i jak bardzo chciałbym się znowu znaleźć w redakcji „Rothertam Advertiser",

---

[1] Miasto w Kornwalii.
[2] Miasto w Szkocji.
[3] Ulica w Londynie ze sklepami z elektroniką użytkową.

gdzie maszynę do pisania Remington opanowałem do takiej perfekcji, że wkręcałem w nią rolkę papieru toaletowego.

Bardzo lubię komputery. Moja wiedza o nich w zupełności wystarczy, by wysyłać e-maile, pisać felietony i wyszukiwać transwestytów z Tajlandii. Niestety, nie wiem aż tyle, co sprzedawcy i bywalcy sklepów komputerowych. To sprawia, że mój umysł zachowuje się, jak na mężczyznę przystało: wyłącza się.

Dam wam przykład. Jeśli mielibyście wybierać pomiędzy systemem Windows 2000 a Windows 98, z pewnością wybralibyście ten z większą liczbą. Sprzedawca w sklepie poradził mi jednak, bym nieco zaoszczędził i kupił 98. Zapytałem go dlaczego. Jego odpowiedź z powodzeniem mogła dotyczyć nowofundlandzkiego teriera. Nie dotarło do mnie absolutnie nic.

Zależało mi na tym, by móc wysyłać z laptopa e-maile przez podłączony do niego telefon komórkowy. Zapytałem go o to. I odpowiedział... Daję słowo, mógł równie dobrze mówić o tym, jak przyrządzić smakowity sos z cebuli w górskiej pustelni w Nepalu.

Aby skrócić te męki, po prostu kupiłem tego laptopa... a teraz mam wrażenie, że jest zepsuty. Za każdym razem, gdy wychodzę z Internetu, komputer się wyłącza, a ja wszystko, co napisałem przez cały dzień, tracę w otchłaniach krzemowej ziemi niczyjej.

Jasne, że mógłbym zanieść komputer z powrotem do sklepu, ale wtedy mogliby odkryć, że oglądałem transwestytów, a to byłoby dość krępujące. Poza tym, nie pamiętam już, gdzie był ten sklep, i niech mnie ziemia pochłonie, jeśli będę chciał kogoś zapytać.

Mógłbym też zadzwonić do kumpla, ale byłaby to rozmowa daremna. Jestem mężczyzną, a mężczyzna to ego obleczone skórą, więc jeśli kumpel wiedziałby, jak rozwiązać mój problem, mogłoby się skończyć na drobnych obrażeniach. Nie słuchałbym go więc. A jeśli nie wiedziałby, jak mi pomóc, to po co do niego dzwonić?

W tym miejscu kobieta sięgnęłaby po instrukcję. I to jest ta największa różnica pomiędzy płciami. Nie przytulanie po seksie. Nie orientacja przestrzenna i rozmyta logika. Nawet najbardziej męska z kobiet, pani Thatcher, spędza pół dnia leżąc na brzuchu, czytając instrukcję obsługi nowego magnetowidu i upewniając się, że gdy wróci po kolacji danego dnia, będzie już na nią czekał dany program nagrany o danej godzinie.

Jakie to głupie. A ja? Ja po prostu naciskam różne klawisze w pełni świadom tego, że mogę nagrać coś innego w przyszły wtorek na drugiej stronie taśmy. I że to coś może być o wiele ciekawsze.

Takie podejście jest z pewnością przydatne, jeśli chodzi o gry planszowe. Ponieważ nigdy jeszcze nie przeczytałem instrukcji do Monopolu, przesuwam pionek w kierunku, który w danej chwili wydaje się najbardziej odpowiedni. A jeśli ktoś zwraca mi uwagę, że powinienem przesunąć pionek zgodnie z ruchem wskazówek zegara, patrzę na niego dziwnym, mętnym wzrokiem.

To zawsze działa. Zawsze wygrywam.

Niedziela, 21 stycznia 2001 r.

W radiu nawet morderstwo uszłoby im na sucho

Nadchodzą już takie czasy, że wiadomości stają się tematem wiadomości. Właśnie dokładnie coś takiego zdarzyło się na początku zeszłego tygodnia – prasa rozpisywała się o zwycięstwie stacji telewizyjnej ITN nad BBC w Bitwie o Oglądalność Wiadomości o Dziesiątej.

Telewizja BBC wyjaśniła później, że co prawda miała dwa razy więcej doniesień, dwa razy więcej relacji na żywo i dwa razy więcej korespondencji zagranicznej, ale to wszystko poszło na marne, bo ITV wyemitowała *Milionerów* z dwuminutowym opóźnieniem, po czym przeszła od razu do wiadomości, opuszczając przerwę reklamową.

Ponadto w trakcie trwania *Milionerów* prowadzonych przez Chrisa Tarranta pojawił się wspaniały Sir Trevor McDonald[1] i powiedział, żeby zostać przed telewizorami, bo za chwilę będą wiadomości.

Wszystkie te wojny o oglądalność stają się nieuczciwe i niezwykle denerwujące. Dawniej, gdy programy rozpoczynały się w większości o pełnych godzinach lub o wpół do, można było oglądać coś na ITV, a później, gdy program się już skończył, znaleźć sobie coś nowego, co właśnie rozpoczynało się na innym kanale.

A teraz? Popatrzcie tylko na ramówki. Programy zaczynają się pięć po i kończą za dwanaście, więc gdy tylko

---

[1] Prezenter wiadomości telewizji ITV.

przełączysz się na BBC, by obejrzeć ich najnowszy serial, będzie już po wybuchu i następującym po nim pościgu samochodowym, a ty nie będziesz miał pojęcia, o co w tym wszystkim chodzi.

Oczywiście rozumiem, skąd się to bierze. Gdy pracowałem nad programem *Top Gear*, nie miało najmniejszego znaczenia, czy prezentowaliśmy jazdę Ferrari po tafli jeziora, czy staliśmy w polu udając stado owiec. Oglądalność była zawsze taka sama. Jeśli jednak *Top Gear* zaczynałby się późno, po tym jak wszystkie inne stacje zaczęłyby nadawać swoje programy o wpół do dziewiątej, nasza oglądalność spadłaby do około miliona.

Ciekawe, że takie przetasowywanie ramówek w świecie radia najwyraźniej się nie zdarza.

Na przykład – moja żona słucha wyłącznie stacji Radio 4. Mogłaby w niej lecieć dwugodzinna prognoza pogody dla statków, a ona i tak nie przełączy się na inną stację radiową. Jestem przekonany, że podobnie jak wszyscy inni w tym kraju, również i ona nie ma pojęcia, o czym rozmawia Melvyn Bragg w audycji *Czasy, w których żyjemy*[2], a mimo to co czwartek cały nasz dom rozbrzmiewa niezgłębionymi dysputami jego oszałamiająco nudnych gości.

O 10.25 zwracam żonie uwagę, że w Radio 2 Ken Bruce prowadzi niezły quiz dotyczący muzyki pop – tematu, który moja żona bardzo lubi – ale z jakichś wyjątkowo niezrozumiałych przyczyn ona woli słuchać o stanie wód Dogger Bank.

Ja wcale nie jestem lepszy. Pozostawiony samemu sobie

---

[2] *In Our Time* – radiowa audycja w formie dyskusji panelowej, poświęcona zagadnieniom historii, sztuki i nauki.

rozpoczynam dzień z Terrym Wogganem[3], który w zeszłym tygodniu upierał się, że wszyscy Chińczycy pachną jak brukselka. Po Wogganie następuje quiz na temat muzyki pop Kena Bruce'a, a później audycja Starego Jimmy'ego[4].

W tym miejscu powinienem przełączyć radio na coś innego, bo Jimmy bombarduje swoich słuchaczy muzyką big bandów i rozmawia ze swoimi gośćmi o cenach ryb. A potem dzwonią do niego słuchacze, którzy dosłownie powtarzają wstępniak z „Daily Telegraph", a to już naprawdę nie w moim stylu. Ale nie przełączam. Siedzę, słucham i mówię sobie, że to tylko dwie godzinki, a później będzie Steve Wright[5].

Dlaczego tak robię? Jeśli chodzi o telewizję, to wystarczy, że mignie mi przed oczami fikuśnie zdobiona marynarka, że usłyszę cień akcentu z Birmingham lub pierwsze takty czołówki *EastEnders*[6], od razu sięgam płynnym ruchem po pilota i zmieniam kanał. Tymczasem, wykazując się taką lojalnością, że Marks & Spencer mógłby mnie zakisić, będę jechał i przez kolejne godziny słuchał ględzenia Jimmiego o tym, że Pani Nazi z Esher uważa, że wszystkich, którzy starają się o azyl, powinno się rozstrzelać.

Oczywiście, mam wybór. Jednak Radio 1[7] odpada, chyba że kogoś bawią odgłosy zbijania mebli, a Radio 3[8] nadaje

---

[3] Prezenter radiowy i telewizyjny, prowadzący w Radio 2 bijącą rekordy popularności poranną audycję satyryczną *Wake Up To Woggan*.

[4] Jimmy Old, w rzeczywistości Jimmy Young, sędziwy didżej Radio 2, od roku 2002 na emeryturze.

[5] Inny didżej Radio 2.

[6] Popularna brytyjska opera mydlana.

[7] Stacja radiowa z muzyką młodzieżową.

wyłącznie jęki torturowanych zwierzątek. A co z lokalnymi stacjami radiowymi? W Londynie mamy Magic FM, która, jak dzień długi, gra Carpentersów. Zgadzam się, że Carpentersi są nieźli – szczególnie przy bólu głowy – ale pomiędzy piosenkami wchodzi na antenę jakiś głos i gada.

Myślałem, że bycie didżejem nie jest takie złe. To znaczy, że są gorsze rzeczy. Ale z pewnością się myliłem, bo w całej populacji zamieszkującej Ziemię nie ma ludzi tak nieszczęśliwych, jak prezenterzy z Magic, a raczej Udręki FM.

Już od 8 rano w poniedziałek odliczają godziny pozostałe do piątkowego wieczoru, tak jakby każdy z nas traktował tydzień pracy jak coś, co trzeba znosić zaciskając zęby. W ich świecie wszyscy pracujemy dla Cruelli DeMon[9]. I nieustannie leje deszcz.

Nawet gdy jest pogodny dzień i właśnie usłyszeliśmy w wiadomościach, że John Prescott pękł, ci z Udręki FM zawsze znajdą powód do biadolenia, którym będą przeplatać wszystkie czternaście powtórzeń *Yesterday Once More* Carpentersów, aż do szóstej po południu.

Niestety, nie ma sensu szukać innych stacji. Udręka FM jest prowadzona przez ludzi, którzy staczają się po równi pochyłej swojej kariery, ale za to w innych stacjach większość didżejów myśli o sobie, że wspina się ku górze. Ich głosy brzmią, jakby podczas audycji ktoś czyścił im nos Domestosem i elektryczną szczoteczką do zębów.

„Kto wie – myślą pewnie – może właśnie słucha mnie jakiś producent telewizyjny, więc jak będę cały czas błaz-

---

[8] Stacja z muzyką poważną.

[9] Czarny charakter ze „101 dalmatyńczyków".

nować i gadać jak pomylony, z pewnością dostanę pracę w telewizji".

Zgadza się, chłopaki, ale jak dostaniecie się do telewizji, to każdy, kto was zobaczy, zmieni szybko kanał.

Jeśli zaś chodzi o radio, to z jakichś niezrozumiałych przyczyn nikt kanałów nie zmienia.

Niedziela, 28 stycznia 2001 r.

Witamy i Achtung – oto austriacka gościnność

Mała wskazówka. Niezależnie od tego, że granica pomiędzy Szwajcarią i Austrią może być oznaczona jedynie przez mały próg zwalniający, a posterunki celników wydają się opuszczone, koniecznie zatrzymaj samochód. W przeciwnym wypadku lusterko wsteczne zaroi się od uzbrojonych mężczyzn w uniformach, a spokój nocy zostanie zakłócony przez światła szperaczy i dźwięk klaksonów.

Mogę udzielić tego przydatnego pouczenia, ponieważ w zeszłym tygodniu, gdy jechałem z St. Moritz do Innsbrucka w konwoju z ekipą kamerzystów, nagle z zaciemnionej budki celnika wyskoczył mężczyzna i wrzasnął: „Achtung!".

Nie mam pojęcia, co znaczy „achtung". Wiem tylko, że zwykle „achtung" poprzedza wielką strzelaninę, po której następuje wiele lat pracy przy drążeniu tuneli. Dlatego zjechałem na bok i zatrzymałem samochód. W przeciwieństwie do reszty konwoju.

Mężczyzna, blady ze wściekłości i furii, ociekając jadem zażądał mojego paszportu i odmówił wydania go z powrotem, dopóki nie dostarczę mu szczegółów na temat ludzi w tym drugim samochodzie, którzy ośmielili się tak po prostu minąć jego posterunek.

Często zastanawiałem się, jak zachowałbym się w takiej sytuacji. Czy zniósłbym tortury, aby uratować moich znajomych? Jak silna jest moja wola i więzy przyjaźni wykształcone jeszcze na placu zabaw? Jak długo potrafiłbym wytrzymać?

Muszę przyznać ze wstydem, że nie dłużej niż trzy sekundy. Mimo że mam dwa zapasowe paszporty, paplałem jak niemowlę, dyktując nazwiska, adresy, a nawet numery telefonów komórkowych ludzi z ekipy.

Zawrócili ich samochód, a kierowca został z niego wywleczony i doprowadzony siłą aż do znaku „Stop", który poprzednio zignorował. Skonfiskowali mu paszport, po czym spostrzegli, że nasz sprzęt fotograficzny nie został skontrolowany w Szwajcarii. Wpadliśmy w tarapaty.

Podnieśliśmy więc ręce do góry i wiecie co? Strażnik nawet nie mrugnął okiem. Widok czterech obywateli Wielkiej Brytanii, stojących przy posterunku granicznym w środku Europy, z rękami w górze, w najmniejszym stopniu nie wydał mu się dziwny.

Przyzwyczailiśmy się już do stopniowego zaniku utrudnień podczas podróży międzynarodowych. Na przykład jadąc z Francji do Belgii orientujesz się, że właśnie przekroczyłeś granicę tylko po tym, że nagle droga staje się pełna wybojów. Strażnicy francuscy zwykle w tej chwili strajkują a ich koledzy w Belgii są ledwie widoczni zza góry frytek polanych majonezem.

Ale w Austrii wszystko wygląda inaczej. Nie spotkasz tu tłuściocha, który chce tylko spokojnie dociągnąć do emerytury. Facet na drodze z St. Moritz do Innsbrucka był szczupłym szeregowcem z pierwszej linii frontu, w pełnym rynsztunku i kamuflażu. Wydawał się nie rozróżniać

Anglika od Turka czy Słowianina. Zdaje się, że nikt nie jest mile widziany w Cesarstwie Austro-Węgierskim.

Ludzie z ekipy, którzy byli bardzo zawiedzeni, że ich wsypałem i zwracali się do mnie *per* „von Strimmer" albo po prostu „mięczak", zostali zawróceni do Szwajcarii. A ja? Za to, że ich sprzedałem, pozwolono mi jechać do Innsbrucka.

Pojawiło się więc pytanie: skąd ten strażnik wiedział, dokąd chcę jechać? Nigdy nie wspomnieliśmy o celu naszej podróży, a mimo to wiedział. Stało się to jeszcze dziwniejsze, gdy parę minut później zostałem zatrzymany za przekroczenie prędkości i, mimo że jechałem w samochodzie zarejestrowanym w Zurychu, policjant od razu zwrócił się do mnie po angielsku.

Dotarło to do mnie, gdy wjeżdżałem do najdłuższego tunelu na świecie. Zadziwiające było też to, że nie zaznaczono go na mapie. Co u licha chcą przed nami ukryć?

Wreszcie dotarłem do hotelu, gdzie miałem rezerwację, ale tajemnicza kobieta w długiej sukni wieczorowej wyjaśniła mi groźnie, że wynajęła mój pokój komu innemu. I że wszystkie inne hotele w Innsbrucku mają komplet gości.

Paranoja wkroczyła w moje życie, a wkrótce krew w żyłach zmroziła mi wiadomość, że jeden z drużyny bobsleistów, z którą miałem spotkać się następnego dnia, został skopany na śmierć w sąsiedztwie klubu nocnego.

Wreszcie wylądowałem wiele mil dalej, w hotelu prowadzonym przez faceta, który powinien nazywać się „The Downloader".

„A, więc jesteś Anglikerem" – stwierdził, gdy się meldowałem. „Jest dużo dobrych ludzi w Anglii" – dodał.

z uśmiechem, który mógł sugerować, że miał na myśli Harolda Shipmana[1].

W Austrii dzieje się coś dziwnego. Austriacy ogłosili światu, że lider Austriackiej Partii Wolności wycofał się z polityki, ale jaką można mieć pewność, że odszedł na zawsze i już nigdy się nie pojawi? Nie zapominajmy, że ci ludzie to mistrzowie nad mistrzami w podstępach. Udało się im przecież przekonać cały świat, że Adolf Hitler był Niemcem. Większość ludzi w Austrii jest przekonana, że Haider jeszcze wróci. Jako kanclerz. I w tym problem.

Piszę ten felieton w moim pokoju, mając nadzieję wysłać go mailem do „Sunday Timesa" ale za każdym razem, gdy próbuję się zalogować wyskakuje okienko z informacją, że jest to niemożliwe. Może to Downloader siedzi na strychu i przegląda podejrzane obrazki pełne skrępowanych niewolników i noży. A może jestem obserwowany. Tak jak inni dziennikarze.

W każdym razie nie wiem, w jaki sposób wracając jutro do domu przeszmugluję ten tekst przez kontrolę graniczną. Spróbuję jeszcze jakichś innych trików z moim telefonem komórkowym i mam nadzieję, że te słowa do was dotrą. Gdybym jednak zaginął w tajemniczych okolicznościach, błagam o pomoc. Jestem w…

Niedziela, 11 lutego 2001 r.

---

[1] Słynny angielski lekarz – seryjny zabójca, uśmiercił co najmniej 215 swoich pacjentów.

O rany, ale Biały Dom jest mały!

Jeśli jesteś osobą, która mdleje z zachwytu na widok greckich marmurów i obtłuczonych średniowiecznych miseczek na zboże, nie ma większego sensu, żebyś zwiedzał amerykańskie muzea. Tylko pomyśl: wtedy, gdy w Europie trwały już wyprawy krzyżowe, Amerykanie dopiero polowali na bizony.

Mimo to, zawsze chciałem zobaczyć Bell X-I, pierwszy samolot, który poruszał się z prędkością ponaddźwiękową. W zeszły weekend wybrałem się więc do Smithsonian Institute[1] w Waszyngtonie. Wycieczka ta nie zakończyła się pełnym sukcesem, ponieważ X-I był owinięty folią bąbelkową i na czas renowacji przeniesiony do części muzeum niedostępnej dla zwiedzających. Ale nie szkodzi, znalazłem coś innego.

Istnieją ludzie, którzy myślą, że Ameryka jest tak silnie zróżnicowana, jak Europa. Są w wielkim błędzie, a Waszyngton jest tego najlepszym przykładem. Nigdy nie zdawałem sobie sprawy, że w zasadzie nie leży on w granicach stanu. Założyciele miasta uznali, że w przeciwnym wypadku inni mogliby poczuć się pozostawieni na uboczu – było to niezwykle szlachetne z ich strony. Pomijając

---

[1] W rzeczywistości Smithsonian Institution, słynne centrum edukacyjno--badawcze w Waszyngtonie.

fakt, że taka sytuacja pozbawiła mieszkańców stolicy wolnego świata prawa głosu.

Inną cechą, jaką Waszyngton dzieli z Hawaną i Pekinem, jest jego wielkie napuszenie. Śródmieście pełne jest olbrzymich budynków bez wyrazu, położonych wśród ogromnych, pustych przestrzeni, pilnowanych przez niesamowicie jasnowłosych agentów służb specjalnych w masywnych Chevy Suburbans. Chodniki są z marmuru, a policjanci lśnią.

Zaledwie trzy kwartały na południe od Wzgórza Kapitolińskiego znajdujemy się w obszarze, gdzie 70% populacji to faceci ze spluwami, a pozostałe 30% zostało już zastrzelone. Na zachód leży dzielnica firm internetowych, pełna idiotycznych przedsiębiorstw z głupimi nazwami i niezrozumiałymi hasłami reklamowymi: nie.dorobiona. myśl.com: Zbliżamy ze sobą świat.

Patrzysz na te olbrzymie odbijające się w sobie siedziby biur i myślisz: „Co wy tu robicie?". Politycy nigdy nie znajdą odpowiedzi na to pytanie, ponieważ wszyscy mieszkają w dzielnicy zwanej Georgetown, która jest tak antyseptyczna i tak odizolowana od zwykłego świata, jak podziemia centrum badań nad chorobami tropikalnymi.

Jedyne, co tu grają, to kanon Pachelbela. Miło było go usłyszeć w holu mojego hotelu. Poczułem się bezpieczny i rozpieszczony, ale ta sama muzyka była włączona także w windzie i w księgarni obok, i w galerii sztuki.

Brzmiała nawet w „autentycznej" restauracji wietnamskiej, gdzie klienci mogą obżerać się karmelizowaną wieprzowiną w białym winie. A teraz posłuchajcie: byłem w Sajgonie i w pewnej szlachetnej restauracji zaoferowano mi „karpia ociekającego tłuszczem" i „kurczaka w strzępach". Trudny wybór, więc ostatecznie zdecydowałem się na „w miarę przypieczone dzikie ślimaki na ryżu". Nie mam pojęcia, co to było, ale na sto procent nie było skarmelizowane ani podane w winnym sosie.

Zresztą, co tak naprawdę Amerykanie wiedzą o Wietnamie? Cóż, i tak na pewno więcej, niż o Francji. Następnego dnia po przyjeździe zamówiłem „oryginalne śniadanie francuskie w wiejskim stylu". Składało się ono z jajek sadzonych, gorących kiełbasek, bekonu, startych ziemniaków smażonych z cebulą i – uwaga! uwaga! – rogalika. A, skoro tak, to wszystko w porządku.

To, co nie było w porządku, to ci, którzy tam jedli. Każdy z nich był politykiem, pochlebcą polityka, komentatorem politycznym albo lobbystą.

Ponieważ wszyscy ci ludzie, połączeni wspólnym interesem, żyją razem w małym kokonie, działają w niesłusznym przekonaniu, że ich praca jest w jakiś sposób ważna. Zaczynają wierzyć, że istnieją tylko dwa rodzaje ludzi: nie biali i czarni, nie bogaci i biedni albo Amerykanie i lepsi od nich; po prostu są tylko demokraci i republikanie.

Można się zastanawiać: co w tym złego? Przecież to z pewnością dobry pomysł: umieszczenie wszystkich polityków w jednym miejscu. Oszczędza nam to patrzenia na nich.

Nie jestem tego taki pewien. Kiedy Peter Mandelson[2] nie mógł sobie przypomnieć, czy wykonał jakiś telefon, czy też nie, musiał złożyć rezygnację, i było to traktowane jak najważniejsze wydarzenie w historii świata. A w wiadomościach telewizyjnych człowiek o uszach wypełniających cały ekran wyjaśniał, że Tony Blair mógłby w rzeczy-

---

[2] Minister w rządzie Blaira, aferzysta.

wistości opóźnić wybory, tak jakby wszystkie rozmowy we wszystkich pubach dotyczyły właśnie tego.

To było w Londynie. Ale w miasteczku wybudowanym przez polityków dla polityków jest o wiele gorzej. W Waszyngtonie nie można nawet wybudować drapacza chmur, ponieważ wszystkie budynki muszą być niższe od „Washington Memorial". Wydźwięk jest prosty. Tutaj nic nie może być ważniejsze od polityków.

Aby wyjaśnić politykom, że istnieje świat na zewnątrz ich światka, i jest to świat strachu i lęku, poczułem się w obowiązku kupić farbę w sprayu i drabinę, i napisać coś odpowiedniego wielkimi czerwonymi literami na Białym Domu.

Ale kiedy się tam znalazłem, po prostu nie mogłem uwierzyć własnym oczom. Mówiąc prosto z mostu, mieszkam w większej chałupie, niż prezydent Ameryki, i nie są to żadne przechwałki, bo wy zapewne też. Biały Dom jest naprawdę śmiesznie mały.

Wszędzie wokół pełno było reporterów telewizyjnych, którzy dostarczali swoim widzom jakieś strzępy nieprzydatnych informacji, które podchwycili poprzedniego wieczoru, siedząc nad miską autentycznego etiopskiego spaghetti. Miałem ochotę im powiedzieć: „Słuchajcie, skupcie się na najważniejszym. Powiedzcie wszystkim, że Prezydent Bush mieszka w małym domku, a przede wszystkim, uprzedźcie ich, że wystawa samolotu X-I jest nieczynna".

Niedziela, 18 lutego 2001 r.

Lot dookoła świata, brak miejsc w pierwszej klasie

Według ostatnich, mrożących krew w żyłach doniesień, ludzie podczas dwudziestosiedmiogodzinnego lotu do Nowej Zelandii mają prosty wybór. Mogą umrzeć na zakrzepicę żył. Albo na raka, wywołanego przez reakcję promieniowania w górnych warstwach atmosfery z aluminiową powłoką samolotu. Jedno i drugie jest lepsze niż dotrwanie do końca lotu.

Wsiadłem do samolotu na Heathrow i z przerażeniem spostrzegłem, że leci ze mną kilka tuzinów emerytów na wycieczce z biurem podróży Saga. Świetnie. Połowa z nich była w stadium chodzenia do ubikacji co 15 minut, a druga połowa dosłownie to olewała.

Na szczęście miejsce obok mnie było wolne. A więc kto mi się trafi? Boże, spraw, niech tylko nie będzie to ta dziewczyna z dzieckiem! Ta, którą widziałem przed chwilą w hali odlotów! Nie ma nic gorszego od siedzenia obok dziewczyny z niemowlęciem podczas tak długiego lotu! Oczywiście, to właśnie ona obok mnie usiadła.

I wtedy przeniesiono mnie do pierwszej klasy. Nie zapytałem nawet, dlaczego. Po prostu złapałem szczęście za nogi, przesiadłem się do przodu i pogrążyłem w lekturze książki. Była to gruba cegła zatytułowana „Stacja arktyczna". Miała wciągać bardziej niż najbardziej zakręcony rollercoaster i sprawić, że beznadziejnie długi, jedenastogodzinny lot zmieni się w przyjemną podróż, krótką jak okamgnienie.

Niestety, książka okazała się być największym gniotem, jaki kiedykolwiek napisano. Zaraz po tym, jak samotny amerykański marines bez żadnego wsparcia zmiótł z powierzchni ziemi całą francuską dywizję, postanowiłem, że raczej obejrzę film. Ponieważ jednak widziałem już wcześniej wszystkie, i to w oryginale, z przekleństwami, byłem ugotowany.

Nie można nawet rozmawiać ze stewardesami, bo myślą, że próbuje się je poderwać, ani ze stewardami, dokładnie z tego samego powodu. Pomyślałem więc, że mógłbym się czegoś napić. Ale czego?

Mój zegar biologiczny mówił mi, że czas na herbatę, ale mój przestawiony już zegarek sugerował, że pora raczej na lampkę wina. Niestety, nie mogłem sobie na to pozwolić. Miałbym później ochotę na papierosa, a palenie na pokładzie, w przeciwieństwie do posiadania wrzeszczącego niemowlaka, jest odbierane jako aspołeczne.

Wiem. Popatrzę sobie przez okno. Przyjrzę się z góry temu przeludnionemu padołowi, na którym żyjemy. Bardzo mi przykro, ale przez sześć godzin nie było żadnych miast, żadnych ludzi, i wbrew różnym ostrzeżeniom, żadnego dowodu na globalne ocieplenie. Tylko tysiące i tysiące kilometrów lodu.

Powróciłem więc do książki. Byłem właśnie w połowie tego kawałka, gdy samotny Amerykanin wyrzynał w pień cały oddział antyterrorystyczny, gdy wydostaliśmy się z chmur i dotarliśmy do Los Angeles.

Czas na papieroska. Byliśmy jednak w Kalifornii, co oznaczało, że aby zapalić, muszę wyjść na zewnątrz, co oznaczało, że muszę przejść kontrolę paszportową, co oznaczało, że muszę stać w kolejce za tymi gamoniami z Sagi, którzy, co do jednego, wypełnili źle swoje formularze.

Kiblowałem w kolejce przez godzinę, a amerykańscy oficerowie kontroli granicznej, w złym humorze, bo praca wymuszała zrobienie przerwy w jedzeniu, powarkiwali na staruszków. W końcu uznali, że czas minął. W przeciwieństwie do reszty państw, w Stanach samolot ma prawo odlecieć bez pasażera, z jego bagażami na pokładzie.

Tak więc z ciężkim sercem i jeszcze cięższymi płucami powlokłem się z powrotem do samolotu, aby odbyć kolejny, naprawdę długi kawał podróży, i spostrzegłem, że moje miejsce w pierwszej klasie diabli wzięli. Na szczęście to samo dotyczyło dziewczyny z niemowlęciem.

Na jej miejscu siedziała panienka rodem z kalifornijskiej plaży, która leciała do Auckland ze swoją równie odjazdową przyjaciółką.

Na początku nie przywiązywałem specjalnej wagi do faktu, że panienki trzymały się za ręce, ale gdy zaczęły dotykać swoich bardziej intymnych części ciała, dotarło do mnie, co jest grane.

Wiem, że nie powinno mnie to zaskoczyć. Mówiono mi niezliczoną ilość razy, że ludzie po prostu rodzą się homoseksualni. Homoseksualizm nie wynika z tego, że jesteś tak zabójczo przystojny, że lecą na ciebie nawet faceci. W takim razie muszą więc istnieć również ładne lesbijki. Do tej pory myślałem jednak, że spotyka się je jedynie w filmach.

Próbowałem czytać książkę, w której główny bohater coraz bardziej się rozkręcał i aktualnie rozwalał oddział komandosów używając jedynie drabinki sznurkowej, ale za nic nie mogłem się skupić. Spróbujcie zasnąć, gdy w odległości 40 centymetrów od was dwie blondynki wzajemnie wylizują sobie gardła.

Gdzieś w okolicach wysp Fiji wreszcie zasnęły, a po nich ja. Niestety, obudziłem się godzinę później, gdy nieopatrznie ruszyłem ręką i plaster antynikotynowy wyrwał mi spod pachy kilka włosów wraz z cebulkami.

Po dwunastu godzinach wylądowaliśmy. Miałem zaledwie 40 minut na złapanie połączenia do Wellington. Pomimo tego, że terminal lotów krajowych jest oddalony o jakieś dwa tygodnie żwawego spacerku, to jeśli wszystko przy odprawie pójdzie dobrze, powinienem zdążyć.

Nie poszło. Gość wziął moje dokumenty na zaplecze i pojawił się z powrotem dziesięć minut później, ubrany w gumowe rękawiczki. Jezu, prawie zemdlałem.

Wierzcie mi, nie ma się ochoty na kontrolę osobistą po 27 godzinach podróży. Jeśli się nieco głębiej zastanowić, nie ma się ochoty na kontrolę osobistą nawet po 27 minutach podróży. Na szczęście facet ograniczył się do sprawdzenia mojej walizki i na minutkę przed odlotem udało mi się złapać ostatni już w mojej podróży samolot.

Na jego pokładzie zjadłem jeszcze jedno śniadanie, skończyłem czytać moją beznadziejną książkę i jutro, po zaledwie 36 godzinach w Wellington, wracam do domu. Czy tak wygląda życie podróżujących po świecie sław? Jeśli tak, to bardzo dziękuję.

Niedziela, 25 lutego 2001 r.

Próbują spowolnić prawdziwy rytm życia

Czy ktokolwiek zauważył, że po zeszłotygodniowej katastrofie kolejowej gazety pełne były bezsilnej złości? Jakkolwiek bardzo by się nie starały, a niektóre z nich starały się naprawdę mocno, nie mogły znaleźć winnego.

Tory nie były uszkodzone. Maszynista nie był krótkowidzem. Przejazd kolejowy był strzeżony, a kierowca Land Rovera nie zasnął za kierownicą. To był wypadek.

Dziś oczywiście nie istnieje coś takiego jak wypadki. Jeśli potkniesz się o wystającą płytkę chodnikową albo zjesz podejrzany kawałek mięsa, uruchamia się dochodzenie, znajduje winnego i podejmuje kroki aby zagwarantować, że takie zdarzenie nie będzie miało miejsca w przyszłości.

Jak zapewne pamiętacie, mieliśmy ostatnio wyjątkowo deszczową jesień i wiele rzek wylało. Ale oczywiście, nie było to wolą Boga ani wybrykiem natury. Ktoś zawinił.

Podobnie, nikt nie może po prostu umrzeć. George Carman, honorowy członek palestry, wykorkował w wieku 71 lat. To niezły wynik. O nie, skądże. Jego śmierć przypisano chorobie nowotworowej, tak jakby mógł jej uniknąć nie jedząc sera czy brokułów.

Zastanówmy się. Istota ludzka, a w szczególności męska, jest zaprogramowana do podejmowania ryzyka. Gdyby nasi przodkowie przez całe życie siedzieli w jaskiniach, nie mając odwagi wyściubić nosa na zewnątrz, dziś wciąż byśmy tam byli.

Jasne, jesteśmy dzisiaj bardziej ucywilizowani. Korzystamy z kuchenek mikrofalowych i odrzutowców, ale w głębi serca wciąż jesteśmy jaskiniowcami. Ciągle łakniemy zdrowego kopa adrenaliny, wysokiego poziomu endorfiny i uderzenia dopaminy. A jedynym sposobem, w jaki możemy dorwać się do tej hormonalnej apteczki, jest podejmowanie ryzyka.

Wszelkie tłumaczenia, że prędkość zabija i prośby, by zwolnić, przypominają trochę sugestie, by zignorować grawitację. Jeździmy szybko nie z pośpiechu, ale dlatego, że to nas podnieca i pozwala poczuć, że żyjemy. Poczuć się ludźmi.

Dr Peter Marsh z Centrum Badań Socjologicznych w Oksfordzie twierdzi, że dzisiejszy wzrost zainteresowania skokami na bungee, spadochroniarstwem i innymi sportami ekstremalnymi jest zwyczajną reakcją człowieka na kokon bezpieczeństwa, jakim oplata go dzisiejsze społeczeństwo.

W zeszłym tygodniu Marsh opowiedział mi o chłopaku z Blackbird Leys pod Oksfordem, który w latach dziewięćdziesiątych kradł samochody i zarzucał nimi na ręcznym hamulcu. Kilku liberalnych komentatorów pytało go, dlaczego to robi.

„Najzabawniejsze w tym wszystkim jest to – powiedział – że te dzieciaki kradną naprawdę dobry wóz, zabierają go do siebie na osiedle i szpanują, ku uciesze i przy dopingu kumpli. Mają niezły ubaw i robią policję w konia, a ktoś jeszcze pyta dlaczego!"

Kto zdecydował, że mamy żyć w wyważonym

społeczeństwie, bez podniet, ryzyka, niebezpieczeństwa i śmierci?

Tylko podczas dwóch ostatnich miesięcy poinformowano nas, że woda wywołuje chorobę psychiczną, picie kawy zwiększa ryzyko poronienia, kosiarki do trawy prowadzą do głuchoty, a mężczyźni w średnim wieku, którzy tańczą, narażają się na urazy barku.

Pewien profesor z Uniwersytetu w Aberdeen określił zmywanie naczyń jako „bezwzględne zagrożenie". Wmówiono nam, że kreda do kija bilardowego może powodować zatrucia ołowiem, a nowe monety euro zawierają nikiel, który wywołuje pęcherze na skórze. Pojawiły się również ostrzeżenia, że jabłka zawierają bakterię E-coli, a termometry rtęciowe zabijają niemowlęta.

Skąd biorą się te wszystkie bzdury? Hmm, szczerze mówiąc, pochodzą ze Stanów, gdzie naukowcy właśnie zamartwiają się, że partia Game Boy'ów wysłana do Iraku może posłużyć do budowy prostego komputera. Ten z kolei mógłby zostać wykorzystany do naprowadzania rakiet z głowicami chemicznymi aż do samego Bufallo Springs.

Pamiętajcie, że Amerykanom wbito do głowy, że da się przeprowadzić wojnę nie tracąc ani jednego żołnierza czy lotnika. To samo tyczy się ich pogody.

Zamiast drżeć, gdy huragan przemierza Florydę, a tornado szaleje w Oklahomie, Amerykanie upierają się, że rząd powinien coś z tym zrobić. Chcą mieć lepszy system ostrzegania, lepszą ochronę.

I wreszcie – palenie papierosów.

Czy wiecie, że w Stanach są teraz strony porno, na których można obejrzeć zdjęcia dziewczyn figlujących ze zwierzętami z farmy, a dopiero na najwyższym poziomie, dostępnym tylko dla członków klubu, znajdują się fotografie całkowicie ubranych dziewcząt palących papierosa?

I pomimo kilku płaczliwych próśb o pomoc z ostatniej strony „Washington Post", społeczeństwo amerykańskie wierzy, że życie może, i powinno, przebiegać bez żadnego ryzyka, że wszystkich wypadków można uniknąć, a śmierć przytrafia się tylko tym, którzy jedzą mięso i palą.

To dziwne. Z zewnątrz Amerykanie wydają się być ludźmi – może nieco większych rozmiarów – ale niemniej jednak ludźmi wyposażonymi w ręce i głowy.

W jaki sposób zdławili w sobie podstawowe instynkty, które kierują resztą ludzkości?

Przychodzi mi do głowy tylko jedna odpowiedź. Jeśli nie potrzebują ani ryzyka, ani zewnętrznych bodźców, muszą mieć coś nie tak z genami. Jest też na to prostsza nazwa. Są walnięci.

Niedziela, 4 marca 2001 r.

Zapomnijcie o euro, lepiej zróbcie wszędzie takie same gniazdka

Gdyby zlecono ci zadanie wprowadzenia tych samych standardów dla całej Europy, od Morza Bałtyckiego aż po cieśninę Bosfor, jestem pewien, że znalazłbyś mnóstwo rzeczy nieco bardziej palących niż wspólna waluta.

Chociażby jednakowe gniazdka. Jak to możliwe, że eurodeputowanym udało się wprowadzić ujednolicone banany, a nadal pozwalają, aby w każdym państwie członkowskim istniał inny, za każdym razem ekscytujący sposób wydobywania elektryczności ze ściany?

Nie było najgorzej, gdy w podróż zabierało się jedynie grzebień, ale teraz trzeba ładować baterie w laptopach, telefonach komórkowych i elektronicznych organizerach. Oznacza to, że musimy wozić ze sobą całą górę przeróżnych przejściówek. Podróżujemy dziś jak bohaterka powieści E. M. Forstera, z 14 kuframi i mocarnym służącym.

I jeszcze panienka z odprawy ma czelność pytać: czy mam w walizce jakieś urządzenia elektryczne? Ależ nie, no skąd.

Doprowadza mnie to do szału, bo zawsze chełpiłem się, że jestem w stanie przeżyć miesiąc za granicą, zabierając jedynie bagaż podręczny. Wypracowałem nawet pewną procedurę, która sprawia, że jedna para majtek wystarcza na 4 dni.

Drugiego dnia nosi się je tyłem na przód, trzeciego na lewą stronę i wreszcie czwartego dnia tyłem na przód i na lewą stronę. Znam pewnego operatora kamery, który twierdzi, że opracował kombinację pozwalającą na 5 dni ciągłego użytkowania tej samej sztuki bielizny, ale szczerze mówiąc, nie wierzę mu.

Przejdźmy do sprawy gniazdek telefonicznych. W przeszłości nie zwracaliśmy na nie uwagi. Teraz jednak wszyscy chcemy być wpięci do Internetu. Jak to możliwe, że w Brukseli nie wydano rozporządzenia mówiącego co jest, a co nie jest standardowym gniazdkiem?

Wprowadzają euro, dzięki czemu mój portfel nie będzie pękał w szwach od różnych walut. Świetnie. Mimo to nikt się nie przejmuje, że muszę się włóczyć po Europie z walizką pełną kabli, które z powodzeniem wystarczyłyby do zbudowania mostu wiszącego.

Nie lepiej jest ze znakami drogowymi. Całkiem niedawno chciałem wyjechać z Zurychu na autostradę A3 do St. Moritz. Znak niebieski wskazywał w lewo, a znak zielony – w prawo. Niebieski to autostrada, prawda? Pudło. Nie w Szwajcarii. Niebieski znak wyrzucił mnie na drogę tak krętą, że w porównaniu z nią pozwijane kable w mojej walizce były proste jak drut.

A windy? Dlaczego nie ma w nich ustalonego symbolu oznaczającego poziom z recepcją? W Europie więzienia muszą być urządzone tak, by więźniowie, nie daj Boże, przypadkiem się nie potknęli. Tymczasem prawych obywateli, takich jak ja, zmusza się do wielogodzinnego wciskania nieopisanych w żaden sensowny sposób guzików, tylko po to, by drugą połowę dnia spędzili szukając wyjścia z hotelowej kotłowni.

Nie chcę, żebyście pomyśleli, że tęsknię za czasami, gdy gazety roiły się od nagłówków: „Mgła nad kanałem La Manche. Europa odcięta". Wcale nie mam mentalności typu: Anglicy-są-najlepsi. Mamy przecież niestety i Johna Prescotta, i bałagan, i różnych głupków. I na pewno możemy jeszcze sporo się nauczyć od Europy.

Na przykład austriackie toalety: to bez wątpienia dobry wynalazek. Mają oszczędną spłuczkę do siusiu i huczącą Niagarę do pozbywania się nawet najbardziej opornych kawałków kupci. W Hiszpanii obiad trwa aż trzy godziny. Francuskie samoloty dalekiego zasięgu dysponują barami dla palaczy.

Więc jeśli już musimy integrować się w Europie, to z pewnością z każdego państwa trzeba wybrać to, co najlepsze i wszystko razem wymieszać.

Weźmy celników. W Niemczech szturcha cię jakiś ćpun z pistoletem. Biada jednak temu, kto chciałby podbić dokumenty na granicy francuskiej. Starałem się o to w zeszłym tygodniu, ale facetowi z odprawy najwyraźniej nie należało zawracać głowy. Do tego stopnia, że kiedy zacząłem go naciskać, mój formularz przeleciał przez całe biuro, celnik krzyknął „Merde!" i odszedł wściekły.

W tej sytuacji najbardziej przekonuje mnie włoska organizacja ruchu granicznego, czyli zupełny jej brak.

Dobrze byłoby też, gdyby udało się znaleźć uniwersalnego Głupiego Jasia. My mamy Irlandczyków, Szwedzi mają Norwegów, Duńczycy naśmiewają się z Belgów i tak dalej. Wspólny Głupi Jaś bardzo ułatwiłby międzynarodowe rozumienie kawałów.

Nie, nie będą to Walijczycy. Ostatnio jadłem kolację w Austrii w towarzystwie piętnastu osób różnej narodowości. Byliśmy po prostu jak wspaniały bukiet kwiatów. Byli Skandynawowie, Niemcy, Anglicy, Włosi i cała reszta, i było świetnie.

My objaśnialiśmy dowcipy Niemcom, Francuzi wybrali odpowiednie wino, Włosi zamówili jedzenie, Austriacy dogadali się z kelnerką, a Duńczyk przez cały wieczór odwodził Szweda od myśli samobójczych. Razem śmialiśmy się i żartowaliśmy, wiele się od siebie nauczyliśmy. Był to naprawdę udany wieczór, wzór europejskiej harmonijnej współpracy.

Było jednak coś, co popsuło tę wspaniałą harmonię. Nagle, w samym środku naszej kompozycji kwiatowej z róż, bugenwilli, szarotek alpejskich i tulipanów wyrosła sekwoja: Amerykanin. Zaczął się uskarżać, że palimy i nieudolnie naśladując chrypiący kaszel, usiłował nas do tego zniechęcić. Nie docenił smaku sznycla po wiedeńsku i nie mógł pojąć, że można chcieć wypić jeszcze po jednej kolejce.

Idealny kandydat na Głupiego Jasia. Musimy jednak pamiętać, że pochodzi z federalnego superkraju, gdzie w każdym stanie są takie same wtyczki. Co za pech!

Niedziela, 18 marca 2001 r.

Czy oddałbym życie za Pana Niepamiętamnazwiska?

Sprawa sądowa Jonathana Woodgate'a[1] zrodziła ostatnio ciekawy dylemat. Przed tygodniem jego najlepszy przyjaciel zeznawał przeciwko niemu. Ciekawe, co wy byście zrobili na jego miejscu?

Z jednej strony uczciwość – to podstawa funkcjonowania społeczeństwa. Wiadomo więc, że postąpimy słusznie, gdy zaoferujemy swoje usługi prokuratorowi. Z drugiej strony przyjaźń powinna być nienaruszalną więzią, o której nie ma mowy bez lojalności. A więc postąpilibyśmy słusznie również i wtedy, gdybyśmy trzymali język za zębami.

Cóż, myślałem o tym długo i intensywnie biorąc poranny prysznic i doszedłem do wniosku, że w podobnej sytuacji naskarżyłbym jak dziecko. Bo wiecie co? Przyjaźń wcale nie jest nienaruszalną więzią. Jest raczej jak olbrzymia, piaszczysta wydma, pozornie potężna i trwała, ale pewnego dnia budzisz się, a jej już nie ma.

Dawno temu, na początku lat osiemdziesiątych, spędzałem prawie każdy wieczór w stałym towarzystwie moich kumpli, w urządzonym w piwnicy barze Kennedy's przy King's Road. Cały czas śmialiśmy się, wychodziliśmy na

---

[1] Angielski piłkarz, grający wówczas w klubie Leeds United, skazany w 2000 roku na 100 godzin prac społecznych za pobicie wraz z kolegą klubowym czarnoskórego studenta.

scenę z muzykami, śpiewaliśmy i pili na umór. Że pozostaniemy kumplami na zawsze, byliśmy pewni tak jak tego, że po dniu nastąpi noc.

Gdyby wtedy któryś z moich kumpli został oskarżony o wyłupienie barmanowi oczu kosą, zeznałbym policji, że w tym czasie zmarłem i że nic nie wiem. A gdyby przyszło co do czego, mógłbym nawet wziąć jego winę na siebie. To z kolei sprawiłoby, że czułbym się dzisiaj niewymownie głupio, bo nie mam bladego pojęcia, gdzie obecnie mieszka dwóch z tamtych kumpli, a co do trzeciego, to nawet nie pamiętam, jak się nazywał.

Jak mogło dojść do czegoś podobnego? Prawdopodobnie, gdy żegnałem się z nimi po raz ostatni, rzeczywiście myślałem, że spotkamy się w przyszły weekend. Przecież nie pokłóciliśmy się. Kumple nie zapuścili też bród. Nie przenieśli się do Katmandu. Po prostu rozeszliśmy się do domów i już nigdy później się nie spotkaliśmy.

Ta historia wciąż się powtarza. Przejrzałem starsze wpisy w mojej książce adresowej i znalazłem wśród nich setki nazwisk przyjaciół, łajdaków, bratnich dusz i byłych kumpli, których już nigdy później nie spotkałem.

Wyjaśnienie tego stanu rzeczy jest następujące: obecnie najchętniej spędzam wieczór siedząc w totalnym otępieniu przed telewizorem, zajadając czekoladę.

Jakiekolwiek wyjście z domu oznacza, że trzeba wstać, przebrać się, znaleźć opiekunkę do dzieci, pokłócić się, kto będzie prowadził i opuścić najnowszy odcinek *Holby City*[2]. I szczerze mówiąc, nie jestem w stanie robić tego częściej niż raz w tygodniu. Tak więc liczba osób, z którymi mogę się spotkać w ciągu roku, wynosi pięćdziesiąt

---

[2] Brytyjska opera mydlana, odpowiednik polskiego *Na dobre i na złe*.

dwie. A z tego z kolei wynika, że musiałbym poświęcić dwa lata, żeby spotkać się ze wszystkimi wpisanymi do mojego notatnika.

W rzeczywistości trwałoby to o wiele dłużej, bo ludzie, których celowo unikam, w kółko zapraszają mnie na kolację. Po tym, jak zużyłbym każdą możliwą wymówkę, włączając w to napaść bengalskiego tygrysa, musiałbym się z nimi zobaczyć.

A potem, w miarę jak zaczynałoby świtać, snułbym się po ich domu, i zastanawiał, ile mógłbym zapłacić komuś, kto by się nagle pojawił, wręczając mi decyzję o uniewinnieniu i wyjściu na wolność. Gdybym doszedł do 25 000 funtów, a wciąż nikt taki by się nie zjawił, oznaczałoby to, że już naprawdę muszę iść. I tak upłynąłby kolejny tydzień, i znów nie udałoby mi się spotkać z Markiem Whitingiem, moim kumplem z czasów pracy w „Rotherham Advertiser".

Dodatkowo, im więcej mija czasu, tym trudniej wpaść z wizytą do kumpla, z którym się nie widziałeś od lat. Jeśli ktoś, od kogo nie miałeś żadnego sygnału przez dziesięć lat, nagle dzwoni, to możesz być w stu procentach pewien, że skłonił go do tego jeden z dwóch powodów. Stracił pracę. Albo odeszła od niego żona.

Ostatnio tak przejąłem się tymi wszystkimi sprawami związanymi ze znajomymi, że poprosiłem żonę, by nie wpisywać już nikogo nowego do naszej książki adresowej. I nie obchodzi mnie, że ten nowy ktoś byłby sympatyczny. Że miałby poczucie humoru albo alergię na bieliznę. Mamy już wystarczająco dużo znajomych.

Moja propozycja została bardzo źle przyjęta, ale w końcu osiągnęliśmy porozumienie. Nowe wpisy do książki będą mogły się pojawiać, ale pod warunkiem, że będziemy zamazywać korektorem stare.

Nie jest to łatwy orzech do zgryzienia. Jest na przykład taki jeden facet (nie podaję tu jego nazwiska i adresu, bo nie umiem się bić), którego za żadne skarby nie chcę nigdy spotkać. Gdybym miał wybrać, z kim chcę spędzić wieczór, znalazłby się na liście poniżej pani z wypożyczalni kaset wideo.

Co więcej, gdybym spotkał go na ulicy zmierzającego w moim kierunku, udawałbym, że jestem gejem i mimowolnie wyciągałbym rękę w kierunku jego genitaliów. Robiłbym to tak długo, aż by sobie poszedł. A gdyby to nie zadziałało, wbiegłbym do najbliższego sklepu mięsnego i wskoczyłbym do krajalnicy do bekonu.

Ale pomimo tego wszystkiego, gdy tak stałem z końcówką korektora unoszącą się nad nazwiskiem tego skończonego nudziarza, prawie słyszałem w mojej głowie głos Hala z *Odysei kosmicznej 2001*: „Nie rób tego, Dave. Pamiętasz nasze wspólnie spędzone wieczory, Dave? Obiecuję, że teraz będę już bardziej zabawny, Dave".

Nie mogłem go wykreślić, ale teraz mam już bardziej radykalne rozwiązanie, podpatrzone u tych, którzy chcą wydostać się z miłosnego związku z osobą, której już nie kochają. Sprawię, że to on mnie znienawidzi i zerwie ze mną.

Zrobię to jutro z samego rana. Wzorując się na Księdze Przyjaźni klubu Leeds United, zadzwonię na policję i doniosę, że widziałem, jak palił skręta w 1979 roku.

Niedziela, 15 marca 2001 r.

Rozrastające się przedmieścia to niedokładnie to, czego się spodziewałem

Możecie się zdziwić, ale dwa słowa, których najbardziej obawiają się ludzie mieszkający na wsi, to nie „pryszczyca" i „wścieklizna". Nie są też nimi „wściekła" i „krowa". Ani nawet „Blair" i „Prescott". Nie, na wsi najbardziej przerażające angielskie słowa to „Bryant" i „Barratt"[1].

Gdyby krowy w naszych zagrodach nabawiły się pryszczy lub zaczęły wykazywać skłonności do tańca w stylu country, po prostu spalilibyśmy je. Jeśli jednak jedna z firm deweloperskich postawi cholernie wielkie osiedle mieszkaniowe na tyłach naszego ogrodu, takie rozwiązanie odpada. I choć brzmi to kusząco, nie możemy też wezwać przez telefon sił zbrojnych.

„Halo, czy to Królewskie Siły Powietrzne? Świetnie. Jeśli można, chciałbym zamówić zrzucenie napalmu. Już podaję współrzędne."

Gdy w twoim małym światku pojawia się osiedle mieszkaniowe, to już po tobie. Psuje ci ono widok z okna, cena twojego domu sięga dna, a Jego Blairowskość nie sili się nawet na najmniejsze wyrazy współczucia i jakiekolwiek zadośćuczynienie.

Wręcz przeciwnie. O ile pryszczyca przenosi się drogą powietrzną, o tyle to właśnie Tony, który powiedział, że

---

[1] Bryant Homes i Barratt Homes – duże firmy deweloperskie, wyspecjalizowane w budowie osiedli mieszkaniowych.

w ciągu najbliższych sześciu minut ma powstać na wsi
kolejne 30 milionów domów, jest odpowiedzialny za roz-
przestrzenienie się zarazy osiedli mieszkaniowych.

W zeszłym tygodniu wybrałem się, by zobaczyć takie
właśnie osiedle, jakie ma na myśli Tony. Jest już prawie
ukończone, nosi nazwę Cambourne Village i położone
jest na równinach hrabstwa Cambridge, tak pomiędzy
Royston a Norwegią.

Osiedle jest ogromne. Tak ogromne, że buduje je całe
konsorcjum największych deweloperów. Znajduje się
w nim centrum biurowo-przemysłowe, wielka główna
ulica, pub, który serwuje jedzenie typu „przyprawione
przyprawami", trzy skwery, jeziorko i nastolatek bez
kasku, który jeździ po ulicach na motorowerze bez tłu-
mika.

Deweloperzy nie oszczędzili nawet religii. Oczywiście
większość ludzi, którzy zamieszkają w Cambourne to
biali, należący do klasy średniej wierni kościoła anglikań-
skiego. W dzisiejszej epoce wielokulturowości nie można
jednak poprzestać na jednym kościele i myśleć, że sprawa
będzie załatwiona. Postanowiono więc, że jedyny w Cambourne kościół będzie wielowyznaniowy.

Jak to będzie działało w praktyce, nie mam pojęcia.
Może na tyłach budynku umieszczą nadmuchiwany minaret. Może specjalnie dla katolików powieszą na ścianach arrasy, które z kolei zostaną uprzątnięte co do jednego, gdy samotny metodysta spod numeru 23 będzie miał
ochotę odśpiewać w kościele kilka pieśni.

Pomyślałem sobie, że tego typu problemy mogą prowadzić do zazdrości, a nawet do małej wojny. Ale potem
przyszło mi do głowy coś innego. Jeśli w Cambourne po-

jawi się zawiść i obgadywanie, to tylko na tle tego, który dom komu przypadnie.

A to dlatego, że w przeciwieństwie do wszystkich znanych mi dotąd osiedli, każda posiadłość w tym cholernym miejscu – a jest ich ponad 3000 – jest inna. Wielkie, warte 260 000 funtów wille, z pionowo otwieranymi oknami z PCV po obu stronach wejścia i garażami sąsiadują drzwi w drzwi z małymi, dwusypialnianymi domkami, które z kolei wciśnięte są pomiędzy trzysypialniane bliźniaki, z których część ma pokoje połączone z łazienką, a część nie.

Wszystko to wyglądało jak najgorszy koszmar antropologa. „Mężczyzna spod 27 ma nie tylko drewniany garaż w stylu Sussex na swoje BMW 318i, ale i trawnik pięć na pięć metrów, w dodatku z drzewem. A jeśli stanie na bidecie w kolorze awokado, mieszczącym się w łazience połączonej z sypialnią, jego oczom ukazuje się widok na jeziorko!"

Wydaje się, że to okropne mieszkać w takim miejscu, dopóki nie uświadomimy sobie, że w zasadzie każda prawdziwa wieś tak właśnie wygląda. Zazwyczaj jest w niej olbrzymia rezydencja, trochę mniejsza willa, kuźnia, farma, kilka połączonych małych domków, osiedle domów komunalnych i nastolatek na motorowerze. To normalne. Nie są za to normalne osiedla dla ludzi starszych, gdzie wszystkie domy wyglądają tak samo. I gdzie każdy ma BMW 318i.

I tu jest pies pogrzebany, jeśli chodzi o Milton Keynes[2]. Rzeczywiście, w Milton Keynes nigdy nie stoisz w korku.

---

[2] Nowoczesne miasto w południowej Anglii, wzniesione zgodnie ze specjalnie ustalonymi założeniami urbanistycznymi.

Rzeczywiście, w Milton Keynes zawsze znajdzie się wolne miejsce do parkowania. Ale wszystkie domy są jednakowe. Wyglądają tak, jakby zostały zrzucone na miejsce na spadochronach z samolotu transportowego Hercules.

W Cambourne wszystko wygląda inaczej. Niektóre zakątki są naprawdę bardzo, bardzo ładne. Jest tam na przykład rząd domków szeregowych, który przywiódł mi na myśl zabudowę wybrzeża w Honfleur w Normandii. Gdy tak spacerowałem, zacząłem odczuwać niewielkie ukłucia zazdrości.

Co prawda, pomyślałem sobie, mam to wszystko, mieszkając w samym środku Cotswolds, ale nie mam tam sąsiadów, z którymi mógłbym pogadać, ani dzieci do zabawy z moimi. W Cambourne można na piechotę przejść się do sklepów, do pubu, do kościoła i do pracy. W Cotswolds mogę iść i dwa dni, nie dojść nigdzie i wrócić do domu w ubłoconych butach.

W Cambourne mają nawet swoją stronę internetową, gdzie mieszkańcy mogą zamieszczać ogłoszenia o sprzedaży rowerów i dzielić się doświadczeniami z wymiany żon.

Nie muszą też użerać się z codziennymi urokami życia na wsi, takimi jak kursujący raz do roku autobus, traktory i faceci w swetrach, którzy zagłuszają wszystko i wszystkich, z umiłowaniem pracując w przykościelnej dzwonnicy. Chociaż, pomyślałem, gdy nadmuchiwany minaret zostanie napompowany, też może zrobić się głośno.

Ale wiecie, co jest najlepsze w Cambourne? Nie leży w hrabstwie Oksford. A to oznacza, że nie znajduje się na tyłach mojej posiadłości. Leży w hrabstwie Cambridge. A to oznacza, że znajduje się na tyłach posiadłości Jeffrey'a Archera[3].

Niedziela, 1 kwietnia 2001 r.

---

[3] Powieściopisarz i parlamentarzysta, wiceprzewodniczący Partii Konserwatywnej, oskarżony i skazany za krzywoprzysięstwo.

Czy to samolot? Nie, to latające warzywo!

No i proszę, nasi politycy wycofali zamówienie na sześćdziesiąt myśliwców Eurofighter, uzasadniając swoją decyzję wydatkami na Igrzyska Olimpijskie. Wielkie dzięki, panie Popolopolos!

Świetnie.

Eurofighter mógł i powinien być wspaniałym wzorem ogólnoeuropejskiej współpracy. Nauczką dla Stanów. Najgroźniejszym na świecie samolotem do ataków lądowych. Tymczasem już na zawsze pozostanie jaskrawym dowodem na to, że Stany Zjednoczone Unii Europejskiej nigdy nie sprawdzą się tak, jak te po drugiej stronie Atlantyku.

Pomysł budowy takiego samolotu po raz pierwszy ujrzał światło dzienne we wczesnych latach siedemdziesiątych, kiedy to Wielka Brytania zdała sobie sprawę, że już wkrótce będzie potrzebować startującego z lądu samolotu szturmowego, który zastąpi zarówno Jaguara, jak i Harriera. Nie mogliśmy zaprojektować sami takiej maszyny, bo właśnie przerabialiśmy trzydniowy tydzień pracy[1], więc zwróciliśmy się do Francuzów i Niemców.

Francuzi powiedzieli, że oni już mają myśliwiec Mirage, i że są zainteresowani jedynie bombowcem, który

---

[1] W związku z kryzysem gospodarczym, od 31 grudnia 1973 roku do lutego 1974 zarządzono w Anglii trzydniowy tydzień pracy, który miał przynieść znaczące oszczędności energii elektrycznej.

mógłby lądować na lotniskowcach. Niemcy stwierdzili, że ponieważ tym razem nie zamierzają nikogo bombardować, nie interesuje ich bombowiec. Bardziej potrzebowali myśliwca. Nie ruszał ich też pomysł z lotniskowcami, bo żadnego nie posiadali.

Już wtedy było wiadomo, że cała sprawa z myśliwcem szturmowym nie wypali, ale w duchu tego, co miało dopiero nadejść, nasze trzy państwa postąpiły bardzo rozsądnie, podpisały umowę i rozeszły się do domów, by zacząć prace nad wstępnym projektem.

A teraz, by uzmysłowić wam beznadziejność sytuacji, chciałbym, żebyście wyobrazili sobie, że te państwa nie projektują samolotu bojowego, ale warzywo. Wielka Brytania pojawia się z projektem ziemniaka, Francja ze szkicami łodygi selera, a Niemcy prezentują nadziewanego homara. Projekt zmarł więc śmiercią naturalną.

Nie na długo. Ni stąd, ni zowąd Włosi i Hiszpanie doszli do wniosku, że chcą mieć w tym wszystkim swój udział. W ten oto sposób został podpisany nowy kontrakt, noszący w sobie zarodek dodatkowych komplikacji.

Na początku wszystko było jasne. Stopień udziału w projekcie, a co za tym idzie liczba miejsc pracy w każdym ze współpracujących krajów, zależały od liczby zamówionych myśliwców. To było fair, prawda? Nie dla Francuzów. Chcieli tylko jeden samolot, 50% udziału i pełnej kontroli nad projektem. Powiedziano im więc, żeby się wypchali. I rzeczywiście tak zrobili.

Pociągając za sobą Hiszpanię.

Została więc tylko Anglia, Niemcy i Włochy. Ta sytuacja trwała nie dłużej niż 12 sekund. W tym czasie Hiszpania pokłóciła się z Francją i zgłosiła chęć powtórnego uczestnictwa w projekcie. Tak więc piętnaście lat od chwili, gdy po raz pierwszy zaczęto rozmawiać o myśliwcu, zaledwie na osiemnaście miesięcy przed planowanym terminem wcielenia go do Królewskich Sił Powietrznych, projekt zaczął w końcu iść pełną parą.

Potem zdarzyła się katastrofa. Runął Mur Berliński i w tej samej chwili rządy państw europejskich straciły chęć do wydawania trylionów na samolot, który nie będzie miał przeciw komu walczyć. Również i siły powietrzne doszły do wniosku, że wysoce zwrotny, rozwijający dwa machy odrzutowiec do walki jeden na jednego nie będzie już potrzebny w świecie, w którym zapanował nowy porządek.

Postanowiono więc, by prac nad myśliwcem nie przerywać.

Niemcy i Anglia zamówiły po 250 Eurofighterów każde. W związku z tym, przypadł nam 33-procentowy udział w projekcie. Recesja w 1992 roku sprawiła, że nasz rząd uznał przedsięwzięcie za ciut przesadzone. Królewskie Siły Powietrzne obniżyły zamówienie do 232 samolotów, a Luftwaffe zaledwie do 140. Mimo to, rząd Niemiec nalegał na pozostanie przy swoim poprzednim udziale. Gdy pozostali zrobili Niemcom straszną awanturę, ci zagrozili, że się wycofają.

Z obawy przed rozsypaniem się tego domku z kart, Włosi i Hiszpanie udali się na lunch, a Anglicy wzięli się do roboty. Praktycznie od razu zgodziliśmy się na roszczenia Niemców.

Opóźnienie w pracach zrodziło kolejny problem. Dotyczył nazwy samolotu. Od samego początku myśliwiec nazywano Eurofighter 2000, ale już w roku 1994 stało się jasne, że najwcześniej będzie mógł latać w 2001. W końcu nazwano go Tajfun, co przywodzi na myśl skojarzenia ze zniszczeniem i śmiercią.

Ale nie cieszmy się zbyt prędko. Tony Blair postanowił ostatnio, że pociski rakietowe do Tajfuna będą produkcji brytyjskiej, a nie amerykańskiej. Świetnie, problem jednak w tym, że brytyjskie uzbrojenie powstanie nie wcześniej niż osiem lat po wdrożeniu samolotu do sił powietrznych. Więc niby jak będą walczyć piloci do tego czasu? Pokazując obraźliwe gesty?

Mimo wszystko, muszę powiedzieć, że z rozmów z wieloma specjalistami, jakie odbyłem w zeszłym roku, wynika, że Eurofighter jest powszechnie uważany za najlepszy na świecie samolot myśliwsko-bombowy.

Lata się nim rewelacyjnie, a jego cena, wynosząca 50 milionów funtów za sztukę, to naprawdę niewiele. Dla porównania: koszt jednego nowego samolotu Amerykańskich Sił Powietrznych, F-22 Raptora, to 115 milionów funtów.

Tak więc Eurofighter może być w pełni uzasadnionym europejskim powodem do dumy. Niech no tylko Rosjanie spróbują nas zaatakować, a będzie czekała na nich niemiła niespodzianka.

Mimo to, aby dać sobie radę z pozostałymi przywódcami z odległych zakątków globu, to, czego naprawdę nam potrzeba, to lotniskowce. Anglia właśnie zamówiła dwa. Rozpoczęły się więc rozmowy, by przerobić Eurofightera dokładnie na to, co trzydzieści lat temu miała na myśli Francja. Byłoby to jednak ponad nasze siły. Co więc postanowiliśmy? W nieskazitelnym duchu współpracy europejskiej, połączyliśmy nasze siły z Amerykanami w celu zbudowania czegoś, co nosi miano Wspólnego Myśliwca Uderzeniowego F-35. Dzięki, Europo.

Dobranoc.

Niedziela, 8 kwietnia 2001 r.

Obiad zwycięzcy czy pieskie śniadanie?

Nie. To znaczy tak. Tak, byłem na Barbados, ale nie zatrzymałem się w nowo odrestaurowanym, pięciogwiazdkowym hotelu Sandy Lane. Dlaczego? Sprawdziłem, że za sam dwutygodniowy pobyt pięcioosobowej rodziny zapłaciłbym tam 44 000 funtów.

Któż zatem byłby w stanie wybulić tyle kasy za dwa czyste prześcieradła i rogalik? Na pewno nie David Sainsbury[1], który mieszka w naszym hotelu kawałek dalej. I na pewno nie Rausingowie, ci od TetraPak-u. Oni z kolei zaszyli się w swojej luksusowej willi wypoczynkowej.

Naturalnie, żeby dowiedzieć się czegoś o hotelu, nie mogłem tak po prostu wejść i zacząć wścibsko się rozglądać. Musiałem chwycić byka za rogi – postanowiłem, że zarezerwuję stolik na kolację. Zadzwoniłem, zrobiłem rezerwację i zostałem poinformowany, że jeśli się nie pojawię, potrącą mi z karty kredytowej sto dolarów. Boże, ale drogo! Aż sto dolarów już za samo nieprzyjście!

Po przybyciu na miejsce, portier przy drzwiach wskaże ci recepcjonistkę, która wskaże ci kogoś, kto wskaże ci drzwi do restauracji, gdzie ktoś wskaże ci kogoś, kto wskaże ci krzesło przy zarezerwowanym przez ciebie stoliku. Czułem się jak pałeczka przekazywana w sztafecie.

A raczej: byłbym się czuł, bo wciąż siedziałem na tyl-

---

[1] Milioner, właściciel sieci supermarketów Sainsbury.

nym siedzeniu taksówki, której namolnie przypatrywał się gość ze słuchawką w uchu, podłączoną sprężynowym przewodem z czymś w jego marynarce. Pewnie myślał, że dzięki temu wygląda jak agent FBI, ale tak naprawdę wyglądał jakby był głuchy. I właśnie dlatego nie pozostało mi nic innego, jak na niego wrzasnąć.

Dowiedziałem się później, że taksówka nie jest dobrze widziana i że powinno się raczej przyjechać odpowiednio drogim samochodem. Czyli trzeba go sobie kupić. A to byłoby droższe nawet od odwrócenia się na pięcie i „nieprzyjścia".

Szczerze mówiąc, nie wybrałem się do hotelu Sandy Lane żeby coś zjeść. Przyszedłem tam, by zobaczyć ludzi. Można więc z łatwością wyobrazić sobie moje druzgocące rozczarowanie, gdy okazało się, że restauracja wcale nie jest morzem mieniących się złotem angielskich wyższych sfer przyprawionych odrobiną hałaśliwych nowojorczyków. Zajęte były tylko dwa stoliki.

Po prawej siedział Pan Oszołom Internetowy. Pewnego dnia, będąc jeszcze zarabiającym 38 pensów rocznie maniakiem komputerowym, położył się spać, a gdy nazajutrz się obudził, okazało się, że wart jest cztery miliardy dolarów. Ubrany był w hawajską koszulę z krótkimi rękawami i prześwitujące białe spodnie. Towarzyszyła mu żona Janet.

Po lewej siedział Pan Biały Smoking z żoną Sylvią, do której w ogóle się nie odzywał. Cały wieczór spędził na lekturze swoich kart kredytowych i rozmowach przez komórkę… co byłoby może imponujące, gdyby nie fakt, że miałem ze sobą absolutnie najnowszy model Ericssona, który działa wszędzie: na Mount Evereście, w Rowie

Mariańskim, a nawet w Fulham. Na Barbados nie mógł jednak złapać zasięgu, więc bardzo mi przykro, Panie Smoking, ale nie nabierze mnie Pan.

Ponieważ nie było już innych gości, z których mogliśmy się pośmiać, postanowiliśmy, że pożartujemy z jedzenia. Wspaniały pomysł, tylko że nie mogłem go znaleźć!

Okazało się, że na moim talerzu znajdował się jednak jakiś plasterek. Wyglądał na peklowaną wołowinę. Był jednak tak cienki, że przy tknięciu go nożem, rozlegał się brzęk talerza. Próbowałem go chwycić widelcem, a potem łyżką. Bez powodzenia. Poddałem się więc i wylizałem talerz. Jak smakowało? Cóż, jak mięso z porcelanową poświatą w tle.

Potem podano wodę. Już wino wywołało dużo szumu i podchodów, ale w porównaniu z wodą, była to tylko próba kostiumowa przed głównym spektaklem. Kelner odkręcił zakrętkę z takim nabożeństwem, jakby rozbrajał bombę atomową. Przez jedną cudowną chwilę myślałem, że poprosi mnie o ocenę zapachu wody.

To nosiłoby jednak zaledwie umiarkowane cechy absurdu. Zamiast tego, kelner wlał do mojej szklanki trochę wody i poprosił, żebym spróbował. „Nie, dziękuję. Jeśli tylko ta woda nie pochodzi z kąpieli Michaela Winnera[2], to poproszę."

Mimo to, picie w hotelu Sandy Lane to nic w porównaniu z tym, co cię czeka, gdy odczuwasz później potrzebę udania się do kibelka. Tam z kolei masz do wyboru papier toaletowy. Może być gładki albo przetłaczany. Luksus do dziesiątej potęgi!

---

[2] Brytyjski reżyser i producent.

Przed wyjściem poproszono nas o wypełnienie ankiety, dotyczącej głosowania na kelnera, który wywarł na nas najlepsze wrażenie. Zwycięzca miał otrzymać tytuł championa wieczoru. Przegrani, jak sądzę, zostaną wrzuceni do basenu z rekinami.

Na końcu przyniesiono nam rachunek, który okazał się najśmieszniejszą rzeczą tego wieczoru. Kwota w funtach wyniosła 220. Sama przystawka – sałatka z homara – kosztowała 32 funty. Za taką kwotę spodziewałbym się, że ten cholerny homar podniesie się z talerza i przed zjedzeniem zaprezentuje mi układ taneczno-muzyczny. Niestety, homar nie ruszył się z miejsca. Był po prostu martwym skorupiakiem. Przypominał trochę żonę Pana Białego Smokinga.

Nie obchodzi mnie to, co piszą o Sandy Lane łasi na gratisy pochlebcy. Ten hotel to czysta groteska. Gdybyś za wszystkie pieniądze świata miał urządzić najgłupszą restaurację na Ziemi, do poziomu Sandy Lane nawet byś się nie zbliżył. No bo chyba nie wsadziłbyś kelnerów w różowe spodnie? A w Sandy Lane je noszą. I różowe koszule też.

Ale prawdę powiedziawszy, taki hotel to dobra rzecz. Każdy kurort powinien mieć coś takiego. Ogromną czarną dziurę, która wciąga dokładnie takich ludzi, jakich staramy się za wszelką cenę unikać. Wiedząc, że już tam są, możemy swobodnie udać się gdzie indziej.

Niedziela, 29 kwietnia 2001 r.

I to nazywacie zamieszkami? To kompletna klapa!

Po sukcesie zeszłorocznej demonstracji antyhamburgerowej, kiedy to protestujący przyczepili Winstonowi Churchillowi zabawnego irokeza, a na trawnikach koło Parlamentu zasiali nasiona konopi indyjskich, z utęsknieniem czekałem na powtórkę, jaka miała się odbyć w zeszłym tygodniu. Ponieważ byłem lekko zaniepokojony, że mój samochód może zostać przewrócony do góry kołami i spalony, wynająłem mercedesa z szoferem. Przez cały dzień szukałem tego, co, zgodnie z obietnicami Jacka Strawa[1], miało być festiwalem gumowych kul i koktajli Mołotowa.

Tak między nami, liczyłem na akcję z użyciem armatek wodnych. Jest coś bardzo zabawnego w widoku młodej kobiety, spychanej do rynsztoka przez strumień wody z armatki na czołgu. Jeśli tylko udałoby się przekonać Jimmy'ego Saville'a[2], żeby zrezygnował z emerytury i powrócił do pracy, to właśnie to byłoby moim pierwszym w kolejności życzeniem adresowanym do programu *Zrób to dla mnie*: możliwość zlania wodą z armatki wegetarianina tak, żeby się nie pozbierał.

---

[1] W 2001 roku minister spraw wewnętrznych, później minister spraw zagranicznych Wielkiej Brytanii.

[2] Prezenter brytyjskiej TV, znany m.in. z programu *Jimmy'll Fix It* (w dowolnym tłumaczeniu: *Zrób to dla mnie*), polegającym na spełnianiu na antenie życzeń z listów piszących do niego dzieci.

Miałem też cichą nadzieję, że uda mi się na chwilę zmieszać z tłumem i rzucić cegłą w okno wystawy sklepu Pringle[3] na Regent Street. Dlaczego? Bo tak!

W Londynie panował jednak grobowy spokój. Przez cały dzień krążyliśmy po ulicach i jedyne, co udało się nam wypatrzyć, to mężczyzna w kaftanie, pozujący fotoreporterom przy Marble Arch. Poza tym, jak wszystkie pozostałe sklepy w mieście, również i Pringle nie zasłonił witryny.

W końcu znaleźliśmy demonstrujący tłum i założę się, że nawet gdybym pozwolił wam zgadywać 2000 razy, nigdy nie wpadlibyście na to, gdzie. Który to symbol kapitalizmu przyciągnął tym razem demonstrantów do swych bram? Nike? McDonald's? Ambasada amerykańska? Nic z tych rzeczy. Tłum zebrał się przed Ambasadą Nowej Zelandii.

Tylko że ten tłum to wcale nie była demonstracja. Naliczyłem 17 ekip telewizyjnych, grubo ponad 100 reporterów i fotoreporterów, 75 policjantów i... 14 protestujących.

Rozczarowany, udałem się na obiad do restauracji Ivy, wciąż żywiąc nadzieję, że coś zdarzy się po południu. Nic z tego. Po tym, jak usłyszałem w radiu, że Regent Street jest zamknięta, wyruszyłem tam ochoczo, pragnąc ujrzeć atak na sklep Pringle. Oto, co zobaczyłem na miejscu: 2000 policjantów w mundurach sił specjalnych, otaczających dwie kobiety, które, niezadowolone z tego i z owego, postanowiły siedzieć na środku ulicy.

Niewiarygodne. Policja wynajęła wszystkie radiowozy z całej Europy, a w powietrzu helikopter marnował

---

[3] Pringle of Scotland – znana firma odzieżowa.

paliwo. A po co to wszystko? Z powodu dwóch kobiet, rozzłoszczonych na mężczyzn, na kredyty studenckie, na Wschodni Timor, czy na cokolwiek, co złości dzisiaj kobiety na wyższych uczelniach.

Z czego wynika nasz problem? Jak to możliwe, że wszystkie inne miasta na świecie mogą zorganizować sobie świetne zamieszki, a nas w Londynie stać jedynie na parę lesbijek – tu dosłowny cytat z komunikatów radiowych – „obrzucających policję papierem"?

Aby zrozumieć, dlaczego Brytyjczykom z takim trudem przychodzi ruszyć tyłki, musimy cofnąć się do wiosny roku 1381 i do tak zwanego powstania chłopskiego. Wzburzony tłum, walcząc o równość wszystkich stanów, splądrował Londyn. Chłopi spalili domy bogaczy, ścięli wszystkich w aksamitnych ciuchach, otworzyli więzienia, wypili wino Jana z Gaunt i rozrzucili na cztery strony świata wszystkie dokumenty finansowe. Ci goście byli w swoim żywiole! Pierzchła przed nimi armia, ze strachu schowała się też straż przyboczna króla Ryszarda II, który miał wtedy zaledwie czternaście lat. I wtedy burmistrz Londynu popełnił straszny błąd: zasztyletował przywódcę protestujących, Wata Tylera.

Teraz pewnie myślicie, że czyn burmistrza dodatkowo zaognił sytuację, prawda? (Gdyby Ken Livingstone, obecny burmistrz Londynu, zasztyletował jedną z lesbijek, druga odpowiedziałaby atakiem wściekłości.) Ależ skąd. Dziesięć dni później rebelianci spotkali się z królem, który powiedział: „Dranie obrzydliwi tak na ziemi, jak i na morzu! Wy, którzy pragniecie równości z władcami, nie jesteście godni życia!". I wtedy wszyscy rozeszli się do domów.

Jak to możliwe? Co mogło zgasić ogień rozniecony w trzewiach powstańców? Cóż, nie mam na to dowodów, bo nikt w czternastym wieku nie prowadził kroniki meteorologicznej, ale założę się, że po prostu zaczęło wtedy padać.

Wielu ludzi o obszernych zakolach zastanawiało się przez całe lata, dlaczego Wielka Brytania nie doświadczyła nigdy udanego powstania. Jedni twierdzą, że z powodu zbyt silnej monarchii. Inni dowodzą, że trudno o powstanie, gdy kraj ma silną i zadowolona klasę średnią.

Nieprawda. Twierdzę, że to z powodu opadów. Zeszłoroczna demonstracja May Day była udana, bo było sucho i dość ciepło. Tegoroczna okazała się klapą, bo padało, a my, Anglicy, jesteśmy nieustannie karmieni zaproszeniami na imprezy z dopiskiem: „Gdyby padało, impreza zostanie przeniesiona do Wiejskiego Domu Kultury". A żywej tkanki społecznej nie można przenieść do miejsca, gdzie odbywają się zarówno zebrania rady parafialnej, jak i wiejskie potańcówki.

Istnieją dowody potwierdzające moją teorię. Noc z 11 na 12 kwietnia 1981 roku była sucha i wyjątkowo, jak na tę porę roku, ciepła. Pamiętam, bo miałem wtedy dwudzieste pierwsze urodziny. Tej nocy miały również miejsce zamieszki w Brixton. Niedługo potem były zamieszki w Toxteth i oglądając je w telewizji, również nie zauważyłem deszczu.

Chwila, powiecie, a co z Rewolucją Rosyjską? Przecież tam też mają ohydną pogodę. Jak więc udało się im zebrać do kupy? Spójrzcie na daty. Rewolucja zaczęła się wczesną wiosną, a w październiku było już po wszystkim. A kiedy Francuzi szturmowali Bastylię? 14 lipca.

Przyszła mi do głowy taka myśl: jedynym powodem, który sprawia, że Arabowie i Żydzi już od pięćdziesięciu lat toczą swoją wstrętną, małą wojenkę jest fakt, że nie ma tam tych cholernych deszczów. Gdyby w wyniku powojennych ustaleń Izrael znalazł się w Manchesterze, nie przelałaby się ani jedna kropla krwi.

Niedziela, 6 maja 2001 r.

Bycie milionerem to tylko krok od bankructwa

Pewnego wieczoru po kolacji siedziałem bezproduktywnie i grałem z Hansem i Ewą Rausingami w grę planszową *Milionerzy*.

Na początku byłem nieco zakłopotany, bo nie wysilali się zanadto, by dobrze zrozumieć pytania, ale później doznałem olśnienia. Dla nich, twórców imperium TetraPak, zostać milionerem to tak jak cofnąć się o wielki krok.

Rozśmieszyło mnie to. A potem dało do myślenia. Zostawmy na boku miliarderów i zastanówmy się, któż dzisiaj chciałby zostać milionerem? Co prawda milion funtów to kwota wystarczająco wysoka, by stracić wszystkich przyjaciół, ale z drugiej strony zbyt mała, by można było kupić za nią coś, co naprawdę warte jest zachodu.

Żal mi tych biednych duszyczek występujących w *Milionerach*. Wychodzą na środek sceny w wypuszczonych koszulach, powłócząc ohydnymi butami. Zapytani, na co wydadzą nagrodę, odpowiadają, że kupią sobie wyspę i przeprowadzą się na nią z Meg Ryan. O nie, nic z tych rzeczy! Za milion funtów nie można dzisiaj kupić nawet mieszkania w Manchesterze, a nawet jeśli, to Meg Ryan na pewno na to nie poleci.

Fakty są następujące. Co dzień w Wielkiej Brytanii milionerami zostaje pięćdziesiąt osób. Gdy American Express wprowadził na rynek burżujską czarną kartę kredytową, wstępna seria 10 000 sztuk rozeszła się jak ciepłe bułeczki. Zgodnie z doniesieniami „Inland Revenue", ponad 3 000 osób zarobiło w zeszłym roku ponad milion funtów, co oznacza, że obecnie mamy w Anglii 100 000 osób dysponujących co najmniej milionem funtów w środkach płynnych.

Jeśli doliczyć do tego ludzi, których domy lub udziały w firmach są warte więcej niż siedem cyfr, nasuwa się niepokojący wniosek. W Anglii żyje prawdopodobnie pół miliona milionerów.

Dlaczego więc jestem w stanie, budząc się rano, wciąż słyszeć swoje myśli? Dlaczego na niebie nie roi się od prywatnych odrzutowców i helikopterów? Dlaczego psy nie kulą się pod stołem z obawy, że ktoś może zechcieć zrobić sobie z nich futro? Dlaczego nie wszyscy mają za żonę Meg Ryan? Dlaczego TelePizza nie posiada w swojej ofercie pizzy z uchem pandy i ogonem tygrysa?

Dlatego, że aby w dzisiejszych czasach żyć w stylu milionera, trzeba mieć o wiele więcej niż milion funtów!

Jak dużo więcej? To dobre pytanie. W 1961 roku Viv Nicholson wygrała 152 000 funtów w totolotka i natychmiast wpadła w szał ekskluzywnych zakupów, wydając pieniądze na towary, które kosztowałyby dzisiaj 3 miliony funtów. Nim została bez grosza, robiła to przez piętnaście bitych lat.

Najnowsze badania mówią, że aby żyć w prawdziwym przepychu, mieć na swoje usługi osobistego fryzjera, który zadba o twoją fryzurę, i szybki samochód z opuszczanym dachem, który z powrotem ją rozwieje, musisz mieć co najmniej pięć milionów funtów. Nie jestem jednak przekonany, czy taka kwota wystarczy jeszcze na buty od Prady.

Należy bowiem pamiętać, że Pan Blair podkradnie jeszcze czterdzieści procent podatku, pozostawiając nam 3 miliony, które skurczą się do 2,5 miliona po odłożeniu na czesne dla dzieci.

Potem kupujemy duży dom na wsi, co sprawia, że w portfelu zostaje nam milion funtów. Nie jest źle! Chwileczkę. Ponieważ należymy teraz do elity finansowej, możemy machnąć ręką wczasy w CenterParcs[1]. Zamiast tego, co roku będziemy latać z całą rodziną i nianią na Karaiby, zajmując miejsca z przodu samolotu.

Wszystko to pięknie, ale po dwudziestu latach takich eskapad, po 50 000 funtów każda, wrócimy pewnego pięknego dnia do domu i w liście od kierownika banku przeczytamy, że „z głębokim żalem informuje, że nasze konto jest puste".

Wszystko, co zostanie nam z 5 milionów funtów, to opalenizna, segment w szeregówce i krnąbrne dzieci, które powinniśmy byli wysłać jednak do zwykłej szkoły państwowej.

Podejrzewam, że aby prowadzić życie bogacza pełną gębą, który dziś jest w Wenecji, a jutro w St. Kitts na Karaibach, trzeba mieć co najmniej 10 milionów funtów. Ale gdy faktycznie stan naszego konta stanie się liczbą większą od numeru rachunku, będziemy musieli każdy kolejny dzień naszego życia spędzać na aukcjach dobroczynnych, bo wszyscy będą oczekiwali od nas kupowania takich unikatów, jak majtki z autografem Frankie Dettoriego[2].

---

[1] CenterParcs – sieć dwudziestu rozsianych po całej Europie wiosek wypoczynkowych zarządzanych przez brytyjską firmę o tej samej nazwie.

[2] Znany brytyjski dżokej.

Codziennie będą pojawiać się ludzie potrzebujący wsparcia finansowego na otwarcie swojego nowego wydawnictwa w Azerbejdżanie i na operacje swojej nie tak znowu chorej sześcioletniej siostrzenicy.

Z pewnością będą pojawiać się też inni zamożni ludzie. Zaproszą nas do swoich toskańskich willi, ale gdy już tam zawitamy, usiądziemy przy wspólnym stole z facetem, który sprzedaje broń Irańczykom, z wiecznie znudzoną kobietą z argentyńskim akcentem i ze stadem głupków o ptasich móżdżkach, którzy tak dla żartu wrzucą nas do basenu.

Będziemy chodzili od drzwi do drzwi, pełniąc rolę jednoosobowego biura opieki społecznej, aż pewnego dnia nasza żona zamieszka na kocią łapę z pomocnikiem ogrodnika. A my, siedząc samotnie w Savoyu, będziemy z żalem myśleć, że nasi dawni przyjaciele popijają właśnie kiepskie bułgarskie wino w jednej z pizzerii Chiswick, dzieląc się potem starannie rachunkiem.

Mam więc w związku z tym pomysł na nowy teleturniej, zatytułowany *Milionerzy 2: Kto już nie chce być milionerem?* Uczestnicy muszą być superbogaci, a teleturniej będzie polegał na jak najszybszym wydaniu jak największej sumy pieniędzy.

Oczywiście, problem w tym, że nikt nie będzie chciał się do niego zgłosić. Wszyscy będą woleli zostać w swoich domach ze śliczną żoną Meg Ryan i podziwiać majtki z autografem Dettoriego.

Niedziela, 13 maja 2001 r.

Jak trudno jest tu zjeść coś sensownego!

O tej porze roku magazyn „Życie na Wsi" wręcz puchnie od reklam rezydencji z sześcioma sypialniami, które kosztują zaledwie tyle, co znaczek pocztowy.

Może kusi cię podjazd wysypany chrzęszczącym żwirkiem i kamienne figurki grzybów, ale zanim dasz się nabić w butelkę, przyjrzyj się uważnie fotografii z „przepięknym widokiem aż po horyzont". Nic tam nie ma, prawda? Po prostu pola, pełne lisów i odkrywek piaskowca, rozciągające się po sam horyzont.

Może to robi przyjemne i spokojne wrażenie, ale zamieni się w wielki problem, gdy zechcesz poszukać w pobliżu restauracji. No bo pola nie wychodzą zjeść czegoś na mieście. Piaskowce nie zamawiają lampki Sauternes do popicia puddingu. A lisy nie przepadają za cappuccino.

We wtorek moja żona i ja obchodziliśmy ósmą rocznicę naszego małżeńskiego szczęścia, i pomyśleliśmy, że byłoby miło uczcić ten dzień prostą, lecz odpowiednio drogą kolacją w jakiejś szpanerskiej restauracji.

Restauracja „Le Manoir aux Quat' Saisons" może i nie jest zbyt daleko, ale równie dobrze mogłaby znajdować się na Księżycu, bo i tak nigdy już tam nie pójdziemy. Dlaczego? Ostatnio, gdy się tam wybraliśmy, odbywał się w niej zjazd inżynierów od fotokopiarek, którzy zepsuli mi wieczór, nieustannie prosząc o pozowanie na tle ich wozów.

Nieważne. Była kiedyś świetna restauracja w Oksfordzie pod nazwą „Drzewo cytrynowe", ale teraz ma nowych właścicieli, którzy powiedzieli, że jeśli chcemy palić, musimy siedzieć w specjalnej strefie. Brzmiało to trochę, jak zaproszenie do kąta. Tak więc i ten lokal odpada.

„Petit Blanc" również została skreślona z listy ponieważ, co jest bardzo dziwne, zezwalają tam na palenie tylko w weekend. Właściciel Ray White powinien zostać pouczony, że ludzie, którzy palą, robią to, bo muszą. To nie jest wędkowanie. Jeśli powiesz wędkarzowi, że może iść nad rzekę dopiero w sobotę, nic mu nie będzie. Z palaczami jest inaczej. Zaczną pożerać obrusy, a jeśli ktoś zaprotestuje, sam znajdzie się na celowniku tych pochłaniających wszystko potworów, które, jak mniemam, noszą obecnie miano „prescottów".

Po godzinie wiszenia na telefonie wyglądało na to, że będziemy musieli się poddać i zjeść w pubie, co, jak zapewne wiecie, jest tylko odrobinę mniej atrakcyjne od zjedzenia samego pubu. Jedyne, co mogę powiedzieć o żarciu w pubach, to że smakuje jakbym to ja je przygotował. A jestem jedyną osobą na świecie potrafiącą sprawić, że kalafior ma posmak tylnej ściany zamrażarki.

Wreszcie udało się nam znaleźć dość miłą i przyjazną palaczom restaurację rybną „Dexters" w Deddington, będącą miejscem spotkań okolicznych mieszkańców. Akurat żaden z nich nie świętował tam rocznicy ślubu ani w ogóle niczego. Wszyscy siedzieli w domach, a my byliśmy jedynymi gośćmi w restauracji.

Można więc łatwo przewidzieć, że wkrótce restauracja ta zostanie zamknięta albo zabronią w niej palenia i na tym się skończy.

Będziemy zmuszeni zacząć jeść piaskowce z odkrywek skalnych.

Wcale nie żartuję. Mieszkam w Cotswolds, jednym z najbardziej zasobnych i cieszących się dużym wzięciem obszarów – rezydencja z sześcioma sypialniami kosztuje tu więcej, niż cały album znaczków – a mimo to w odległości półgodzinnej jazdy samochodem jest tu tylko jedna warta zachodu restauracja. Jedna. I do tego pusta.

Mimo to, zanim wszyscy w Londynie pękną ze śmiechu, powinienem zaznaczyć, że wszystkie trzy najgorsze posiłki, jakie kiedykolwiek jadłem, podano w renomowanych restauracjach w Notting Hill. W zeszłym tygodniu.

W jednej z nich kelner, który wyglądał jakby właśnie spłonął mu dom, powiedział, że szef kuchni namieszał coś z potrawami, i większość z nich już się skończyła. Nigdy nie zobaczyliśmy zamówionego wina, moja przystawka krabowa pokryta była klejem do tapet, a po dwóch godzinach oczekiwania danie główne wciąż nie pojawiło się na stole.

Nie jestem osamotniony w tych obserwacjach. Każdy, z kim ostatnio rozmawiałem, skarżył się, że jego ulubiona restauracja zaczyna serwować coś, co smakuje jak odchody chomika. Danie to trafia do stolika numer 9 o godzinie dwudziestej drugiej, podczas gdy powinno trafić do stolika numer 14 i to o dziewiętnastej.

Taki stan rzeczy był nieunikniony. Podczas gdy w głębi kraju wcale nie ma restauracji, Londyn ma ich o wiele za dużo. Choćby „West End Lane" w Hampstead. Dawniej była to ulica handlowa, ale dzisiaj, poza strzyżeniem włosów i biżuterią za cenę hrabstwa Gloucester, mogą tu zaoferować jedynie talerz zimnego spaghetti, które miało trafić do stolika numer 8 w zeszłym tygodniu.

Rok temu sytuacja przybrała tak poważny obrót, że restauratorzy zmuszeni byli poszukiwać kelnerów w Paryżu. Niektóre raporty donosiły aż o dziesięciu tysiącach gburowatych, bezczelnych Pierre'ów, którzy z tej okazji przybyli do Londynu. Tak było już wtedy.

Dziś, gdy w dalszym ciągu otwierają się nowe restauracje, dziwię się, że Marco Pierre White[1] nie zaczepia na światłach przejeżdżających kierowców i nie oferuje im pracy. Cholera, dziwię się, że nie proponuje jej albańskim pomywaczom okien.

To chwalebne – zatrudnić najlepszego szefa kuchni na świecie, ale jaki to ma sens, gdy brakuje ludzi, którzy mogą przenieść potrawy z kuchni do stolika? Ludzi, którzy mogą wykazać się pewną orientacją przestrzenną i podstawową znajomością angielskiego.

Byłem rozczarowany, kiedy ostatnio moja sześcioletnia córka obwieściła mi, że gdy dorośnie, zostanie kelnerką. W obecnej sytuacji mogłaby dostać tę pracę już teraz. Niestety, w okolicy nie zanosi się na otwarcie żadnej nowej restauracji. Jedynym miejscem, w którym można dostać przyzwoity stek, jest piec kremacyjny.

Niedziela, 20 maja 2001 r.

---

[1] Właściciel sześciu ekskluzywnych londyńskich restauracji.

Koszenie trawników to największe osiągnięcie cywilizacji

Po tym, jak w Bangkoku obejrzałem *Emmanuelle*, myślałem, że wiem, jak będzie wyglądał mój masaż. Cóż, myliłem się.

Pierwsze rozczarowanie nadeszło, gdy dowiedziałem się, że masować mnie będzie tylko jedna osoba, a drugie, gdy okazało się, że ta osoba ma na imię Bill.

Od tego momentu sprawy zaczęły przyjmować naprawdę zły obrót. Bill polecił mi się rozebrać i położyć na brzuchu, po czym stwierdził, że jestem spięty. Chciałem mu odpowiedzieć, że to nic dziwnego, że jestem spięty, bo nie spodziewałem się masażysty, który uczył się o punktach uciskowych ciała służąc jednocześnie jako zabójca w Specnazie. Zdążyłem jednak wydobyć z siebie tylko stłumione „Aaaaaaaaach!".

Zapewniam was, prawidłowo wykonany masaż to prawie jak spadanie po górskim zboczu w zamrażalniku lodówki. Już bardziej można się odprężyć, gdy ktoś wyrywa ci paznokcie i jednocześnie zmusza do picia oleju silnikowego.

Odkryłem, że najlepszym sposobem uśmierzenia stresu i napięcia towarzyszącego pracy zawodowej jest koszenie trawnika. Siedzisz na traktorku, a słońce muska ci plecy. Skupiając się tylko na jednym – żeby jechać prosto i nie przejechać po kwiatach – rzeczywiście czujesz, jak napięte mięśnie zmieniają się w galaretę, a zaciśnięte szczęki rozluźniają swój ucisk.

Potem, gdy już skończysz, możesz wstać, wziąć się pod boki i podziwiać niesamowitą geometryczną doskonałość tego soczyście zielonego obrazu kontrolnego, który idealnie prostymi liniami odcina się od nieregularnego tła przyrody. Zmierzyłeś się z Naturą i wykorzystując wyłącznie kosiarkę Honda Lawnmaster, zaprowadziłeś cywilizację i porządek w świecie nieokiełznanych sił przyrody. Dobra robota. Od tej chwili jesteś maniakiem trawnika.

Nie powstrzymasz się od krzyczenia na dzieci, gdy te będą jeździły na rowerach po twoim niepokalanym poczęciu. Będziesz z niezadowoleniem cmokał, znajdując w trawie porzucone niedopałki papierosów. Będziesz stał pośrodku ogrodu, mierząc wzrokiem narzędzia do pielęgnacji trawnika, a w pubie z kumplami rozmawiał będziesz o środkach chwastobójczych.

Teraz jestem już takim maniakiem trawnika, że gdy oset odważył się pokazać swą ohydną, odrażającą twarz w mojej idealnej darni, zastrzeliłem drania.

Nawet gdy zaspokoiłem swoją chęć posiadania myśliwca w ogrodzie – to lepsze niż basen, bo w myśliwcu dzieci nie mogą się utopić – byłem niepocieszony, widząc szkody powstałe w wyniki jego holowania. Były to trzy rowy, każdy głęboki na 30 centymetrów, rozciągające się przez całą drogę – od zepsutej bramy wjazdowej aż do połamanego cisowego żywopłotu.

I to właśnie jest mój problem. Chcę być ogrodnikiem. Chcę mieć w ogrodzie komórkę na narzędzia, a w niej sekatory. Chcę, by czasopismo „Dom i Ogród" było punktem odniesienia dla mojej działalności. Niestety, wszystko co potrafię, to kosić trawę. Wszystko inne, czego się tknę, kończy się kompletnym fiaskiem.

Dwa lata temu w ogródku po przeciwnej stronie drogi zasadzono młode drzewka. Kupiłem identyczne, by zasadzić je na kawałku ziemi obok mojego wybiegu dla koni. Dziś tamte drzewa mają po 4 metry wysokości. Moje zostały zjedzone przez zające.

Wypełniłem rowy po myśliwcu najlepszą ziemią, jaka istnieje na rynku. Potem, by przyspieszyć nieco proces naprawy trawnika, wymieszałem nasiona trawy z najdroższym dostępnym organicznym kompostem i zrosiłem to wszystko wodą. Wynik moich starań? Trzy długie i szpetne pasy porośnięte grzybami.

Zapewniono mnie, że moje cisy będą rosły z prędkością 30 centymetrów na rok. Nic podobnego. Przez pierwsze dwa lata nic się nie działo. Potem postanowiły, że uschną. No i uschły.

Przez to wszystko moją uwagę przykuła zaciekła debata, jaka wybuchła na wystawie kwiatów w Chelsea.

Są tacy, którzy uważają, że ogrody powinny być tradycyjną feerią kolorów flory i fauny, współgrającej tak, by tworzyć zharmonizowany chaos. Ci ludzie to ogrodnicy.

Są też i tacy, których cechuje podejście modernistyczne, którzy uważają, że najlepiej wyrzucić wszystkie rośliny, zastąpić je nagimi ścianami z betonu, a ziemię wysypać żwirem. Ci ludzie to Darren i jemu podobni. Można ich oglądać co tydzień w programie *Siły Gruntowe*[1].

---

[1] Ang. *Ground Force* (analogicznie jak *Air Force* – Siły Powietrzne) – program telewizyjny, w którym ekipa ogrodników pod nieobecność właściciela w ciągu dwóch dni urządza mu ogród.

Filozofia Darrena jest kusząca. Przede wszystkim, w ciągu kilku godzin stajesz się właścicielem dobrze rozplanowanego i atrakcyjnego ogrodu. A po drugie, żeby utrzymać to wszystko w dobrym stanie, wystarczy raz do roku odwiedzić ogród z odkurzaczem.

Niestety, te współczesne ogrody przypominają bardziej pokoje bez sufitu. W szczelinach ich drewnianych podłóg można zgubić sporo rzeczy. Znam jednego gościa, który zgubił tam swoją żonę.

Więc może jednak tradycyjne ogrody? Rozważając wszystkie za i przeciw, nie wygląda to najlepiej. No bo jaki jest sens w sadzeniu dębu, jeśli wiesz, że w najlepszym razie przestanie być gałązką w dniu narodzin twojego pra-pra-pra-wnuka; w najgorszym zaś – wkrótce uschnie?

Co więcej, jeśli oddasz się ogrodnictwu, spędzisz całą swoją emeryturę w ciuchach roboczych, trzymając głowę pomiędzy stopami. Nabawisz się bólów krzyża, a to z kolei doprowadzi do przerażających i poniżających cotygodniowych wizyt u masażysty Billa.

Co więc nam pozostaje? Kupiłem właśnie skrawek ziemi i wybiorę trzecią opcję. Nie będę na nim robił absolutnie nic. A za rok nazwę go „Dziki Ogród Nowej Partii Pracy", przetransportuję do Chelsea i zdobędę złoty medal.

Niedziela, 27 maja 2001 r.

Zaproszenie mojej żony, które chciałbym móc odrzucić

Jak wyglądałoby nasze życie, gdyby nigdy nie wymyślono przyjęć? Namioty byłyby używane jedynie jako miejsca do spania dla harcerzy, nie byłoby przypinanych do talerzy uchwytów na kieliszki i beznadziejnych amatorskich przemówień.

Nie byłoby muszek, parkowania w zagrodach dla zwierząt, przypadkowych spotkań ze swoimi eks i picia ciepłego martini, w którym pływa popiół z papierosów, bo o czwartej nad ranem nie było już innych drinków.

Nie jesteśmy nawet biologicznie przystosowani, by dobrze bawić się na przyjęciach. Pomyślcie tylko. We wczesnym dzieciństwie lubiliśmy przebywać ze swoim misiem i z mamą, a inne dzieci traktowaliśmy jak wrogów. Do wyjścia trzeba było nas zmuszać. A na przyjęciach siadaliśmy na tyłeczku i czekaliśmy, kto tym razem upokorzy nas mówiąc: „Ojej, a cio się śtało?".

Na przyjęciach zawsze zdarzają się małe wpadki. Jak tylko człowiek wydostanie się z pieluch, zaraz ląduje w klombie kwiatów, gdzie dopiero o świcie mama pani domu znajduje go leżącego twarzą w dół. A później, gdy masz już żonę, możesz z kolei wpakować się w wielkie kłopoty tańcząc z niewłaściwą dziewczyną w niewłaściwy sposób i to zbyt długo.

Piszę o tym wszystkim, ponieważ trzy tygodnie temu złapałem doskonałą chorobę. Nic mnie nie bolało, czułem tylko nieodpartą potrzebę leżenia w łóżku przez cały dzień, jedząc ciągle coś dla poprawienia nastroju i oglądając *Bitwę o Ardeny*.

Świetnie się bawiłem, ale wieczorem moja żona zaczęła mieć dość ciągłego chodzenia po schodach z tacami pełnymi jajek przepiórczych i zupy grzybowej. Trzymając się pod boki, tak jak to robią żony, gdy ich mężowie w rzeczywistości nie są zbyt chorzy, oświadczyła mi, że powinienem wstać z łóżka i zająć się organizowaniem przyjęcia na jej czterdzieste urodziny. „Masz 21 dni".

Pierwsza mała wpadka mogła się przytrafić już przy zaproszeniach. Codziennie jakieś do nas przychodzą, ale nigdy nie mamy pojęcia, kto je przysłał albo gdzie przyjęcie ma się odbyć, ponieważ czcionka jest nie dającym się odczytać zbiorem zawijasów, a wszystkie wyjaśnienia zawarte są na dole, i to po francusku. RSVP.

Myślałem, że rozwiązanie jest proste. Należy pisać drukowanymi literami i po angielsku. Ale nie. Dzisiaj ważne jest, żeby zaproszenie wyróżniało się wśród innych stojących na kominku, więc musi być wypisane na sztabce złota albo na płycie CD albo na gołym tyłku jakiegoś gościa.

Drukarz był nieźle zdziwiony, gdy poprosiłem o zwykłą kartkę. „Zwykła kartka?" – zapytał. – „O rany, to dopiero oryginalne!" I podał mi wstępny kosztorys. „150 zaproszeń będzie kosztowało 6,2 miliona funtów. Ale może niech Pan skoczy do «Prontaprint» i tam wydrukują Panu dokładnie to samo za 12 pensów." No tak.

Następny problem to wybór ubiorów. Dziś każdy oczekuje, że wymyślisz takie odlotowe sformułowanie jak „Ubierz się przerażająco" lub „Miejski gotyk". Ale ponieważ żaden z naszych znajomych nie miałby zielonego pojęcia, co to znaczy, napisałem „Bez sztruksu".

Dopiero na dwa tygodnie przed terminem wezwałem fachowca od przyjęć i poprosiłem o pomoc w organizacji samej imprezy. „Chcemy tylko – powiedziałem mu – mieć jakąś osłonę z kawałka płótna, żeby nikomu nie zwiało jego pasztecików."

Niestety, z fachowcem tak się nie da. Gość siada z wami przy stole i zaczyna wyjaśniać, że na pewno nie obejdzie się bez jakiegoś podestu. Za jedyne 170 funtów. Zgadzasz się. Wtedy mówi, że podciągnięcie prądu też byłoby nie od rzeczy. Za jedyne 170 funtów. Ponieważ wszystko kosztuje jedyne 170 funtów, zamawiasz tego całe mnóstwo.

Kiedy usłyszałem końcową cenę, poczułem się autentycznie chory. „Co chciałbyś zjeść – spytała moja żona, widząc, że tym razem nie udaję. – Paluszki rybne? A może talerz pożywnego rosołku? A może obejrzysz *Tylko dla orłów*?". Nie. Chciałem po prostu, żeby wszyscy, których zaprosiliśmy, nagle zapadli się pod ziemię.

Tak się jednak nie stało. Na tydzień przed przyjęciem tylko pięć osób miało na tyle przyzwoitości, żeby odmówić, z czego dwie dzień później zmieniły zdanie.

Oczywiście, nie doczekaliśmy się ani słówka odpowiedzi od osób, które kiedykolwiek wystąpiły w telewizji. Jest znanym faktem, że każdy, kto kiedykolwiek pojawił się w tym elektrycznym akwarium, nawet jeśli była to tylko ściana z telewizorami w „Media Markt", traci zdolność odpowiadania na zaproszenia.

Z tego wynika, że na pytanie obsługi gastronomicznej, jaką ilość jedzenia dostarczyć, musisz odpowiedzieć, że lepiej niech zatrudnią w kuchni Jezusa, bo może na pięć osób, a może na pięć tysięcy.

Następnie goście zaczynają wydzwaniać z pytaniami, co powinni założyć zamiast sztruksu i gdzie najlepiej się zatrzymać. Oto wskazówka. Kiedy szukasz hotelu w Chipping Norton, najlepiej poradzić się kogoś, kto mieszka w Glasgow. Ludzie mieszkający w Chipping Norton na ogół nie korzystają z tutejszych hoteli. I nie obchodzi ich, w co się ubierzesz. I owszem, twój były mąż też będzie. I nie, nie odholuję ci samochodu z mojego wybiegu dla koni, jeśli ten podczas ulewy zamieni się w bagno.

Zapewne będziesz beznadziejnie źle się bawił, ale popatrz na to z tej strony. Ja będę miał jeszcze gorzej, nie wspominając już o tej Bogu ducha winnej starszej pani z sąsiedztwa. Kiedy ekipa od nagłośnienia przywiozła sprzęt, zadzwoniłem do niej, by uprzedzić, że w sobotę wieczorem może być trochę głośno. „Ależ nic nie szkodzi! – odpowiedziała. A co Pan organizuje? Wieczorek taneczny?".

Hm, niezbyt. To będzie przyjęcie dla niezwykle zróżnicowanych znajomych mojej żony, którzy po przyjściu zobaczą, że nie za bardzo mają co z sobą robić.

Niedziela, 10 czerwca 2001 r.

A jak duży błąd TY popełnisz?

Wiele lat temu, gdy pracowałem jako reporter pewnego lokalnego dziennika, wydawca polecił mi zająć się sprawą górnika, który zginął zmiażdżony przez podziemną kolejkę.

Po wielu godzinach procesu prawnik reprezentujący Państwową Radę Węgla powiedział sędziemu, że być może podczas przejazdu pociągu denat stał we wnęce w podziemnym korytarzu. Zanotowałem to moim nędznym pismem stenograficznym.

Ale niestety, kiedy przyszło do spisywania tej historii, źle odczytałem moje nic nieznaczące hieroglify. I w gazecie ukazała się informacja, że mężczyzna powinien był[1] stać we wnęce podczas przejazdu pociągu.

Cóż, rozpętało się piekło. Musieliśmy zapłacić odszkodowanie. Zamieściliśmy rzucające się w oczy sprostowanie. Prawnik, o którym mowa, był na mnie wściekły. Również rodzina zmarłego była wściekła. Podobnie jak wydawca. Oraz właściciel dziennika. Dostałem pisemne upomnienie piętnujące moje niedbalstwo. I proszę bardzo, oto po dwudziestu latach od tamtego czasu mam swoją własną kolumnę w „Sunday Times".

---

[1] Pomyłka wynikła z podobieństwa angielskich słów *could* („można by") i *should* („powinno się, trzeba, należy").

Często słyszy się o podobnych przypadkach w londyńskim City. Jakiś broker, zaślepiony bielą pasków na swojej koszuli, naciska zły klawisz i rynek papierów wartościowych traci 10% swojej wartości. Zmywają mu głowę, a niedługo potem gość wydaje swoją siedmiocyfrową premię na dom z sześcioma sypialniami w hrabstwie Oksford.

Jest mi niezmiernie przykro z powodu kontrolera ruchu powietrznego na Heathrow, którego w zeszłym tygodniu uznano winnym zaniedbań, ponieważ usiłował zmusić samolot British Airways 747 do wylądowania na dachu Airbusa British Midland. Został zdegradowany i w atmosferze hańby odesłany do obsługi naziemnej lotniska archipelagu Orkneys[2], by po wieki wieków machać rakietkami do tenisa stołowego na lądujące tam samolociki.

Problem polega na tym, że wszyscy popełniamy błędy, ale konsekwencje tych błędów są diametralnie różne w zależności od tego, w jakich okolicznościach się to dzieje.

Gdy kasjerka w supermarkecie błędnie zidentyfikuje brokuły jako kapustę i przez to zapłacisz o 15 pensów za dużo, nie dzieje się nic.

Ale co z mężczyzną, który niewłaściwie zidentyfikował ostry nabój jako ślepy, załadował go do magazynka karabinu wojskowego SA-80 i dowiedział się później, że wskutek tego zginął siedemnastoletni żołnierz Królewskiej Piechoty Morskiej?

Zeszłotygodniowe dochodzenie wykazało „nieumyślne spowodowanie śmierci", ale obecnie ojciec zmarłego rozważa wniesienie prywatnego oskarżenia i proces cywilny przeciwko ludziom odpowiedzialnym za śmierć

---

[2] Archipelag małych wysepek w Szkocji, znanych m.in. z najkrótszych na świecie, dwuminutowych połączeń lotniczych.

jego syna. Nie winię go. Na jego miejscu zrobiłbym to samo. Pozostaje jednak faktem, że jeśli chodzi o pomyłki, to załadowanie niewłaściwego naboju jest dokładnie tym samym, co wpisanie błędnej informacji o brokułach do elektronicznej wagi.

Weźmy faceta zatrudnionego przez P&O[3] do zamykania klapy podjazdu dla samochodów na promie „Herald of Free Enterprise". Nie mam najmniejszych wątpliwości, że wśród huku i hałasu wykonywał on swoje źle opłacane, monotonne i nieprzyjemne zajęcie z najwyższą starannością. Aż pewnego dnia, z niejasnych powodów, zapomniał zamknąć klapę.

Gdyby chodziło tu o pracownika magazynu, który wychodząc do domu zapomniał zamknąć bramę zakładu, może doszłoby do włamania. Mogłoby to oczywiście doprowadzić przedsiębiorstwo do sporych kłopotów finansowych. Ale ten facet nie pracował w magazynie. Jego chwilowe niedopatrzenie spowodowało, że woda wdarła się na pokład samochodowy i 90 sekund później prom położył się na bok. 193 osoby rozstały się z życiem.

Mężczyzna nie był w tym czasie pijany. Nie zostawił też otwartej klapy umyślnie po to, by zobaczyć, co się stanie. Po prostu zasnął.

Co więc można zrobić? Cóż, można zlecić Głównemu Inspektoratowi BHP obmyślenie najbardziej idiotoodpornego systemu na świecie, zaznaczając, że pieniądze nie grają roli. Coś takiego z pewnością wdrożono na lotnisku Heathrow. Niemniej jednak wszystkie istniejące systemy do pewnego stopnia opierają się na czynniku ludzkim.

---

[3] Brytyjska firma transportowo-logistyczna, najczęściej kojarzona z liniami promowymi.

Chwila nieuwagi i nie trzeba wiele, by dwa pasażerskie odrzutowce z 500 ludźmi na pokładzie znalazły się w odległości 30 metrów od siebie.

Można dyskutować, czy wyższe pensje dla ludzi, od których zależy życie innych, nie rozwiązałyby problemu. Osobiście nie sądzę, by stan konta mógł wpływać na zdolność koncentracji. Na przykład Jego Blairowskość zarabia 163 000 funtów rocznie i bez przerwy popełnia błędy.

Nie. Obawiam się, że już wkrótce będziemy musieli przyznać, że nasza kultura, opierająca się na usilnym szukaniu winowajcy, nie działa najlepiej. Musimy zaakceptować fakt, że niezależnie od tego, jak starannie kształci się lekarzy, nadal będą wbijać igły ludziom w oczy, zamiast w tyłki. Musimy pogodzić się z tym, że od czasu do czasu jakiś Land Rover wjedzie na tory kolejowe powodując katastrofę kolejową. Musimy przestać karać ludzi za najbardziej ludzkie zachowanie – za popełnianie błędów.

A najlepiej zacząć od zakazania tych reklam, które adwokaci umieszczają z tyłu autobusów: „Uległeś wypadkowi w pracy?".

Jak długo będzie istniała możliwość czerpania korzyści ze zwykłych, niezamierzonych pomyłek innych ludzi, tak długo będzie nas to kusić. Piętnowanie. Obwinianie. Traktowanie jak worek treningowy jakiegoś nieszczęśnika, który akurat miał pecha pracować w nieodpowiednim miejscu w nieodpowiednim czasie.

Niedziela, 17 czerwca 2001 r.

Ameryka, bliźniaczy kraj Vaterlandu

Europa oferuje wymagającemu podróżnikowi bogaty i zróżnicowany wachlarz możliwości. W Islandii można wybrać się na połów łososia, a w Grecji spędzić czas pod żaglami. Na Riwierze Francuskiej można stoczyć się nisko i poświntuszyć, a w Amsterdamie odlecieć wysoko jak latawiec. Na Ibizie tańczyć do upadłego, a w Londynie obrobić sklepy. Tyle możliwości, a nie dotarliśmy nawet do Włoch!

Dlaczegóż więc znaczna część Amerykanów, którzy postanowili spędzić wakacje życia w Europie, rozpoczyna swoją podróż w Niemczech? Przecież Niemcy do wakacji mają się tak, jak Delia Smith do technologii spawania punktowego! Może Amerykanie robią to dlatego, że gdzieś o Niemczech usłyszeli. Może w Wiesbaden stacjonują ich bracia, a może w 1941 roku ich ojcowie urządzili sobie nocny nalot bombowy na Hamburg. Tak, wiem, że w 1941 roku Ameryka nie przyłączyła się jeszcze do wojny, ale sądząc z filmu *Pearl Harbour*, Amerykanie o tym nie wiedzą.

A może foldery reklamowe przedstawiają Niemcy w wyjątkowo przekonujący dla Amerykanów sposób? No bo obie nacje wykazują tendencję do jedzenia ponad miarę i przejawiają zamiłowanie do bardzo dużych samochodów, którymi w dodatku fatalnie jeżdżą. Obydwa kraje mają absolutnie beznadziejną telewizję z prezenterami w jaskrawych marynarkach, którzy wykrzykują niezrozumiałe polecenia do uczestników teleturniejów. Amerykanin, siedząc w hotelu w Stuttgarcie i przeskakując po 215 kanałach z jednym i tym samym chłamem, na pewno czuje się jak u siebie w domu. Dopóki nie trafi po północy na kanał 216, gdzie dowie się o zupełnie nowym wykorzystaniu psa.

Obydwa kraje doceniają te same brytyjskie towary eksportowe: Benny Hilla, Jasia Fasolę i płaszcze przeciwdeszczowe Burberry. No i kwestia gustu... Tylko dwa kraje na świecie wpadłyby na to, by pomarańczowy pokój z łazienką przystroić fioletowymi i brązowymi dywanikami. I tylko dwa kraje na świecie udają wszem i wobec, że panuje u nich demokracja, podczas gdy zadręczają obywateli przepisami i biurokracją, która mogłaby załamać każdego Chińczyka. Nawet najpokorniejszego. W Niemczech nie wolno hamować przed małymi pieskami, a do grania w golfa trzeba mieć licencję. A Amerykanie na to wszystko ze zrozumieniem kiwają głowami.

Wygląda więc na to, że Niemcy i Ameryka to dwa bliźniacze kraje, i zapewne ze zrozumieniem na to przytakniecie, gdy przypomnicie sobie, że jakieś 25% Amerykanów pochodzi z Niemiec. W rzeczy samej, wkrótce po ogłoszeniu Deklaracji Niepodległości, w Senacie odbyło się głosowanie, czy językiem urzędowym nieopierzonych jeszcze Stanów Zjednoczonych Ameryki Północnej będzie niemiecki czy angielski.

Koniec końców, olbrzymie rzesze Amerykanów spędzają wakacje w Vaterlandzie. Tam też zawitała w zeszłym tygodniu para emerytów z Michigan, Wilbur i Myrtle.

Spakowali swoje ciepłe ubrania do waliz, które wyglądały tak, jakby były zrobione ze starych wykładzin biurowych, i poprosili swoją córkę Donnę, by odwiozła ich z ogrodzonego osiedla, które nazywają domem, na lotnisko w Detroit, skąd wylecieli na wakacje do Kolonii.

Myrtle spakowała trochę mleka w proszku. Dotarło do niej doniesienie o pryszczycy szerzącej się w Europie i doszła do wniosku, że lepiej dmuchać na zimne. Z kolei Wilbur, który martwił się, że może złapać wirusa KGB przez spożycie wołowiny zarażonej SPD, w samolocie ślubował sobie, że będzie jadł tylko drób. Potem obydwoje zastanawiali się, czy w Europie można w ogóle kupić kurczaka.

Wiem o tym wszystkim, bo znam gościa, który wypożyczył im samochód. Małżeństwo ze Stanów bardzo go polubiło, bo wspaniale mówił po angielsku i w przeciwieństwie do tego, co im mówiono, bez problemu mógł ustać na swoich szczupłych nogach. Myrtle zapytała go, czy lepiej jest wybrać się do Monachium, gdzie właśnie odbywają się targi staroci, czy do Frankfurtu, który – jak słyszała – jest niemiecką Wenecją. „Cóż – odpowiedział im mój znajomy – co prawda przez Frankfurt przepływa rzeka, ale nazywanie go Wenecją jest chyba troszeczkę naciągane."

Wciąż niezdecydowani, wyruszyli, i na tym powinno się było skończyć. Ale już dwie godziny później rozmawiali z moim znajomym przez telefon. Okazało się, że są trochę zagubieni, bo wjechali przez przypadek do Holandii, gdzie znaleźli uroczą kafejkę, która serwowała kurczaki.

Niestety, gdy byli w środku, ktoś rozbił tylną szybę ich samochodu i ukradł im wszystkie rzeczy osobiste:

nie tylko hugenockie, obszyte filcem walizki, ale również paszporty, prawa jazdy i portfel Wilbura.

Może złodziejem był jakiś ćpun po kolejnej działce? A może ktoś wziął ich za Niemców i odpłacił za kradzież roweru swojego dziadka? Wreszcie, może kogoś uraził napis na tablicy rejestracyjnej ich samochodu? Wszystkie zarejestrowane w tym roku w Kolonii samochody mają tablice zaczynające się na KUT, co po holendersku jest najgorszym słowem pod słońcem.

Tak czy owak, biednemu Wilburowi i Myrtle nie udało się niczego wskórać na policji w Holandii i w Niemczech, gdzie w końcu wrócili. Po sześciu godzinach wakacji spędzonych w Europie postanowili, że mają już dość i odlatują do domu. Tak zrobili.

Problem w tym, że choć pozornie Niemcy mają trochę wspólnych cech z Ameryką, to gdy nie poprzestanie się tylko na powierzchownym osądzie, okaże się, że nawet w najmniejszym stopniu nie przypominają USA. W Niemczech nie życzy się miłego dnia. Niemca nie obchodzi, czy będziesz miał miły dzień, czy nie. Bo jest Europejczykiem.

Piszę to w miasteczku zwanym Zittau leżącym na granicy z Polską. Czuję się tu jak u siebie w domu.

Niedziela, 24 czerwca 2001 r.

Osaczony przez niemiecką sforę pałającą chęcią zemsty

Wjeżdżałem właśnie moim kabrio do miasta, gdy nagle, oprócz charakterystycznego skwierczenia świeżo zapalanego papierosa, rozległ się szelest mapy. Mapa poderwała się z dywanika pod siedzeniem pasażera, spędziła krótką chwilę zakrywając mi twarz, po czym odfrunęła w nieznane.

W każdej innej sytuacji nawet bym się tym nie przejął. Pamiętałem nazwę knajpki, gdzie mogłem obejrzeć zawody Grand Prix. Miałem nawet jej adres. Zjechałbym na bok, zatrzymałbym się i zapytałbym kogoś o drogę.

Byłem jednak w Niemczech. W kraju, gdzie jeśli ktoś nie zna dokładnie miejsca, którego szukasz, nie udzieli ci najmniejszej nawet wskazówki. Co gorsza, byłem we wschodniej części Niemiec, gdzie w ogóle nie ma już nikogo, kogo można by było zapytać.

Po raz pierwszy z tym problemem zetknąłem się w przejmująco pięknym, saksońskim miasteczku Zittau, które już o godzinie wpół do dziewiątej wieczorem zupełnie opustoszało. To wszystko wyglądało jak scena z filmu *Ostatni brzeg*[1]. Jadąc dalej autostradą, mija się miasto Zwickow. Wystawiano tam właśnie *Aidę*, ale przy operze nie zauważyłem żadnych kolejek, żadnego ruchu. Wy-

---

[1] Film fantastyczno-naukowy z 1959 roku, opowiadający o tym, jak w Australii zamiera życie po ataku jądrowym.

stawy sklepów mieniły się kompletami ekskluzywnych sztućców, lecz nie było kupujących. Parkingi świeciły pustkami.

Z najnowszych statystyk wynika, że od czasu, gdy runął Mur Berliński, z niektórych miast w poszukiwaniu pracy wyjechało aż 65% mieszkańców. Nie wierzę. Skoro brakuje 65%, pozostałe 35% powinno być na miejscu. Pytam się więc: gdzie u licha są ci ludzie?

Zachodnie Niemcy płacą obecnie specjalny siedmioprocentowy podatek na budowę nowej infrastruktury na wschodzie kraju. Kanclerz Kohl obiecał, że podatek zostanie zniesiony po trzech latach, ale minęło już dwanaście, a końca wydatków nie widać.

W raporcie, który ostatnio przeciekł do prasy, niemiecki parlamentarzysta Wolfgang Thiers roztacza apokaliptyczną wizję wschodnich Niemiec, stojących na skraju przepaści. A my myślimy, że mamy w Anglii problem z migracją ludności z północy na południowy wschód. To naprawdę pikuś w porównaniu z tym, co dzieje się tutaj. Poza tym my nie musimy się martwić z powodu najniższego na świecie wskaźnika urodzeń.

Na rok przed zjednoczeniem, we Wschodnich Niemczech urodziło się 220 000 dzieci. W zeszłym roku odnotowano jedynie 79 000 urodzeń.

Niemcy Zachodnie pompują do byłego NRD miliardy euro. Nic dziwnego zatem, że wszystko jest tu albo świeżo odnowione, albo zupełnie nowe. Toalety spłukują się z hukiem wodospadu Niagara. Telefony komórkowe mają zasięg z każdego miejsca. Drogi są równe jak panel monitora komputerowego. Przypomina to jednak kupowanie nowego garnituru dla trupa.

Po tych rozważaniach przenoszę się z powrotem do samochodu rozgrzanego do czerwoności przez niedzielne słońce. Mam tylko dwadzieścia minut na znalezienie knajpki zanim rozpoczną się niemieckie zawody Grand Prix.

Ze słońcem w roli jedynego przewodnika w końcu trafiłem. W pośpiechu nie zwróciłem nawet uwagi, że knajpka znajdowała się w najgorszym miejscu na świecie. Był to przykład czworokątnej, ohydnej architektury komunistycznej. Bezpostaciowa, dziesięciopiętrowa, kwadratowa płyta, emanująca nędzą i przygnębieniem. I właśnie tam, w samym środku, mieściła się knajpka „Osterthal Gasthalle".

Byłem już w barach dla robotników we Flint, w Michigan i w Kalgoorlie w Zachodniej Australii. Nie są mi obce miejsca, gdzie pije się z zardzewiałych kufli, siedząc wspartym o broń. Ale „Osterthal" to coś innego. Jedynym źródłem światła był neon browaru nad kontuarem i jednoręki bandyta w rogu. To jednak wystarczało, by stwierdzić, że w środku było tylko ośmiu mężczyzn, wszyscy totalnie bezzębni.

Cóż, pomyślałem sobie, w porządku. To miasto górnicze. Ja też jestem z miasta górniczego. W takich miastach nie zamawia się chłodzonego chablis. Poprosiłem więc o piwo i usadowiłem się wygodnie, by obejrzeć zawody.

Nie trwało to długo. Chwilę potem niespiesznie podszedł do mnie jeden z tych bezzębnych cudów świata i wyciągnął do mnie międzynarodową, przyjacielską dłoń. Poczęstował mnie papierosem. Z tym, że nie był to wcale papieros.

To coś nazywało się Cabinet i niewiele różniło się od

miotacza ognia. „Dobre, co?" – zapytał mężczyzna, częstując się w zamian garścią moich Marlboro.

Później przestało być już tak wesoło. Gość poprosił mnie, bym objaśniał mu napisy wyświetlane na telewizorze. Pomimo tak osławionego systemu nauczania w byłym NRD, gość nie umiał czytać. Mógł za to rozmawiać po angielsku, pod warunkiem, że korzystało się ze starych tekstów piosenek The Doors.

Musicie tego spróbować: komentowania wyścigów samochodowych przy użyciu słownictwa Jima Morrisona. „Heinz-Harald Frentzen. To już koniec. Już nigdy nie spojrzysz mu prosto w oczy." Przy pięćdziesiątym okrążeniu musiałem już stawać na głowie. Co gorsza, każdy z tych facetów wlał już w siebie jakieś sto pięćdziesiąt litrów piwa i tylko czekał na sygnał do rozróby.

Zwykle pewnie rozbijali sobie głowy na jednorękim bandycie, ale dziś mieli o wiele lepszy cel: mnie. Żyjący, oddychający egzemplarz bezdusznej, kapitalistycznej maszyny, która wkroczyła do ich miasta, kupiła kopalnię, wyprzedała jej aktywa i ostatecznie ją zamknęła.

Stracili pracę, bezpłatne miejsca przedszkolne dla swoich dzieci i większość przyjaciół. W zamian za to wybudowano im nowy system kanalizacji. A ja stanąłem przed prostym wyborem: oglądać wyścig do końca czy ujść cało z nie roztrzaskaną głową.

To, czego ci ludzie pragną, bardziej niż czegokolwiek, to mieć z powrotem Mur Berliński. To, czego pragnę ja, bardziej niż czegokolwiek, to dowiedzieć się, kto wygrał Grand Prix.

Niedziela, 1 lipca 2001 r.

Dlaczego Unia Europejska się nie sprawdza?

Zwykle nie rozmawiam o Unii Europejskiej. Ale kiedy jest się w Brukseli, stolicy Belgii i stolicy Europy, trudno długo unikać tego tematu.

Wczoraj odpoczywałem na spokojnym skwerku w towarzystwie uroczej i wykształconej Irlandki, mieszkającej tu od czterech lat. Cztery sekundy naszej rozmowy poświęciliśmy pięknej Brugii, przez jedenaście sekund rozmawialiśmy o Jean-Claude Van Dammie, potem nie mogłem się już opanować.

– Co tak naprawdę – zapytałem szorstko – zrobiła dla mnie Unia Europejska?

Przykro mi, ale ubiegłej nocy zawitałem do hotelu „Presidents" za dwoma autokarami wypchanymi turystami, którzy nie mogli przeczytać i zrozumieć niesamowicie dociekliwych kart meldunkowych. Ciekawe, że przy wjeździe do Belgii paszport jest zbędny, ale bez numeru paszportu nie można dostać pokoju w hotelu.

Cóż, odczekałem zaledwie dwie godzinki zanim wręczono mi klucz do czegoś, co zasadniczo stanowiło dwuosobowy piec hutniczy. Od razu dotarło do mnie, że hotel był zaprojektowany i prowadzony tak, by usatysfakcjonować zatrzymujących się w nim Amerykanów, ludzi, którzy najwyraźniej nie mogą przeżyć, jeśli pokój nie jest nagrzany tak, że można w nim ugotować lisa, albo wyziębiony tak, że zamarza w nim azot.

O pierwszej w nocy zaciągnąłem poduszkę do minibaru i usiłowałem zasnąć, kiedy gość z sąsiedniego pokoju doszedł do wniosku, że najchętniej zagrałby w squasha. Jak pomyślał, tak zrobił. Grał przez około godzinę.

Gdy wycisnął już z siebie siódme poty, zdecydował, że potrzebuje wziąć przyjemny, długi prysznic. Brał go również przez godzinę. Następnie pomyślał sobie, że dobrze by było pogadać z kumplem w rodzinnym stanie Iowa. Nie do końca jednak rozumiem, po co użył do tego celu telefonu.

„Cześć Todd!" – zaryczał. „Chuck z tej strony. Posłuchaj, jak głośno mogę rozkręcić telewizor!". Nie miałem jeszcze okazji tego sprawdzić, ale jestem stuprocentowo przekonany, że wertując *Księgę rekordów Guinnessa* w poszukiwaniu człowieka o najdonośniejszym głosie na Ziemi, znajdziecie starego, dobrego Chucka. Rany, iluż on ma kumpli! Tylu, że po obdzwonieniu ich wszystkich, Chuck poczuł, że nadeszła pora na kolejną partię squasha. W końcu musiałem zadzwonić na recepcję i poprosić, żeby zasugerowali Chuckowi pójście do łóżka. Usłyszałem, jak odbiera telefon.

„Halo!" – ryknął. – „Tak, oczywiście!". Odłożył telefon, zapukał do moich drzwi i szepnął głosem o sile mogącej roztrzaskać najtwardsze drewno: „Sorry…". Zaraz potem weszło już słońce. Zwykle perfidnie znajduje szczelinę pomiędzy osłonami przeciwsłonecznymi w samochodzie. Tym razem znalazło szczelinę pomiędzy zasłonami w moim pokoju, prześwietlając ją strumieniem wysokoenergetycznego promieniowania i deponując je na siatkówce mojego lewego oka. Musiałem więc wydostać się z minibaru i wrócić na łono piekarnika, jakim było moje łóżko.

Jest więc całkowicie zrozumiałe, że nazajutrz nie byłem w nastroju do krótkich pogawędek o Jean-Claud Van Cholernym Dammie. „No proszę – nie ustępowałem – powiedz, czy Unia Europejska kiedykolwiek zrobiła coś dla mnie?".

Moja towarzyszka, zagorzała euroentuzjastka, wyjaśniła, że gdyby nie Unia Europejska, nie mogłaby studiować na irlandzkim uniwersytecie, bo kształciła się w Anglii, czego konsekwencją jest brak znajomości irlandzkiego. „To wspaniale! – odparłem – Ale co z tego wynika dla mnie?".

Zgodziła się, że nic, ale niewzruszona przeszła do wyjaśnień, że dzięki Unii Europejskiej skórzane buty muszą mieć zatwierdzoną przez Unię etykietkę informującą, że są ze skóry.

Hmmm. Nie jestem wcale przekonany, czy ten fakt, w rzeczy samej, jest wystarczającym uzasadnieniem istnienia dwuczęściowego, trójpoziomowego systemu zarządzania, zatrudniającego 35 000 ludzi, szczególnie, że większość z nas jest wystarczająco bystra, by zauważyć różnicę pomiędzy czymś, co pochodzi z dolnej części krowy, a czymś, co pochodzi z dna saudyjskiej studni z ropą. „Nie – powiedziałem. – Ten argument ze skórą niczego nie załatwia. Musisz się bardziej postarać."

Dziewczyna powiedziała, że dzięki Unii Europejskiej ceny markowych ciuchów w Anglii są niższe, ale ponieważ nie szaleję za Pradą, mało mnie to obchodzi. Stwierdziła wtedy, że gdyby nie Komisja Europejska, mielibyśmy większe zanieczyszczenie powietrza. Oj, obawiam się, że trafiła na niewłaściwy temat. Dwadzieścia minut później, gdy skończyłem jej dokładnie wyjaśniać, w jak niewielkim stopniu człowiek i jego samochody niszczą środowisko, przeszła do innych argumentów.

Okazuje się, że jeśli wybiorę się do kraju, gdzie nie ma ambasady brytyjskiej (ani jej, ani mi nie przyszedł do głowy ani jeden taki kraj) i zostanę schwytany za przemyt narkotyków, mogę domagać się pomocy dowolnej dostępnej tam ambasady kraju członkowskiego Unii Europejskiej.

Tak więc, gdy zostaniecie zapuszkowani w Kabulu za produkcję heroiny – co, możecie mi wierzyć, jest dość mało prawdopodobne – i okaże się, że wasze Ministerstwo Spraw Zagranicznych z jakiś powodów zostało wyrzucone z tego kraju, możecie prosić o pomoc Szwedów.

To było wszystko, co dziewczyna po godzinie głębokiego zastanawiania się mogła mi zaproponować. Tanie, zbiurokratyzowane buty skórzane i pomoc Wikingów na wypadek, gdyby w jakiejś dziurze Trzeciego Świata moje sprawy przybrały zły obrót.

Tej nocy zameldowałem się w hotelu, w którym pokojówki urządzały właśnie 24-godzinny wyścig odkurzaczy. Mój pokój położony był za zdradliwym zakrętem, gdzie większość ich maszyn rozbijała się o listwę przypodłogową.

Podejrzewam, że już wiem, dlaczego Unia Europejska się nie sprawdza. Nikt z zarządzających nią ludzi nie może porządnie się wyspać.

Niedziela, 8 lipca 2001 r.

Weekend w Paryżu, mieście rozboju w biały dzień

W ostatnią niedzielę pociąg Connexu rodem z Trzeciego Świata zepsuł się, pewnie z powodu złego składu rządu, tuż pod Sevenoaks w Kent. To z kolei sprawiło, że pociągi Eurostar jadące w przeciwne strony musiały korzystać ze wspólnych torów kolejowych, co doprowadziło do nawet pięciogodzinnych opóźnień.

Jak łatwo zgadnąć, pasażerowie zostali określeni w prasie jako „zdegustowani". Ci z najpodlejszej klasy mówili, że zaoferowano im jedynie szklankę wody, a ci z pierwszej skarżyli się, że nie mogli zasnąć, ponieważ drzwi w wagonach robiły za dużo hałasu.

Wszystko to brzmi bardzo ponuro. I bardzo dziwnie. Jechałem jednym z tych pociągów i nie zauważyłem nawet, by wystąpił jakikolwiek problem. Oczywiście, że opuściliśmy dworzec Waterloo żwawym krokiem spacerowym, a potem tłukliśmy się przez Sevenoaks dostojnie się wlekąc, ale właśnie dokładnie tego się spodziewałem. Przecież wciąż wszyscy powtarzają, że Eurostar nie działa dobrze, a tunel pod Kanałem pełen jest niemieckich czołgów i chorych na wściekliznę zwierząt.

Dlatego właśnie zawsze decydowałem się na podróż do Paryża samochodem, samolotem, statkiem, a nawet na własnych kolanach, jeśli była taka potrzeba. Wszystko, byle nie pociąg, w którym mógłbym się czymś zarazić i który mógłby się zająć ogniem 6 kilometrów pod wodami Dogger Bank.

Mimo to, zatrzymajmy się i pomyślmy przez chwilę. Nigdzie nie pojawiają się informacje o tym, że każdy podróżujący do Paryża samochodem jest zatrzymywany przez policję i zmuszany do sterczenia nago w lodowatej celi, podczas gdy panowie w mundurach dobierają się do jego funduszu emerytalnego celem opłacenia mandatu za przekroczenie szybkości. Nie czytamy też nigdzie o lotach przekierowanych do Bournemouth z powodu nieodpowiedniego powietrza.

A to właśnie przydarzyło mi się zeszłej jesieni. Zaparkowałem samochód na parkingu lotniska w Gatwick. Wylądowałem w Hurn[1]. Cóż więc zrobiłem? Czy wsiadłem do pociągu i dostałem się bezpośrednio do Londynu? Czy może wsiadłem do autobusu, aby odbyć trzygodzinną podróż autostradą M25, aby ponownie zjednoczyć się z moimi czterema kółkami? Odpowiedź na te pytania, o ile mi wiadomo, jest wciąż zaparkowana na Gatwick, parking G, rząd 5.

Efekt jest taki, że w minioną niedzielę postanowiłem pojechać do Paryża pociągiem Eurostar. Bilet pierwszej klasy kosztował mnie 2 000 franków, a więc drożej niż samolot. Ale za to podróż Eurostarem z centrum Londynu do centrum Paryża jest o dziesięć minut krótsza, niż lot boeingiem.

W pociągu można palić, więc kogo obchodzi, że drzwi w wagonach otwierają się jakby były rozsadzane Semtexem, a brzęczące wózki z napojami mają kwadratowe kółka?

---

[1] Wioska w Anglii, 8 km od Bournemouth i 150 km od Gatwick.

Wciąż nie jestem jednak pewny, czy Paryż to dobry cel podróży. Zabawne, że to zabudowane przez Hausmanna kilkupiętrowymi kamienicami, mieniące się gwiazdami miasto miłości jest najchętniej wybierane na romantyczny weekendowy wypad. Gdy jednak spojrzycie na nie z dystansu, to zaczniecie się zastanawiać, dlaczego.

Oczywiście, wielkomiejski rozmach Paryża jest wspaniały i miasto rzeczywiście robi wrażenie, ale w ostatnich latach stało się brudne, wynędzniałe, bardziej wulgarne niż kiedykolwiek i jakoś mniej interesujące. Jeśli chodzi o ciemny i melancholijny Lewy Brzeg, to intelektualiści w stylu lewicującego Jean-Paul Sartre'a zostali stamtąd przepłoszeni przez wysokie czynsze, a arystokracja wycofała się do swoich klubów na ulicy St. Honoré. Jesteśmy więc pozostawieni z rozległą i rozlazłą klasą średnią, a o tej porze roku nawet oni są zajęci opalaniem się na plażach w Biarritz.

Paryż jest jak dom słoni bez słoni. Jest ogołocony ze wszystkiego. Może oprócz poczucia zagrożenia; poczucia, które mówi Ci, że powinieneś schować swój portfel głęboko do majtek.

Oczywiście, nie jest tu aż tak źle, jak w Detroit, gdzie nie można przejść trzydziestu metrów zanim ktoś nie zrobi ci dziury w głowie by ukraść ci paznokcie u nóg. Albo jak w Puerto Rico, gdzie strażnicy hotelowi doradzają, że najbezpieczniej jest pozostać w barze. Ale i tak jest źle. W nocy Paryż ma oczy szeroko otwarte.

Napaści na kierowców samochodów, tak długo będące domeną moskiewskich gangsterów i mieszkańców zurbanizowanego Durbanu, są tu teraz na porządku dziennym. Wszędzie w Europie bronią stosowaną przy takim napadzie jest gąbka i wiadro wody, ale na światłach w Paryżu jest to pistolet i polecenie, by wysiadać z samochodu.

Francuzi, przejawiający łacińskie skłonności prawicowe, winią imigrację, twierdząc, że Paryż miał się dobrze, póki nie został zalany połową Macedonii. Pozostaje jednak faktem, że i mnie kusiło, aby coś ukraść, gdy po raz pierwszy usiadłem w kawiarnianym ogródku i zamówiłem kilka piw.

Było to na Montparnassie, w dzielnicy, która nie jest niczym wyjątkowym. Mimo to rachunek był niedorzecznie wysoki. Zapłaciłem cholerne dziesięć funciaków za dwa nędzne piwa 1664 i pół tuzina oliwek. Później dostałem rachunek z hotelowej pralni: 180 funtów. Byłoby taniej gdybym kupił pralkę.

A jeszcze nawet nie doszliśmy do jedzenia, które, jak byłem przekonany, przywróci mi wiarę. Nawet w najgorzej wyglądającej spelunie – mówiono mi – potrafią wyczarować niezwykłe smaki. Najwidoczniej wszyscy Francuzi to urodzeni kucharze.

Ależ skąd. Za pierwszym razem gdy coś zjadłem, po raz pierwszy w życiu dostałem biegunki, a za drugim razem podano mi homara z kuchenki mikrofalowej (prawdopodobnie złowili go w atolu Mururoa[2]); za trzecim razem dostałem talerz czegoś, co smakowało jak wędzona dętka.

Wszystko, co w związku z powyższym mam do powiedzenia, sprowadza się do tego: jeśli macie ochotę na niegrzeczny weekend w stylu bara-bara, zapomnijcie o Paryżu. Poprzebijają wam prezerwatywy. A później podadzą wam je na obiad. Po 500 funtów sztuka.

---

[2] Tam znajduje się francuski poligon atomowy.

Proponuję więc wsiąść do pociągu i zrobić to, na co zawsze ma się ochotę w samolocie – skręcić w lewo[3]. W ten sposób wysiadamy w Brugii, gdzie całkiem bezpiecznie można sobie spacerować w kapeluszu zrobionym z pieniędzy, bezwstydnie obżerać się kiełbaskami z nóżek wieprzowych i bardzo, ale to bardzo dobrze się bawić.

Niedziela, 15 lipca 2001 r.

---

[3] W wielu samolotach na lewo od wejścia znajdują się miejsca business-klasy.

To prawdziwe dzieło sztuki i to my je stworzyliśmy

Myślę, że we współczesnym świecie podróży lotniczych, każdy z nas widział jakiś godny uwagi przykład nowoczesnej architektury. Łuk w La Défense w Paryżu. Nowy budynek Reichstagu w Berlinie. Transamerica Tower w San Francisco. No dobrze, zaliczmy do nich również Kopułę Tysiąclecia w Londynie.

Niezależnie jednak od tego, co widzieliście i gdzie byliście, Muzeum Guggenheima w Bilbao sprawi, że zawróci się wam w głowie i pozostaniecie w tym stanie aż do następnego tygodnia. Jedni mówią, że ten ogromny, powyginany gmach przypomina statek, inni twierdzą, że to wielka, stalowa ryba, a ci z zacięciem architektonicznym utrzymują, że kształt budynku symbolizuje przeszłość morską Bilbao,

Prawda jest taka, że Muzeum wypełnia swoją obecnością Bilbao tak, jak Tadż Mahal wypełniałby Barnsley[1]. Nieodparcie dominuje każdy miejski widok i każdy proces myślowy. Znajduje się na końcu każdej ulicy, a jeśli go tam nie ma, zastanawiasz się, dlaczego.

Możesz być daleko od Muzeum, pochłonięty pałaszowaniem paelli[2], a i tak jakaś niewidzialna siła każe ci odejść od stołu i spojrzeć na nie jeszcze raz. Muzeum jest jak zorza polarna. Jak tęcza na Księżycu. Jest jak deszcz

---

[1] Wioska w hrabstwie Gloucester.
[2] Potrawa hiszpańska z ryżu, kurczaka i jarzyn.

meteorytów, tornado i najpiękniejszy afrykański zachód słońca w jednym. Jest najbardziej zdumiewającą rzeczą, jaką widziałem w życiu. A widziałem niejedno – na przykład Kristin Scott Thomas[3] na golasa. Musiałem więc oczywiście wejść do środka.

Na górnym piętrze znajdowała się wystawa sukienek Giorgio Armaniego, która, jak zostałem poinformowany, odniosła wielki sukces podczas ekspozycji w Muzeum Guggenheima w Nowym Jorku. Oczywiście to nic nie znaczy. Amerykanie przybędą tłumnie nawet na pokaz przejazdu traktora.

Niestety, sukienka działa na mnie tylko wtedy, gdy ktoś ma ją na sobie, tak więc skierowałem swoje kroki piętro niżej, gdzie urządzono wystawę telewizorów. Ponieważ coś takiego widziałem już w „Media Markt", zszedłem jeszcze o jedno piętro w dół. Stała tam długa kolejka chętnych do wejścia do czegoś na kształt trójkątnego labiryntu.

I to jest właśnie największy problem z budowlami tego typu, niezależnie czy jest to Centrum Pompidou w Paryżu, czy Kopuła Tysiąclecia. Co takiego u licha można umieścić wewnątrz, by to coś było porywające bardziej niż architektura samego gmachu?

Wystawą, która odniosła największy sukces w Bilbao, był pokaz motocykli. Z drugiej strony, motocyklistów na ogół nie pociąga jakoś szalenie piękno sztuki. Większość z nich dokonałaby cudu i przeszła po jeziorze sztuki Renesansu, gdyby tylko po drugiej stronie czekał na nich Harley-Davidson. Ja z kolei byłem zadowolony, że już opuściłem budynek, bo mogłem znowu, siedząc w barze,

---

[3] Aktorka angielska, znana m.in. z roli w filmie *Angielski pacjent*.

gapić się na chaotyczną strukturę wieży z tytanu i złoci-
stego wapienia.

Wiem, że do rywalizacji o projekt zaproszono trzech
architektów. Każdy z nich dostał 10 000 dolarów, możliwość jednorazowej wizyty na miejscu przyszłej budowy
i trzy tygodnie na stworzenie koncepcji projektu. Wiem
też, że wybrano ofertę Kanadyjczyka, Franka Gehry'ego.
Ale kto u licha za to zapłacił?

Guggenheimowie zbili fortunę na górnictwie, ale stracili jej sporą część, gdy ich kopalnie w Południowej Ameryce zostały upaństwowione. Dziś rodzina ta jest wciąż
znaczącym mecenasem sztuki, tyle że niekoniecznie za
własne pieniądze. Na budowę Muzeum w Bilbao otrzy-
mali dofinansowanie z funduszy publicznych w wysokości stu milionów dolarów.

Tu aż się prosi o kolejne pytanie. W jaki sposób Bilbao,
które jest jednym z najbardziej szarych, godnych pożało-
wania i brzydkich miast na świecie, zdobyło sto milionów
dolarów na Muzeum? W Anglii miast tego pokroju nie
stać nawet na opróżnianie śmietników, nie wspominając
już o budowie współczesnej wersji opactwa westminsterskiego. Ale ponieważ jesteśmy w Hiszpanii, trudno
uzyskać odpowiedź na takie pytanie. Tu każdy na automatycznej sekretarce ma nagrane powitanie informujące,
że właśnie jest na lunchu i że wróci w okolicach września.
Jeśli jakiś cud sprawi, że uda nam się znaleźć kogoś pracu-
jącego przy swoim biurku, ten odpowie, że nie ma czasu
zawracać sobie głowy podobnymi sprawami.

Przyjrzyjmy się więc faktom. Bilbao to miasto baskij-
skie. Pieniądze zostały zgromadzone przez baskijską partię nacjonalistyczną PNV. Bardzo dobrze. Ale co zrobiła

PNV, by dobrać się do stu milionów dolarów? Tego nie wiem. Wiem jednak, że w 1999 roku, ostatnim z dostępnymi danymi, angielscy podatnicy musieli wydać trzy i pół miliarda funtów na członkostwo w Unii Europejskiej. Odpowiada to sześćdziesięciu funtom pochodzącym od każdego mężczyzny, kobiety i dziecka. I ta cała suma plus coś jeszcze została wysłana do Hiszpanii w ramach programu modernizacyjnego.

Cóż, współczesna Hiszpania już jest nowoczesna. Dentyści korzystają z prądu elektrycznego. Żywopłoty są starannie przystrzyżone, a niskonapięciowe oświetlenie wyparło blask świetlówek rodem z Trzeciego Świata. Oczywiście, mówią, że mają demokrację dopiero od dwudziestu pięciu lat. Ale dwadzieścia pięć lat to kawał czasu. Nikt nigdy nie powie, że jest żonaty dopiero od dwudziestu pięciu lat.

Co robią z tą całą spływającą do nich gotówką? Cóż, nie mam na to dowodów, ale może okazać się, że zarówno ja, jak i inni brytyjscy podatnicy zapłacili za Muzeum Guggenheima. I może się okazać, że Muzeum należy do Wielkiej Brytanii, tak jak Gibraltar.

Oczywiście, nich będzie, że Kopuła Tysiąclecia to totalna klęska. Wygląda jednak na to, że to my, Anglicy, wybudowaliśmy mimowolnie najwspanialszy gmach, jaki kiedykolwiek widział świat. Pojedźcie i zobaczcie. Ale jeśli jesteście z Anglii, nie wchodźcie do środka. Z dwóch powodów. Po pierwsze: nie warto. Po drugie: będziecie musieli zapłacić za wstęp, pomimo tego, że dopiero co zapłaciliście za budowę.

Niedziela, 22 lipca 2001 r.

W Kraju Basków mówi się w języku śmierci

W chwili, gdy będziesz to czytał, ja będę na Minorce, ty będziesz w Turcji, twoi sąsiedzi będą na Florydzie, a gość w kominiarce będzie w twoim salonie kradł telewizor.

Cóż, mogłoby być gorzej. Mógłbyś wyjechać do Biarritz. To najlepszy na świecie nadmorski kurort. Znajduje się na wybrzeżu Atlantyku, zaraz przed tym miejscem, gdzie zachodnia część Francji wygina się pod kątem prostym i przechodzi w Hiszpanię. Uwielbiam to miejsce, i to nie tylko ze względu na rozległą plażę obmywaną atlantyckimi falami o wysokości dorosłego człowieka.

Uwielbiam to miasto, w którym harmonizują ze sobą napoleoński przepych i złuszczająca się wiktoriańska skromność. Uwielbiam też tutejszy pofałdowany krajobraz, gdzie można znaleźć jaskinie, z których 10 000 lat temu wyszli pierwsi Europejczycy. Uwielbiam tutejszą kuchnię, która przeniknęła do miasta z pobliskiej Gaskonii. Uwielbiam tu wszystko do takiego stopnia, że nie przeszkadza mi nawet podła pogoda, która od czasu do czasu nawiedza te strony.

Poza tym, kiedy pada, zawsze pozostaje wyjazd do oddalonej o pół godziny drogi Hiszpanii, gdzie można zobaczyć, jak tancerze baletowi dźgają byki. Potem, wieczorem, można się wybrać do miasta San Sebastian, które ma najwyższy na świecie wskaźnik barów w przeliczeniu na głowę jednego mieszkańca. Oddziały Welingtona tak się tu kiedyś wstawiły, że doszczętnie spaliły miasto.

Cóż więc jest tu nie tak? Niestety, to miasto leży w Kraju Basków, a to oznacza, że jest bliźniaczo podobne do miejsca, do którego wiedzie Świetlisty Szlak[1], wzdłuż Strefy Gazy[2], obok Tamilskich Tygrysów[3], koło Pola Pota[4], tuż za Falls Road[5].

Zazwyczaj uważamy baskijskich separatystów z ETA za słabo finansowaną organizację terrorystyczną, która podkłada bomby w rowerach, bo samochody są dla nich za drogie. W najlepszym razie występują pod postacią wiadomości w skrócie.

O nie, na pewno nie ma się takich odczuć, gdy się jest na miejscu. ETA nie kwestuje pobrzękując puszkami w odległym Chicago, lecz zmusza każdego, nawet piłkarzy międzynarodowych drużyn, do płacenia podatku rewolucyjnego. Jeśli nie zapłacisz, wysadzą w powietrze twój samochód, twoją żonę, twoją papużkę i twój bar razem z przebywającymi w nim klientami.

Właśnie dlatego opuściłem to miejsce i znalazłem się na Minorce.

Od czasu niedawnych zajść, ETA zabiła prawie 900 osób, dlatego na każdym rogu ulicy można teraz zobaczyć policjanta w stroju przypominającym Robocopa,

---

[1] Maoistowska organizacja terrorystyczna w Peru.

[2] Miejsce konfliktów izraelsko-palestyńskich.

[3] Organizacja tamilska o charakterze terrorystycznym, dążąca do utworzenia w północnej części Sri Lanki niepodległego państwa tamilskiego.

[4] Pol Pot — komunistyczny dyktator Kambodży, dowódca ludobójczych oddziałów Czerwonych Khmerów.

[5] Główna ulica w Belfaście, miejsce konfliktów irlandzko-brytyjskich.

dzierżącego ciężki karabin maszynowy, zlanego potem i bardzo, ale to bardzo zdenerwowanego.

Widziałem takiego biednego gliniarza, jeszcze dziecko, na oko osiemnaście lat i, jak słowo daję, gdybym się podkradł do niego od tyłu i powiedział „Buu", gość dostałby zawału. Byłem tam na godzinę przed tym, jak zastrzelono jednego z tych policjantów.

Byłem tam zaledwie dzień, gdy przyszło mi zobaczyć wybuchający za rogiem samochód-pułapkę. Widziałem już wiele dziwnych rzeczy, jakie można zrobić z samochodem, ale byłem w niezłym szoku, gdy zobaczyłem jak daleko i w ilu różnych kierunkach może rozpaść się samochód, gdy ktoś podłoży odrobinę dynamitu pod fotel kierowcy.

Nie muszę chyba dodawać, że kierowca w pełni zintegrował się z tapicerką.

Tak więc mieliśmy dwie ofiary jednego dnia. Do takiego poziomu ciężko dociągnąć nawet Palestyńczykom.

Lecz ETA to dla nas wciąż jedynie wiadomości w skrócie – chyba, że raz na jakiś czas wybuch bomby spowoduje opóźnienie w odlocie grupy brytyjskich turystów, jak to miało miejsce w Maladze w zeszły czwartek.

Jak można było dopuścić do takiego stanu rzeczy? Hiszpania sąsiaduje z naszym sąsiadem, a mimo to, przynajmniej z tego co wiem, nikt w Anglii nie ma bladego pojęcia, czego ci Baskowie tak naprawdę chcą.

Usiłowałem się tego dowiedzieć. W tym celu rozmawiałem z Karmelo Landą, który jest baskijskim odpowiednikiem Gerry'ego Adamsa[6]. Landa cytował obficie z książki

---

[6] Polityk północnoirlandzki, zaangażowany w walkę o zjednoczenie Irlandii Północnej z resztą Irlandii, przywódca partii Sinn Fein, przez 20 lat

zatytułowanej *Co mówić, gdy pełni się funkcję rzecznika organizacji terrorystycznej*. Wszelkie działania ETA uzasadniał demokracją i polityką, a ja muszę przyznać, że mnie dość skutecznie rozzłościł.

Prawda jest taka, że region Basków, poza krótkim epizodem podczas hiszpańskiej wojny domowej, nigdy nie był autonomicznym krajem. Może i Baskowie pochodzili bezpośrednio od wspomnianych wyżej mieszkańców jaskiń, ale Rzymianie, Wandale i Wizygoci przeszli nad tym do porządku dziennego. Od tego czasu Baskowie twierdzą, że to oni odkryli Amerykę, co jest mało prawdopodobne, i że zbudowali Wielką Armadę[7], co i tak jest bez znaczenia, bo zatonęła. Utrzymują również, że dali światu słowo „sylwetka". Ale przyznacie chyba, że ma się to nijak do wysłania człowieka na Księżyc.

Baskowie, podobnie jak Walijczycy, zdradzają wiele charakterystycznych cech wspólnych. Walijczycy na ogół potrafią śpiewać. Baskowie mają duże uszy. Walijczycy są dobrzy w dźwiganiu głazów. Baskowie, co do jednego, mają grupę krwi 0. W obydwu nacjach istnieje wojownicza, wąska grupa ludzi, domagająca się autonomii przede wszystkim ze względu na ochronę języka, który w rzeczywistości nie zdaje egzaminu.

Język walijski cierpi na chroniczny brak samogłosek, ale to i tak nic w porównaniu z językiem Basków. Nie da się wymówić nawet jego nazwy. Dam wam przykład: dosłowne tłumaczenie słowa „Piszę" w języku Basków brzmi: „W trakcie pisania, wykonywania. Masz mnie". Co

---

członek rady wojskowej IRA.

[7] Flota hiszpańska składająca się ze 124 okrętów, poniosła klęskę w wojnie angielsko-hiszpańskiej w 1588 roku.

gorsza, wydaje się, że w baskijskim alfabecie są tylko trzy litery: X, K i znowu X. Ten język jest tak trudny, że praktycznie wszyscy, nawet w miastach położonych na baskijskich wzgórzach, wolą mówić po hiszpańsku, chyba że ktoś sepleni lub pluje.

To czyste szaleństwo. Rozumiem, gdy ktoś walczy o wolność, o Boga, o państwo. Ale ciężko mi pojąć, że sam język mógłby być wart nawet jedno życie. I zupełnie nie mieści mi się w głowie, że język Basków mógłby być wart 900 istnień ludzkich.

Niedziela, 29 lipca 2001 r.

Zdrowy rozsądek tonie w basenie

Dziewiąty tydzień mojej podróży po Europie prowadzi mnie na Minorkę, gdzie kontury cieni są ostre jak brzytwa wycięta laserem. Upał pokrywa każdy centymetr kwadratowy z taką natarczywą siłą, że nawet świerszczom nie chce się grać. Miejsce stworzone do wypoczynku.

Oczywiście nie dla mnie. W ogrodzie przy wynajmowanym przeze mnie domu znajduje się basen, który, jak to ująłem w wiadomości zostawionej na automatycznej sekretarce, jest jedynym w swoim rodzaju, najbardziej irytującym szczeblem w drabinie osiągnięć rodzaju ludzkiego.

Czyż to nie dziwne? Nikt przecież nawet nie myśli, żeby w swoim ogródku urządzić sobie staw. Bo stawy są dla takich, co myślą, że bezpiecznie jest pozwalać dzieciom grzebać przy gniazdkach. Stawy są dla stawonogów.

Rzadko zdarza się tydzień bez doniesień o zatonięciu w stawie dziecka, które właśnie uczyło się chodzić. Wystarczy jednak pozbyć się ze stawu lilii i ważek, odrobinę go pogłębić, zmniejszając jeszcze bardziej poziom bezpieczeństwa, zabarwić to wszystko na jasny, turkusowy kolor i nagle okaże się, że ten cały przeklęty interes zacznie się wydawać tak niegroźny jak klocki Lego.

Problem z moim basenem na Minorce jest inny – w tym przypadku nie chodzi o to, że stanowi zagrożenie dla dzieci. Stanowi zagrożenie dla mnie. Jest wyposażony w pokrywę, która jest ścisłym potwierdzeniem najważniejszej zasady dotyczącej basenów: nie działa. Nie działa, chyba że zanurkujesz pod drewnianą platformę i odblokujesz mechanizm znajdujący się na samym dnie. Odblokowanie zajmuje jakieś dziesięć minut – dokładnie dziewięć minut i pięćdziesiąt sekund dłużej niż czas, na który Pan Marlboro może wstrzymać swój oddech.

Już to wszystko kiedyś przerabiałem. Pięć lat temu wynająłem dom na południu Francji. Zgodnie z ulotką reklamową, dom wyposażony był w basen. Faktycznie, był. I już drugiego dnia naszych wakacji zdaliśmy sobie sprawę, że wyciekła z niego połowa wody.

Ponieważ bardzo mi zależało na tym, by uratować to, co zostało, przywdziałem mój strój do nurkowania à la inspektor Clouseau i ustaliłem, że jedynym możliwym ujściem wody jest ogromna dziura na samym dnie. Nieświadom tego, że dziura ta ma coś do rzeczy z filtracją, przykryłem ją dużym talerzem obiadowym i spokojnie udałem się na plażę.

Jak można było się spodziewać, moja błyskawiczna i odważna akcja sprawiła, że woda przestała wyciekać. Niestety, doprowadziła też do tego, że przez kolejne osiem godzin pompa wodna pracowała na sucho. Ludzie twierdzili, że wybuch słychać było aż w Stuttgarcie.

Tego pamiętnego dnia poprzysiągłem sobie, że nigdy, przenigdy nie będę miał w domu basenu. Niestety, moja żona bardzo chce go mieć.

– Po co? – jęknąłem. – Pochodzisz z Wyspy Man, więc powinnaś mieć gust!

– Tak – odpowiedziała – ale urodziłam się w Surrey!

Istnieje sporo problemów związanych z instalacją

tej turkusowej kałuży w naszym ogrodzie, przy czym największy z nich to fakt, że mieszkamy w Chipping Norton, a miasto to jest powszechnie uważane za najzimniejsze w Anglii. Nawet gdy cały kraj wygrzewa się w obszarze tak wysokiego ciśnienia, że wszystkim zapadają się bębenki w uszach, jedynym basenem, w którym chciałbym się zanurzyć, jest wanna z gorącą wodą.

Moja żona jest jednak niewzruszona i wyniośle oddala mój pomysł wykorzystania kontenera wypełnionego deszczówką i lekko pochylonego tak, by – jak przystało na basen – opadało dno. Sugerowałem nawet, że moglibyśmy podgrzewać kontener od spodu piecem na koks, ale żona tylko walnęła mnie po głowie zwiniętą gazetą. Nie pozostało mi więc nic innego, jak zrobić rozeznanie w temacie basenów. Wydaje się, że na instalację tego chlorowanego mordercy dzieci wystarczy około 20 000 funtów. To mniej niż myślałem, ale to nie wszystko.

W basenowym światku powinno się zawsze udowadniać swoją wyższość i trzymać taki poziom, który dilera samochodów z Cheshire wprawi w stan osłupienia i zazdrości. Po pierwsze, istnieje problem temperatury. Twój basen powinien być cieplejszy niż jakikolwiek inny w sąsiedztwie. Żeby jednak wygrać te zawody, woda w twoim basenie powinna być wrzątkiem, w sam raz do ugotowania homara.

Potem kwestia muzyki. Do podwodnych głośników trzeba doprowadzić Moby'ego z przyczyn, których pełne zrozumienie jeszcze mi trochę zajmie.

Nie zapominajmy o zagadnieniu głębokości. Mój kumpel o ksywce Jumbo instalował ostatnio basen w swoim domu na wyspie Hayling. Chyba tylko po to, by przekonać się na własnej skórze, że dom blisko morza wyklucza basen głębszy niż niecałe półtora metra. Skończyło się na basenie z dwoma płytkimi końcami, połączonymi pośrodku płytkim przesmykiem. Nie można powiedzieć, że ten basen służy do pływania. Raczej do przechadzania się po wodzie jak Jezus. Totalna towarzyska kompromitacja.

Jedynym sposobem wyjścia z kłopotu jest zatrudnienie do obsługi basenu przystojniaka o tak porażającej urodzie, że nikt z gości nie zauważy, że to, przy czym siedzi, to po prostu najdroższa kałuża w Portsmouth.

Załóżmy jednak, że masz basen głębszy niż Jezioro Tahoe, tak gorący, że prawie roztapia podwodne głośniki, że jest obsługiwany przez Hugh Granta, i że został wybudowany przy domu, który stanowi model Tadż Mahal w skali jeden do jednego. Co dalej?

Cóż, z pewnością będziesz potrzebował urządzenia do czyszczenia basenu. Najlepsze, jakie widziałem, wyglądało jak wielki pająk, który wymachiwał odnóżami i wsysał wszystko, co tylko zdążyło się nawinąć. Jego właściciel był bardzo dumny aż do chwili, gdy jeden z moich kumpli nakarmił tego pająka hamburgerem. Urządzenie poszło na dno, a rozzłoszczony właściciel ryknął ze wściekłości: „Dlaczego to zrobiłeś?!". „Cóż – powiedział mój kumpel – dobrze Ci tak, skoro kupiłeś coś, co je tylko liście. Skąd mogłem wiedzieć, że to wegetarianin?".

Reasumując, baseny można scharakteryzować następująco: pochłaniają wszystkie twoje pieniądze, cały twój zdrowy rozsądek, twój czas, a jeśli pozostawisz je na chwilę bez dozoru, również i twoje dzieci.

Niedziela, 5 sierpnia 2001 r.

Z cierpliwością zalecisz dalej

Naturalnie, zdawałem sobie sprawę, że samolot czarterowy z taniego ośrodka wczasowego w Hiszpanii na lotnisko Stansted w Londynie nigdy, przenigdy nie wystartuje
punktualnie. Na domiar złego odlot był zaplanowany na
wpół do dwunastej w nocy, co sprawiało, że cały następny
dzień miało się z głowy. No i – jak można było się tego
spodziewać – po przybyciu na lotnisko dowiedzieliśmy
się, że samolot nie wystartował jeszcze z Essex.

– Jaki problem tym razem? – zapytałem z rezygnacją
w głosie, jak zmęczony życiem mężczyzna, który słyszał
już wszystkie możliwe wyjaśnienia. – Problemy techniczne?
ne? Powietrze nie takie? Niebo zaśmiecone liśćmi?

– Nie – odpowiedział przedstawiciel linii lotniczych –
kapitan utknął w korku na autostradzie M11.

Aaa, rozumiem… Ponieważ jakiś beznadziejny dupek
nie wybrał się do pracy na czas, muszę teraz spędzić cztery godziny w przegrzanej i źle obsługiwanej hali odlotów
z siedemnaściorgiem dzieci, z których żadne nie jest
moje. Świetnie.

Nie wiem, kim Pan jest, Panie Kapitanie, ale mam nadzieję, że przepada Pan za tajlandzkimi transwestytami
i że o Pańskich skłonnościach dowiedzą się Pana kumple.
Nie jestem mściwym człowiekiem, ale gorąco pragnę,
by od tej pory aż po wieczność nie mógł Pan dosięgnąć
swędzących Pana miejsc. I żeby na środku Pana trawnika

ktoś wymalował jakieś świńskie graffiti silnym środkiem chwastobójczym.

Żeby podtrzymać nas w miłym nastroju i skrócić czas oczekiwania, obiecano nam darmowe soczki i przekąski. Niczego podobnego nie dostałem. Dostałem za to styropianowy kubek gorącego. Gorącego czego? – tego nie jestem już pewien. Może była to herbata, a może zupa ogonowa? Przekąskę stanowiła kanapka z różowym plasterkiem, który był cieńszy niż powłoka lakieru na Lancii z 1979 roku. Chwilę później okazało się, że baterie w moim Game Boy'u są zużyte.

Po mojej lewej stronie, grubej rodzinie odzianej od stóp do głów w dresy Adidasa udało się skombinować skądś frytki. Niebywałe osiągnięcie, zważywszy na to, że wszystkie sklepy na lotnisku były zamknięte. Ludzi takich jak oni można wysłać na czwarty księżyc Jowisza, a w ciągu piętnastu minut znajdą worek ziemniaków i frytkownicę.

Po mojej prawej stronie siedziała o wiele chudsza rodzina, również w dresach Adidasa, i usiłowała zasnąć na poduszkach, jakie zrobiła sobie ze swoich koszulek Manchester United. Zasnąć było trudno, bo co pięć minut głos samego Króla Juana Carlosa brzmiąc donośnie z głośników przypominał, że zgodnie z dekretem królewskim palenie jest wzbronione.

Potem było jeszcze gorzej. Grupa heroicznie leniwych sprzątaczy hiszpańskich obudziła się w końcu z popołudniowej sjesty. Doszli do wniosku, że podłogę trzeba akurat teraz cholernie dobrze wypolerować. Uruchomili więc eskadrę maszyn zaprojektowanych przez Rosjan w 1950 roku, które od tego czasu wciąż pozostają na wyposażeniu Angolskich Sił Powietrznych.

O wpół do drugiej w nocy czytałem już z nudów instrukcje na gaśnicach i kontemplowałem rozpoczynającą się właśnie walkę o jedzenie. Zdecydowałem, że nie będę w niej uczestniczył, bo chleb w bezpłatnych kanapkach był tak twardy, że mógł zabić, a to, co włożyli do środka, było tak cienkie, że nie dało się nawet tego zdmuchnąć. Podejrzewam, że ta cienizna mogłaby spokojnie unosić się w powietrzu.

O pierwszej czterdzieści pięć głos Króla Carlosa zaprosił nas do autobusów, które miały nas przewieźć do samolotu. Hurra! Nareszcie przybył kapitan James T. Berk! Byliśmy już na dobrej drodze do odlotu.

Skądże znowu! Po piętnastu minutach stania na baczność w nieruchomym autobusie, zafundowano nam pięćdziesięciominutową próbę wytrzymałościową, polegającą na siedzeniu w nieruchomym samolocie bez klimatyzacji i, co gorsza, bez słowa wyjaśnienia lub przeprosin z kabiny pilotów. Dopiero gdy wzbiliśmy się w powietrze i zdążyliśmy nawet zasnąć, usłyszeliśmy w głośnikach Kapitana Głupka, który wyjaśniał przyczyny opóźnienia. Powiedział, że z powodu wysokiej temperatury powietrza samolot nie mógł wystartować, dopóki luk bagażowy nie został częściowo opróżniony.

Wspaniale! Zabierasz nas, palancie, z czterogodzinnym opóźnieniem, zostawiasz nasze bagaże na lotnisku, nawet nie przepraszasz, a potem wygłaszasz najgłupsze usprawiedliwienie, jakie kiedykolwiek słyszałem. Jakim sposobem temperatura mogła być za wysoka, imbecylu? Przez twoje beznadziejne spóźnienie jest, do cholery, trzecia nad ranem!

Rzecz w tym, że spokój udawało mi się (przez większość czasu) zachować tylko dlatego, że wiedziałem, iż po przybyciu do domu będę mógł napisać ten felieton i uprzykrzyć Panu Kapitanowi życie tak, jak on uprzykrzył moje.

To, co wprawiło mnie w zdziwienie, to cierpliwość moich współpasażerów. Nie narzekali. Na lotnisku siedzieli cicho i zajadali darmową mięsną okleinę. W autobusie pocili się, ale stali spokojnie. Nawet nie pisnęli, gdy stewardesa rozlała na ich kolana wrzątek, kłamiąc bezczelnie w sprawie bagażu i traktując nas jak główną przeszkodę w znakomicie prowadzonym przez nich rejsie.

Problem w tym, że do takiego traktowania zdążyliśmy się już przyzwyczaić. Więcej. Jesteśmy przygotowani na to, że ten jeden, jedyny, króciutki, nie zakorkowany odcinek drogi będzie za to gęsto przystrojony fotoradarami. Zakładamy, że pociąg może się spóźnić, a w metrze ktoś może podłożyć bombę. Zdajemy sobie sprawę z tego, że nasz samolot może mieć nieprzewidziane międzylądowanie w Bogocie i że jeśli będziemy narzekać, pojawi się policja, zapuszkuje nas, a potem rozstrzela.

Jest więc dla nas zupełnie naturalne, gdy samolot czarterowy ląduje na Stansted z czterogodzinnym opóźnieniem, jako ostatni tego dnia. To dlatego, że linia lotnicza obsługująca to połączenie jest sponsorem spektakularnie beznadziejnej załogi Formuły Jeden – Minardi, która, jak ostatnio sprawdzałem, kończy dopiero ostatnie okrążenie francuskiego Grand Prix 1983.

Niedziela, 12 sierpnia 2001 r.

Czy coś mi przepadło, gdy byłem na wakacjach? Chyba tylko codzienny obłęd

Po dwóch miesiącach spędzonych na kontynencie jestem z powrotem w Anglii zastanawiając się, czy coś ważnego mi umknęło. Zwykle przepada mi angielska pogoda. Dawka gorącego słońca może być fajna przez tydzień lub dwa, ale wkrótce zaczynasz mieć dość ciągłego smarowania się kremem z filtrami i swojego czerwonego nosa. Przyłapujesz się na poszukiwaniu choćby skrawka cienia i nie masz ochoty nic robić, bo jakakolwiek działalność wyciska z ciebie zdecydowanie za dużo potu.

Po czterech tygodniach złapałem się na tym, że leżąc w bezsenną noc zacząłem marzyć, by zrobiło mi się chłodno. Nie mamy nawet pojęcia, jacy z nas szczęściarze. Żyjemy w kraju, gdzie pogoda jest po prostu niezauważalna – nie daje nam w twarz za każdym razem, gdy tylko wystawimy stopę za próg.

Bardziej jednak niż kwestia pogody zajmuje mnie to, co przepadło mi w wiadomościach. Zawsze zakładamy, że gdy wrócimy do domu po pobycie za granicą, wszystko będzie zmienione nie do poznania. Że w ciągu dwóch tygodni naszej nieobecności sprawy przybiorą zupełnie niespodziewany obrót.

Nowe mody nadejdą i przeminą. Zawiążą się nowe partie polityczne, powstaną nowe zespoły muzyczne, a my nie będziemy w stanie porozmawiać o tym ze znajomymi przy kolacji. Cóż więc takiego umknęło mi w ciągu ostatnich 9 tygodni?

Przepadł mi Bill Clinton, występujący w hali Wembley zamiast Cliffa Richarda. Straciłem też wspaniały spektakl, w którym Jeffrey Archer został uznany winnym krzywoprzysięstwa. Jednak nie do końca, bo o tej ostatniej sprawie szeroko rozpisywały się hiszpańskie gazety, z nieznanych powodów porównując Archera do Oscara Wilde'a. Być może jest pewne podobieństwo, oprócz tego, że Archer jest zdeklarowanym nie-gejem i, co widać jeszcze bardziej, nie potrafi dobrze pisać.

Przepadło mi także wywyższenie Madonny do godności bóstwa. Kiedy wyjeżdżałem, była gasnącą gwiazdą pop z Detroit, ale po powrocie odkryłem, że została wyniesiona na towarzyskie wyżyny wspólnie z grubą blond fryzjerką z Walii, która stała się słynna najwyraźniej dzięki wyznaniu, że ma słabość do mrugania[1]. Zagraniczne gazety jednak to przegapiły. Może były za bardzo pochłonięte problemami na Bliskim Wschodzie.

Wygląda na to, że straciłem również niezwykle zabawny program telewizyjny o pornografii dziecięcej, chociaż mówiono mi, że większość ludzi, którzy uznali go za obraźliwy, też go nie widziała.

Była też ta cała sprawa z Michaelem Portillo. Gdy wyjeżdżałem, miał zostać liderem Partii Konserwatywnej[2].

---

[1] Chodzi o Helen Adams, walijską fryzjerkę, która zajęła drugie miejsce w brytyjskiej edycji *Big Brothera*. Sławę zdobyła m.in. dzięki pozbawionym logiki, absurdalnym wypowiedziom, które przypisywała swojej dysleksji. Jej najsłynniejszym powiedzeniem było: „Kocham mrugać, i to jak!".

[2] Swoje prowadzenie w sondażach Michael Portillo stracił głównie w wyniku publikacji prasowych, sugerujących jego doświadczenia homoseksualne w młodości.

Ale teraz ta dobra lokata przypadła jakiemuś facetowi, o którym nigdy nawet nie słyszałem. Czy on też jest dobry w mruganiu? Miejmy nadzieję, że nie, albo sam przegapi swoją obecność w polityce.

Już miałem uznać, że tak właściwie to nic takiego nie straciłem, gdy zauważyłem, że w Galerii Saatchi w Londynie otwarto wystawę „Nowa Partia Pracy". Co do diabła mogli tam pokazywać? Może kartkę wyrwaną z książki Tracey Emin[3]? Może to tam znajdują się te wszystkie brakujące łóżka służby zdrowia? I te wszystkie cegły, które miały posłużyć do budowy placów zabaw dla dzieci? A może ostatnie szczątki naszej dumy i godności?

Czy kiedykolwiek słyszałeś o czymś tak niedorzecznym, jak nosząca nazwę rządzącej partii politycznej wystawa w galerii o światowej renomie? Partii, która dostała mniej głosów niż dziewczyna, która lubi mrugać.

Tak naprawdę to osobiście nie marzę o niczym innym, jak tylko o zrobieniu swojej własnej wystawy „Nowa Partia Pracy". „Oto jajko, którym dostał pan Prescott, a oto koszula, którą miał na sobie Tony Blair, gdy tak strasznie się spocił[4]. A teraz przejdźmy przez strefę Instytutu Kobiet[5] i spójrzmy na podanie Petera Mandelsona, gdy starał się o pożyczkę[6], artystycznie splecione ze zwolnieniem Reinalda[7] z obowiązku wizowego."

---

[3] Kontrowersyjna artystka brytyjska.

[4] Chodzi o przemówienie Blaira z 2000 roku na zebraniu Partii Pracy – na zdjęciach widać, że jego koszula jest cała mokra od potu.

[5] Organizacja zrzeszająca kobiety z Anglii i Walii.

[6] Peter Mandelson będąc ministrem w rządzie Blaira pożyczył na niejasnych zasadach od Geoffrey'a Robinsona z Partii Pracy 373 000 funtów na dom w Notting Hill. Uzyskał również pożyczkę dla swojej firmy pośredniczącej w kredytach hipotecznych. W zeznaniu podatkowym ten fakt zataił.

W restauracji umieściłbym dużo kufli, wściekłych krów i darmowych ryb dla gości z Hiszpanii. W strefie zabaw dla dzieci byłoby mnóstwo dzikich, chorych na wściekliznę lisów i zjeżdżalnia w kształcie serpentyny. Gdyby ktokolwiek narzekał, że ta ostatnia nie ma zbyt wiele wspólnego z „Nową Partią Pracy", wyjaśniłbym, że są to spiralne schodki dla niepełnosprawnych. Ron Davies pilnowałby toalet, Keith Vaz pracowałby przy kasach, a na przewodniki audio nagrany byłby głos samego Michaela Martina. A gdyby wszystko to okazało się kolejną porażką, obwiniłbym o wszystko Mo Mowlam[8].

Zaciekawiony, co w rzeczywistości pokazano na wystawie, i czy byłem na właściwym tropie, wygrzebałem jakieś stare wydanie „Co jest grane?" i byłem dość skonsternowany dowiadując się, że na wystawę wybrano instalację wideo autorstwa Liane Lang. Nie mam pojęcia, kim ona jest. Może to któraś z uczestniczek *Big Brothera*?

Moja konsternacja zamieniła się w osłupienie, gdy przeczytałem, co pokazywał film: gliniana ręka manipuluje przy kobiecym kroczu, otoczonym nastroszonymi czarnymi włosami. Pozbawiony odniesień seksualnych obraz, jak zapewniano, może wprawić w zakłopotanie. I faktycznie wprawia. Gorzej. Napisano dalej, że kolejna artystka, Rebecca Warren, przy użyciu gliny osiąga jeszcze bardziej swawolny i uwodzicielski efekt. Pomalowana na różowo kobieta rozwiera nogi, poddając się lubieżnym zalotom czegoś, co może uchodzić za szarego psa.

---

[7] Reinaldo Avila da Silva – Brazylijczyk, z którym Mandelson, najprawdopodobniej homoseksualista, utrzymywał bliskie kontakty.

[8] Wymienione w tym fragmencie osoby to znani politycy Partii Pracy.

Zaskoczony, zadzwoniłem do galerii i zapytałem, co to wszystko miało wspólnego z Tonym Blairem i jego „Nową Partią Pracy". „Ach, doprawdy nic – odparła panienka po drugiej stronie – Po prostu otwarcie wystawy przypadło na dzień wyborów i tak jakoś pomyśleliśmy, że nazwa «Nowa Partia Pracy» będzie dobrze pasować." Właściwie to prawda.

Jest to mnóstwo wielkomiejskiej mowy-trawy. Może i przepadła mi ta wystawa, która właśnie dzisiaj się kończy, ale szczerze mówiąc, wcale tego nie żałuję.

Niedziela, 19 sierpnia 2001 r.

Władcy mórz? Dziś jesteśmy już tylko rozbitkami

Moje dziecięce wspomnienia dotyczące żeglarskich osiągnięć Wielkiej Brytanii koncentrują się wokół nadawanych bez końca czarno-białych migawek telewizyjnych, pokazujących małych ludzików z czerstwymi i zarośniętymi twarzami, którzy w Southampton schodzą ze swoich zniszczonych jachtów, po tym, jak opłynęli dookoła świat tyłem do przodu.

Francis Chichester, Chay Blyth, Robin Knox Johnston[1]. Niewyraźne obrazy przylądka Horn. I Raymond Baxter[2], który przypomina telewidzom, że oto po raz kolejny, szlachetny naród wyspiarzy poskromił dziką furię wód południowych oceanów. Trafalgar, Jutlandia[3]. Wielka Armada[4], itd. Brytania jest władczynią mórz. Zawsze była i zawsze będzie.

Dziś okazuje się jednak, że prawie wszystkie rekordy związane z żeglarstwem należą do Francji. Przebyli Atlantyk szybciej niż inni, opłynęli świat szybciej niż inni, a podczas gdy odważna Ellen MacArthur[5] trafiła

---

[1] Znani brytyjscy żeglarze.
[2] Prezenter BBC.
[3] Miejsca wielkich zwycięstw Królewskiej Marynarki Wojennej.
[4] W 1588 roku Brytyjczycy w wojnie z Hiszpanią odnieśli miażdżące zwycięstwo nad flotą hiszpańską, patrz też przypis 7, str. 116.
[5] Brytyjska długodystansowa żeglarka, która w 2005 roku, czyli cztery lata po napisaniu przez Clarksona niniejszego felietonu, pobiła rekord świata

na pierwsze strony wszystkich naszych gazet, dzielnie zajmując drugie miejsce w rejsie dookoła świata Vendée Globe, pierwsze miejsce zajął właśnie żabojad. Tak jak rok temu. I dwa lata temu.

Niektórzy mówią, że problem wynika ze słabego sponsoringu, inni twierdzą, że żeglarstwo w Wielkiej Brytanii tonie w kieliszku z dżinem i tonikiem. Tak czy owak, prawda jest taka, że w wiadomościach brytyjskich żeglarz pojawia się tylko wtedy, gdy tonie mu łajba.

Tak było z tym gościem, który w okolicach Australii wywalił się do góry dnem i przeżył zjadając samego siebie[6]. Do tego dochodzi Królewska Marynarka Wojenna, która musiałaby włożyć wiele wysiłku, by mieć kontrolę choćby nad zwykłą kałużą. I nie zapomnijmy o Pete Gossie, którego łódź w barwach Philipsa, wybudowana po to, by okrążyć świat, nie zdążyła dopłynąć nawet do przylądka Land's End zanim nadszedł jej koniec.

W tym miejscu powinienem definitywnie wyjaśnić, że sam nie należę do żeglarzy. Próbowałem tej sztuki tylko raz, pływając na czymś, co wyglądało jak Rover 90 do jazdy po wodzie. Kapitanem był entuzjastycznie nastawiony do świata facet z Hampshire, który przez cały czas powtarzał, że „dajemy czadu", ale szczerze w to wątpiłem, bo wyprzedzał mnie nawet dym z mojego papierosa.

Można było tą cholerną łajbą wpłynąć w sam środek huraganu, a i tak wciąż jej prędkość wynosiłaby cztery węzły. I tu pojawia się kolejny problem. Dlaczego ludzie tracą umiejętność wysławiania się po angielsku jak tylko wyrastają z pieluszek? Dlaczego prędkość wyraża się

w najszybszym samodzielnym rejsie dookoła świata.

  [6] Chodzi o Tony'ego Bullimore'a, patrz również str. 290.

w węzłach, a oprócz tego istnieją węzły rufowe? I dlaczego za każdym razem, gdy z papieroskiem usadowisz się wygodnie na rufie, musisz zaraz wstawać? Bo z pewnością usiadłeś na faleniu holującym bączka[7]!

Co więcej, nawet najbardziej zrównoważony człowiek, jak tylko chwyci w swe dłonie ster (który po angielsku zwie się też „hełmem") również zaczyna się zachowywać tak, jakby usiadł na faleniu holującym bączka. Dlaczego? Jesteśmy, na miłość boską, na morzu. Jeśli, będąc na lądzie, nie będę wykonywał rozkazów natychmiast, albo zamiast pociągnąć za szot napnę fał, to nic złego się stanie. Dwusekundowe opóźnienie nie spowoduje katastrofy.

Tak naprawdę, jeśli się nad tym zastanowię, to wszystko, co wiem o żeglowaniu, sprowadza się do spędzenia całego dnia pod kątem 45 stopni, powolnego kręcenia się w kółko i bycia przez cały czas ochrzanianym.

Jest więc zrozumiałe, że byłem w trójnasób niechętny zaproszeniu do Brest, by tam dołączyć do kapitana i załogi „Cap Gemini", kosztującego 3 miliony funtów, zbudowanego przez Francuzów potwora – największego, najszybszego trimarana, jakiego widział świat.

Szacuje się, że „Cap Gemini", który wypłynął w rejs w zeszłym miesiącu, okrąży świat w 60 dni. Dla porównania – amerykańskiej łodzi podwodnej o napędzie atomowym to samo zajmuje 83 dni. Tak więc „Cap Gemini" to naprawdę szybka łajba. Już sama jej wielkość przyciąga tłumy. Szukanie jej w porcie przypomina szukanie stogu

---

[7] W wersji angielskiej Clarkson grą słów ironizuje z terminologią żeglarską. Chodzi głównie o wieloznaczność pojęć *reefer*: „1. kurtka marynarska 2. skręt" i *painter* „1. malarz 2. faleń – linka do holowania małej łódki (bączka), będącej na wyposażeniu głównej jednostki".

siana w igle. Po prostu należy wypatrywać masztu, który wyrasta ponad inne, rozciągając się przez troposferę aż do magnetosfery. Ta łódź nie musi być wyposażona w nawigację satelitarną. Po prostu wychodzi się na ten maszt i rozgląda się dokoła.

Zresztą „Cap Gemini" praktycznie nie ma żadnego wyposażenia. Żeby zredukować wagę do minimum, cała łódź, włączając nawet żagiel, jest wykonana z włókna węglowego. Po takich wydatkach i staraniach, nikt nie chciałby zepsuć tego efektu dodatkowym luksusowym wyposażeniem wnętrza. Dziesięć maszyn z żywego mięsa, które popłyną tym żaglowcem, będzie używało swoich ubrań jako materacy. Na łodzi nie ma nawet ubikacji.

Wyruszyliśmy i przez pierwsze pięć cudownych minut czułem, że zrozumiałem urok tego całego żeglowania. Wzeszło słońce, wzmógł się wiatr i nasz potężny jacht wpłynął na wody Zatoki Biskajskiej jak kogut oblany wrzątkiem. Siedząc w jednym z trzech kadłubów, 6 metrów ponad płaską jak żelazo taflą morza, nie mogłem wprost uwierzyć własnym oczom, gdy odczyt prędkościomierza wzrastał, przechodząc przez 30, 35, a później 40 węzłów. Korzystając tylko i wyłącznie z wiatru jako siły napędowej, mknęliśmy 80 kilometrów na godzinę. To było zdumiewające. Gdybym był Amerykaninem, zacząłbym z siebie wydawać charakterystyczne okrzyki zachwytu.

Potem jednak wiatr przycichł, a my zawróciliśmy do portu. To znaczy, nie zawróciliśmy. Ponieważ znajdowaliśmy się na żaglowcu, musieliśmy halsować w stronę lądu, zamieniając szybką, 25-kilometrową przejażdżkę w trzygodzinną, 50-kilometrową harówkę.

Nie mieliśmy nic do jedzenia, nic do picia, nic do zapalenia, a oprócz tego, niezależnie od tego, gdzie się ruszyłem, jakiś niesamowicie przystojny byczek z opalonymi muskułami wpadał na mnie, a potem zaczynał krzyczeć, że wchodzę mu w drogę. Wszystko to – jak myślę – skłoniło Brytyjczyków do zaniechania żeglugi.

Poza paroma totalnymi nudziarzami w uniwersyteckich marynarkach, wszyscy zdaliśmy sobie sprawę, że w najszybszym okrążaniu świata nic nie może równać się z Airbusem. Który również jest francuski. Cholera!

Niedziela, 2 września 2001 r.

Dlaczego już nas nie stać na nic wielkiego lub pięknego?

Teraz, gdy angielska reprezentacja piłkarska przeżywa dobry okres, a bezrobocie jest niskie jak nigdy dotąd, nadchodzi dobry moment, by rozsiąść się wygodnie, nastawić coś Elgara[1] i poczuć się upojonym swoją brytyjskością. Wznawiane są też rejsy samolotu Concorde i wkrótce znów będzie dwa razy dziennie przelatywał przez Atlantyk, przypominając Jankesom, że dawno, dawno temu potrafiliśmy z siebie wykrzesać iskrę godnego pozazdroszczenia geniuszu. Nawet najbardziej szanowani inżynierowie z NASA przyznali mi w zaufaniu, że zaprojektowanie i skonstruowanie naddźwiękowego samolotu pasażerskiego stanowiło większe wyzwanie niż wysłanie człowieka na Księżyc.

Wspaniale więc, że po raz kolejny lotnisko Heathrow będzie drżało w posadach, wypełnione pomrukiem szturmujących je silników odrzutowych Olympus[2]. Jednak będzie to też trochę smutne, bo można założyć się o ostatniego płatka kukurydzianego, że Brytyjczycy nie będą mieli udziału w tym kolejnym kamieniu milowym historii ludzkości.

---

[1] Edward Elgar (1857-1934), najsłynniejszy brytyjski kompozytor, autor m.in. dwóch symfonii, marszów, słynnych Wariacji „Enigma" i wielu utworów o charakterze patriotycznym.

[2] Silnik Rolls-Royce'a, stanowiący jednostkę napędową samolotów Concorde.

Problem w tym, że dwadzieścia samolotów Concorde kosztuje półtora miliarda funtów, co dawno temu stanowiło astronomiczną kwotę. Nawet dziś za takie pieniądze można by kupić dwie londyńskie Kopuły Tysiąclecia. Pomimo to, pięć ostatnich Concorde'ów, które zjechały z linii produkcyjnych, sprzedano po 1 franku francuskim za sztukę.

Całym przedsięwzięciem kierował Tony Benn[3], człowiek, który pewnego dnia wyciągnął z szopy poduszkowiec i skierował go do obsługi Kanału La Manche. W dodatku to właśnie on przyczynił się do utworzenia ICL[4], brytyjskiej odpowiedzi na amerykański IBM. Piastując urząd Dyrektora Generalnego Poczty wspierał ideę budowy BT Tower[5], wieży, która przez dwadzieścia, a może nawet więcej lat była najwyższym budynkiem w Londynie.

Denis Healy[6] powiedział kiedyś, że Benn „o mało co nie zniweczył wpływu Partii Pracy na brytyjską politykę dwudziestego wieku". A ja z kolei dam głowę, że w Ministerstwie Finansów Benn nie miał zbyt wielu przyjaciół. Cóż z tego! Mój Boże, dopiero on wiedział jak sprawić, by każdy z nas mógł poczuć się szczęśliwy będąc Brytyjczykiem!

Teraz, niestety, rząd nie jest już taki hojny. Patrzy tylko na koszty. Wszystko jest oceniane przez pryzmat tego, ile

---

[3] Polityk brytyjski z ramienia Partii Pracy, pełnił m.in. funkcję ministra techniki.

[4] International Computers Ltd, wielka brytyjska korporacja produkująca sprzęt komputerowy, od 2002 roku część koncernu Fujitsu.

[5] British Telecom Tower, dawniej Post Office Tower, wieża-maszt telekomunikacyjny w Londynie.

[6] Brytyjski polityk, członek Partii Pracy.

można kupić inkubatorów dla wcześniaków lub ilu nauczycieli można opłacić.

Czy wiecie, że gdy rada miejska Norwich chciała pośrodku miasta wybudować piękną fontannę, miejscowa gazeta wyszukała jakąś pogrążoną w smutku matkę, która wychyliwszy twarz zza chusteczki higienicznej stwierdziła, że te pieniądze powinny być raczej wydane na progi zwalniające?

Częściowo kłopoty z Kopułą Tysiąclecia wynikają z tego, że zamiast wybudować budynek-pomnik, który stałby przez stulecia, spróbowano wznieść coś na krótszą metę, czego podstawową funkcją byłoby zarabianie na siebie. London Eye okazało się co prawda spektakularnym sukcesem, ale i tak wszyscy wiedzą, że opiera się na czyimś rachunku zysków i strat.

Może tu kryje się fundamentalny problem z kapitalizmem? Może obywatelom nie będzie dane pławić się w ciepłym blasku narodowej dumy, dopóki u steru nie stanie jakiś socjalista, albo ktoś, kto wymyślił te wszystkie sowieckie parady z okazji Święta Pracy? Bo muszę przyznać, że wszystkie komunistyczne miasta, jakie odwiedziłem, mają bardzo porządne pomniki.

By jednak obalić powyższą teorię, wystarczy jako kontrprzykład podać łuk Grande Arche de la Défense w niezbyt komunistycznym Paryżu. Gdyby wnętrze łuku wypełniono biurami, przychód wzrósłby dziesięciokrotnie. Lecz wtedy łuk przestałby być tak skończenie wspaniały. A co z bardzo niekomunistyczną Marynarką Wojenną Stanów Zjednoczonych? Nie ma żadnych praktycznych powodów, które usprawiedliwiałyby potrzebę posiadania czternastu lotniskowców, o wielkości miasta każdy. Istnieją tylko po to, by utwierdzać obywateli w poczuciu bezpieczeństwa i dumy narodowej.

Zmagam się więc z nieodpartym wnioskiem, że brak woli wybudowania czegoś trwałego, czegoś pięknego, czegoś olśniewającego, to wyłącznie brytyjski problem. A może nie potrafimy obudzić w sercu dumy, bo nie pamiętamy już, kim lub czym jesteśmy?

Nasz premier to laburzysta wywodzący się z torysów. Przy końcu naszej ulicy stoi meczet, a z naszym domem sąsiaduje francuska restauracja. Nie jesteśmy ani w Europie, ani poza nią. Słyniemy z jakości naszego piwa, a i tak wolimy pójść do winiarni. Nie jesteśmy już państwem kolonialnym, ale wciąż nazywamy się Brytyjską Wspólnotą Narodów. Zazdrościmy bogatym, a jednak interesuje nas, co słychać w środowisku gwiazd, bo wciąż kupujemy „Halo!". Mieszkamy w Zjednoczonym Królestwie, które już nie jest zjednoczone. Wszystko się nam pomieszało.

I jesteśmy chyba jedynym krajem, który postrzega własną flagę jako symbol ucisku. Jeśli więc nie możesz być patriotą ze strachu przed posądzeniem o nacjonalizm, na pewno nie będziesz też skłonny wybudować niczego ku chwale ojczyzny. W dodatku – jeśli nie wiesz, co oznacza pojęcie „ojczyzna".

Nasza drużyna piłkarska może zmierzać do finałów Mistrzostw Świata, ale nie mamy nawet ogólnokrajowego stadionu, na którym mogłyby być rozgrywane krajowe spotkania.

Concorde jest z powrotem w powietrzu, ale nie dlatego, że te wielkie, białe ptaki sprawiają, że mamy dobre samopoczucie. Concorde znowu lata, bo księgowi z British Airways zamienili wspaniałe przedsięwzięcie w brudną, gotówkową dojną krowę.

Chciałbym, by w celu zwalczenia tej choroby powstał fundusz, którego zadaniem byłoby finansowanie wielkich budynków użyteczności publicznej, szaleństw, pokazów laserowych, fontann, samolotów, akweduktów. Wielkich, drogich przedsięwzięć, których jedynym celem byłoby wydobycie z nas okrzyku „Wow!". Mam już nawet nazwę tego funduszu. Moglibyśmy nazwać go loterią.

Niedziela, 9 września 2001 r.

Bierz przykład ze swoich dzieci – odpręż się w stylu Ibiza

Pewnie natknąłeś się już na reklamy płyt z muzyką klubową typu *Ibiza Chillout*, nadawane ostatnio w środku dość ambitnych programów telewizyjnych. I pewnie doszedłeś też do wniosku, że jest to tak nie na miejscu, jak reklama bielizny przerywająca transmisję meczu. No bo tak: oglądamy program przyrodniczy o owadach, świadomi tego, że należymy do ambitnych odbiorców. Jedyna relaksująca muzyka z Ibizy, która w tym momencie jest w stanie nas zainteresować, to śpiew cykad, a nie megadecybelowy łomot dochodzący z tamtejszych klubów.

Weźmy na przykład album *The Chillout Session*, który, zgodnie z zapowiedzią na okładce, jest odprężającą mieszanką błogich rytmów i muzyki house, firmowaną przez Jakkatę, Leftfield, Williama Orbita, Groove Armadę, Underworld i Bent. Przesiąknięta do cna komputerem internetowa e-muzyka dla e-pokolenia. Lub, innymi słowy, tandeta.

No i bardzo dobrze. Od dawien dawna rozdrażnianie rodziców należało do jednego z zadań nowoczesnej muzyki. Gdy we wczesnych latach siedemdziesiątych oglądałem *Top of the Pops*, twarz mego taty przybierała taki wyraz, jakby ktoś dźgał go w kark śrubokrętem. Ogarniało go bezgraniczne zdumienie, ale i rozdrażnienie, w szczególności podczas piosenki *Ballroom Blitz* zespołu The Sweet.

Ojciec mówił o muzyce pop z takim zacięciem, z jakim ja mówię po francusku. Przekręcał uparcie nazwy zespołów, bezkrytycznie używając przyimka określonego: THE Queen i THE T Rex. O Rodzie Stewarcie mówił: „ten gość, który podśpiewuje jakby siedział na klozecie". O Billym Idolu kiedyś stwierdził, że „jeśli ktoś występuje w telewizji, powinien chociaż założyć koszulę".

Za żadne skarby nie mógł odróżnić Ricka Wakemana od Ricka Derringera. Nigdy też nie mogłem pojąć, jak może nie słyszeć różnicy między Mickiem Fleetwoodem a Mickiem Jaggerem.

Upłynęło dwadzieścia lat i poczułem się zupełnie jak on, nie potrafiąc rozróżnić muzyki house od muzyki garage. Techno, hip-hop, rap. Dla mnie to wszystko to samo. Grupa groźnie wyglądających wyrostków w spodniach tył na przód zachęca nas do rzucenia wszystkiego i zarznięcia wieprza.

To pewnie dlatego Radio 2 stało się jedną z najpopularniejszych stacji radiowych na świecie. Dzięki uroczej mieszance Terry'ego Wogana i The Doobie Brothers, stanowi spokojną przystań dla czterdziestolatków, którzy dostają palpitacji serca na dźwięki emitowane przez Radio 1.

Niestety, słuchając wyłącznie Radio 2, odcinamy się zupełnie od zakręconego świata nowoczesnej muzyki. Zamykamy się w czterech ścianach z piosenką *Groundhog Day* Neila Younga, wciąż kupując jego *After the Gold Rush* na kolejnych pojawiających się nośnikach: na CD, na mini disc-u.

Nie słuchasz MTV. Nie czytujesz "New Musical Express". Nie oglądasz już *Top of the Pops*. Skąd więc możesz wiedzieć, że właśnie pojawiła się jakaś nowa płyta, która mogłaby ci przypaść do gustu? Wytwórnie płytowe nie mogą przecież włożyć ulotki pod wycieraczkę każdego volvo w kraju. Właśnie dlatego reklamy płyt typu *Ibiza Chillout* pojawiają się w samym środku programów, które lubisz oglądać. Bo zawierają muzykę, która przypadłaby ci do gustu.

Nawet jeśli nigdy nie słyszałeś Williama Orbita, bez trudności rozpoznasz jego piosenkę, bo to po prostu *Adagio na orkiestrę smyczkową* Barbera. Nawet jeśli Groove Armada nic ci nie mówi, i tak będziesz w stanie nucić do ich piosenki, bo słyszałeś ją tysiące razy w końcówce programu sportowego *Grandstand*.

Gdy słucham takiej muzyki, to wydaje mi się, że przewlekam sobie pomiędzy uszami długiego gronostaja. Gdyby miód mógł wydawać dźwięki, brzmiałby jak ona. Ta muzyka to znakomity podkład dźwiękowy do kolacji ze spaghetti i winem.

Oczywiście, muzyki klubowej nie słucha się jak *Fly Like an Eagle* Steve'a Millera w 1976 roku. W tamtych czasach słuchanie muzyki było zajęciem samym w sobie, podczas gdy dzisiejsza e-muzyka jest dźwiękową tapetą – leci w tle, gdy jesteś zajęty czymś innym. W naszym wapniackim języku to mieszanka Jarre'a i Oldfielda, tyle że bez kadzidełek i trzasków płyty gramofonowej.

Moby jest świetny. Posłuchaj jego *I Like to Score* jutro rano, a nigdy nie sięgniesz już po nagrania Supertrampów. Przestawisz odbiornik w samochodzie na Radio 1 i będziesz musiał wytrzymać pięć godzin odgłosów zarzynania wieprza, by potem usłyszeć pięć minut pomrukiwania wieloryba. Natkniesz się też na inne zespoły, które lubisz. Radiohead. Toploader. Coldplay. Dido. David Gray. Stereophonics. Pewnie te nazwy obiły ci się o uszy już kilka lat temu i pewnie tak jak ja założyłeś, że z myślą o twoich dzieciach te zespoły obrabiają komputerowo trzask łamanych mebli ogrodowych i odgłosy młotów pneumatycznych. Nic podobnego. Usłyszysz melodie, które z chęcią będziesz podśpiewywał. I żadna z nich nie sprawi, że odczujesz chęć pchnięcia policjanta nożem.

Zabrałem się do zbierania płyt tych zespołów. Mówię wam, to wspaniałe uczucie, gdy stoi się w kolejce do kasy i gdy się wie, że nastroszony sprzedawca nie powie do ciebie „Człowieku!" widząc, że kupujesz *Yes Album* na CD.

Sęk w tym, że jeśli ludzie w średnim wieku są w stanie rozprawiać zarówno o najnowszym mega-miksie z *Ibizy*, jak również o rozpiętości wokalnej Joe Washbourna z zespołu Toploader, to naszym dzieciom trudno będzie się odnaleźć. Skończy się tak, że to my pojedziemy wyszaleć się na Ibizę, a w ramach buntu nasze dzieci popłyną wzdłuż rzeki spacerowym stateczkiem, śpiewając przeboje z musicalu *Dźwięki muzyki*.

Niedziela, 16 września 2001 r.

Chodzę do dentysty, mimo że mam zęby mądrości

Słoń, pozostawiony samemu sobie, nigdy by nie zdechł. Słonie nie mają naturalnych wrogów. Słonie nie jeżdżą na motorze. Metabolizm słoni jest niewiele szybszy od metabolizmu granitowego głazu. Aby nie dopuścić do tego, by Ziemia została opanowana przez stada tych potencjalnie nieśmiertelnych, dwutonowych kolosów, Natura umieściła w ich paszczach bombę zegarową: słabe zęby. Uzębienie słonia jest co prawda zastępowane nowym co dziesięć lat, ale gdy zużyje się szósty zestaw zębów, jest już po wszystkim. Żegnaj, Panie Trąbalski.

U ludzi wygląda to zgoła inaczej. Szkliwo, pokrywające nasze zęby, jest nie tylko najtwardszą substancją w naszym ciele, ale również jednym z najbardziej wytrzymałych i odpornych materiałów występujących na planecie Ziemi.

Tylko pomyślcie. Najstarszy dowód istnienia rasy ludzkiej znaleziono trzy lata temu w pobliżu Johannesburga. Szczątków człowieka, którego nazwano Małą Stopą, zachowało się naprawdę niewiele. Były to prawie wyłącznie skamieniałości. I zęby, które wyłaniały się ze skał, lśniąc i błyszcząc zupełnie jak wtedy, gdy ta biedna istota jeszcze żyła. Czyli 3,6 miliona lat temu.

Z taką sytuacją spotykamy się nader często. Archeolodzy nadal odkopują na polach hrabstwa Lincoln ciała księży zabitych w czasach Reformacji. Podają do wiadomości, że ich śmierć następowała w wyniku zanurzenia we wrzącym kwasie, spalenia, powieszenia, utopienia, poćwiartowania, roztrzaskania kości i ponownego poćwiartowania, tak na wszelki wypadek. Każda kość jest na ogół połamana i spróchniała, ale nie zęby – te wciąż się błyszczą.

To w takim razie po co nasz rząd ogłosił ostatnio, że przeznaczy 35 milionów funtów na walkę z próchnicą? Dlaczego podjął inicjatywę, dzięki której każde biedne dziecko będzie mogło dostać darmowe szczoteczki do zębów w ośrodkach Państwowej Służby Zdrowia? No cóż, to wszystko dlatego, że osoba, która wpadła na te pomysły, nazywa się Hazel Blears[1]. Czyli jest kobietą. A to z kolei oznacza, że jej obsesję stanowią zęby innych ludzi.

Kiedy byłem jeszcze kawalerem, odwiedziłem dentystę tylko raz – bolał mnie wtedy ząb. Dentysta powiedział, że wszystkie moje zęby wymagają zaplombowania. Oprócz dwóch, którym trzeba wypełnić kanał korzeniowy. Po wstrzyknięciu w moje dziąsła niezliczonych dawek nowokainy, dentysta zapytał, czy za zabieg będę płacił prywatnie, czy z funduszu Publicznej Służby Zdrowia.

– A szo sza łusznisza? – wymamrotałem.

– No cóż – odpowiedział, uśmiechając się szyderczo. – Prywatny zabieg gwarantuje, że wszystkie plomby będą doskonale pasowały. A jeśli za zabieg zapłaci pani Thatcher, takiej gwarancji nie będzie.

Widziałem, jak wygląda uzębienie pani Thatcher, więc mimo pustki w portfelu, wybrałem zabieg prywatny.

---

[1] Wówczas podsekretarz stanu w rządzie Blaira.

Przez kolejne piętnaście lat nie chodziłem do dentysty i nie miałem absolutnie żadnych problemów. Nie nawiedzał mnie też pan Nieświeży, ten Od Dech. Od czasu do czasu, kiedy udało mi się odprowadzić jakąś dziewczynę do mojego mieszkania, nie padała na kolana i nie konała, gdy zbliżałem się do niej, chcąc złożyć na jej ustach pierwszy pocałunek. Niektóre z nich nawet nie mdlały.

A później pojawiła się moja żona, która wydaje 60% domowego produktu brutto na szczoteczki elektryczne, a 40% porannego czasu traci na czyszczenie zębów nitką. Wysyła mnie też co sześć miesięcy na kontrolne badania dentystyczne.

Nie rozumiem, po co jakiś facet ma mi dłubać w zębach zaostrzonym śrubokrętem, skoro i tak przetrwają one o 50 000 lat dłużej niż reszta mojego ciała?

Dziś już nikt nie umiera z powodu zębów. Zawsze szwankuje jakaś inna część ciała, ale mimo to nie chodzimy do lekarza dwa razy do roku, żądając szczegółowych badań. Proszę bardzo, panie doktorze, proszę, co prawda nie dzieje się nic podejrzanego, ale chciałbym, żeby mnie pan drobiazgowo przebadał. Najpierw może poproszę o rentgena, a potem o pielęgniarkę, która spryska mi tyłek jakimś lodowatym aerozolem.

Nie, nie, do doktora chodzimy tylko wtedy, gdy coś nam dolega i tak samo powinno być z dentystą.

Problemem jest próżność. Nikt nie będzie w stanie zobaczyć, że na śledzionie pojawiła się narośl wielkości kapusty. Gdy jednak zbrązowieją zęby trzonowe, a dziąsła zaatakuje zapalenie, dla kobiet będzie to istne piekło.

Istnieją cztery rodzaje zębów. Kły, służące do odrywania kawałków mięsa. Siekacze, do siekania tych kawałków. Zęby przedtrzonowe, do przeżuwania. I są też zęby amerykańskie, wykorzystywane do pojawiania się w tygodniku „Halo!".

Nie można mieć zębów amerykańskich tylko dzięki paście i nitce do czyszczenia. Nie da się uzyskać uzębienia na poziomie Victorii Beckham po serii dentystycznych zabiegów wybielających. Aby mieć zęby lepsze niż było to w planach Natury, potrzeba milionów funtów.

Trudno się dziwić, że próżni i zniewieściali piłkarze stojący w murze zasłaniają sobie częściej zęby niż przyrodzenie.

To nie koniec minusów. Gdzieś słyszałem, że po operacji uzębienia nie tylko wygląda się inaczej, ale ma się też zmieniony głos. I nie ma sposobu, by, zanim dentysta zacznie czynić dłutem swą powinność, przewidzieć, czy tę mękę zakończymy jako Stephen Hawking czy Sue Ellen[2].

Wszyscy wiemy, że ludzie z amerykańskimi zębami wyglądają tak samo. Jeśli nie daj Boże zostaniecie straszliwie ranni w wypadku, nikt nie będzie w stanie zidentyfikować was po zębach. Będą przecież pochodziły spod tego samego adresu w Beverly Hills. Tylko pomyślcie o konsekwencjach: spędzicie resztę wieczności leżąc pod płytą nagrobną, obwieszczającą przechodzącym, że byliście Victorią Beckham.

Niedziela, 23 września 2001 r.

---

[2] Jedna z głównych bohaterek serialu *Dallas*, grana przez Lindę Gray.

Pojedynek morski z najszybszymi imigrantami na Zachód

Często, gdy widzę jak policjanci odrywają kolejnego małego, przestraszonego, ciemnoskórego, wąsatego mężczyznę od podwozia pociągu Eurostar, zastanawiam się: „Jak bardzo źle musiało być ci w domu, że już nawet to jest dla ciebie lepsze?".

Według stowarzyszenia reprezentującego służby imigracyjne, ISU, obecnie w Wielkiej Brytanii przebywa 1,2 miliona nielegalnych imigrantów, a my oczywiście doskonale wiemy, jak się tu dostali. Zostali doprowadzeni do tunelu i wsadzeni do wagonów towarowych przez francuskich policjantów.

Niemniej jednak, zawsze chciałem wiedzieć: jak do diabła w ogóle dostają się do Europy? Gdzie istnieje nieszczelność?

Cóż, w zeszłym tygodniu udało mi się ją znaleźć. Każdego miesiąca tysiące emigrantów jest przewożonych przez mafię albańską z Albanii do południowych Włoch na szybkich łodziach przez szeroką na 80 km Cieśninę Otranto.

A co robią włoscy policjanci, aby im w tym przeszkodzić?

Dobrze się rozejrzałem i z tego, co mogę powiedzieć, najważniejszą rzeczą, jaką dotychczas zrobili, jest zakup naprawdę fajnych okularów słonecznych.

Wyglądają, jakby uczestniczyli w zlocie fanów marki Cutler and Gross[1].

Powinniście zobaczyć ich łodzie patrolowe. Zapomnijcie o przystani super-jachtów w Antibes[2]. Zapomnijcie o wyścigowcach regatowych Class One. Najszybsze i najpiękniejsze maszyny, jakie kiedykolwiek widziałem, są przycumowane w porcie w Otranto, gdzie kołyszą się przy pomruku swoich potężnych diesli.

Sami więc widzicie, że policja trzyma fason i może przemieszczać się naprawdę szybko. Ale niestety – nie wystarczająco szybko.

Wszystko dlatego, że zyski ze szmuglowania ludzi przez granicę naprawdę nie mieszczą się w głowie. Opłata za przejazd w jedną stronę wynosi 800 dolarów (540 funtów) za osobę, czyli 40 ludzi na pokładzie daje 32 000 dolarów (około 21 600 funtów) za jedną przeprawę. A za kilka przepraw, po 32 000 dolarów każda, można kupić naprawdę mnóstwo koni mechanicznych.

Aby ukrócić ten proceder, policja jest teraz uprawniona do rekwirowania statków, które przechwyci i używania ich w walce z przemytnikami. A to oznacza, że mafia musi budować, albo kraść, coraz szybsze maszyny, aby ciągle pozostawać na prowadzeniu.

Witam więc państwa na największym wodnym torze wyścigowym, jaki kiedykolwiek widział świat. Witam na wyścigu, którego zwycięzcy nagradzani są szansą przeżycia reszty swych dni nad sklepem z frytkami w Bradford, a przegrani kończą martwi.

---

[1] Cutler and Gross – angielska firma zajmująca się projektowaniem okularów.

[2] Miasto wypoczynkowe na Lazurowym Wybrzeżu.

I tu tkwi problem. Gdy tylko łódź należąca do mafii wyrusza z Albanii, zostaje wykryta przez włoskie stacje radarowe, które kierują łodzie policyjne prosto na nią. Ale nawet jeśli płyną wystarczająco szybko, by ją dogonić, co wtedy?

Nie można po prostu polecić prowadzącemu łódź, by się zatrzymał, bo tego nie zrobi. Zasuwa jak dziki i nie zatrzyma się nawet wtedy, gdy dopłynie już do plaży. Można próbować go zablokować, ale wtedy – co często się zdarza – wyrzuci ładunek Kurdów przez burtę, a gdy już się utopią, ucieknie z powrotem do swojej jaskini bezprawia.

Pozostaje tylko jedno rozwiązanie, a mianowicie nakierować swoją łódź płynącą 130 km/h na łódź mafii o prędkości 145 km/h, i zrobić to, co za czasów Rzymian robili nasi przodkowie. Staranować wroga.

Jest to niesamowicie niebezpieczne. W zeszłym roku w wyniku uderzenia łodzi policyjnej zginęło czternastu imigrantów, a w tym roku, kiedy mafia zastosowała podobną taktykę by uniknąć schwytania, zginęło trzech policjantów.

Swoją drogą, czy warto tak ryzykować? Przecież ci biedni pasażerowie tych łodzi wyprzedali wszystko co mieli, aby raz jeden spróbować zdobyć wolność, więc co z nimi będzie, gdy po 30 dniach spędzonych w strefie oczekiwania zostaną odesłani z powrotem? Pozostaną bezdomni i bez grosza przy duszy w kraju, gdzie według włoskiej policji nie ma podziału na dobro i zło. Tylko na bogatych i biednych.

Ponadto mafia prowadzi obecnie kampanię marketingową, podpatrzoną, jak sądzę, u Ryanair. Jeśli złapią cię podczas pierwszej przeprawy, przysługują ci dwie dodatkowe próby. Ale idą za tym zobowiązania, albo raczej „zobołańcuchy". Jeśli ci się uda, będziesz miał u mafii dług; dług, którego nie da się spłacić samym myciem szyb samochodowych na Regent Street.

By obłaskawiać swoich dobrodziejów, będziesz musiał zająć się jakimiś poważnymi kradzieżami i napadami.

Twoja siostra wyląduje ulicy, a zdjęcia twoich córek przypalanych papierosami i smaganych pejczem znajdą się w Internecie.

Cóż więc można zrobić? Nie możemy wpuścić wszystkich imigrantów, z drugiej strony jest poza ludzką przyzwoitością odesłać ich wszystkich z powrotem.

W zeszłym tygodniu David Blunkett[3] mówił o złagodzeniu przepisów dotyczących imigrantów, które zezwalałyby ludziom z określonymi umiejętnościami na pozostanie w Anglii.

Wspaniale, ale ludzie przypływający na tych statkach nie są ani nauczycielami, ani informatykami. Wszystko, co potrafią, to odbezpieczyć kałasznikowa i wydoić kozę.

Istnieje więc niebezpieczeństwo, że podczas pobytu tutaj nauczą się jedynie, jak wyciągnąć radio Panasonica z deski rozdzielczej Forda Oriona.

Aby temu zapobiec, musimy zająć się ludźmi, którzy wpędzają tych biedaków w długi jeszcze zanim ci się tu dostaną. Musimy zacząć ścigać mafię. Oczywiście, że właśnie po to cztery i pół tysiąca angielskich żołnierzy stacjonowało w Macedonii już od wielu miesięcy. Ale w ostatnim tygodniu, gdy Tony Blair podzielił się z nami

---

[3] W latach 1997–2001 minister edukacji z ramienia Partii Pracy.

swoim marzeniem rozpętania międzynarodowej wojny przeciwko terrorowi i niesprawiedliwości, żołnierze spakowali swoje manatki i przyjechali do domu.

A mafia będzie teraz z zadowoleniem zacierać ręce, wiedząc, że całkiem niedługo połowa Afganistanu pojawi się na albańskim wybrzeżu...

Niedziela, 7 października 2001 r.

Mój wyrok? Ławy przysięgłych są winne jak diabli...

W tym tygodniu różni zwolennicy swobód obywatelskich biegali jakby się im ziemia pod nogami paliła, a to z powodu nowych propozycji rządu, które mają pozbawić oskarżonych ich automatycznego prawa do bycia sądzonym przez ławę przysięgłych. Plany te mówią, że osoba oskarżona o wykroczenie średniej szkodliwości, takie jak kradzież, przemoc lub jazda z prędkością 51 km/h, ma być sądzona przez sędziego i dwóch sędziów pokoju.

Co w tym złego? Za każdym razem, gdy spotykam kogoś nowego, biorę pod uwagę najdrobniejsze szczegóły jego wyglądu, takie jak włosy, buty, oczy, i w przeciągu pięciu sekund decyduję, czy lubię tę osobę, czy nie. W życiu codziennym nie ma znaczenia, że dziewięć na dziesięć razy się mylę. Ale byłoby to niezmiernie ważne, gdybym miał podjąć jedną z takich błyskawicznych decyzji pełniąc służbę w ławie przysięgłych.

Obrońcy mogliby do upadłego argumentować, że ich klient był w dniu zbrodni w Maroku. Mogliby pokazać mi bilety lotnicze na dowód, że tak rzeczywiście było, i powołać Davida Attenborough[1] i Michaela Palina[2] jako biegłych. Cóż, bardzo mi przykro, wystarczyłoby, że nie spodobałby mi się wygląd spodni oskarżonego, a musiałby

---

[1] Znany brytyjski przyrodnik-dokumentalista.

[2] Członek grupy Monty Pythona, oprócz tego znany podróżnik.

przyzwyczaić się na jakiś czas do wspólnych pryszniców.

Znam ludzi, ludzi o jasnym spojrzeniu i zadbanych włosach, którzy, będąc przysięgłymi, zachowali się dokładnie tak samo. Powiedzieli mi później, że wcale nie zwracali uwagi na wygłaszane kwestie, ponieważ od momentu, kiedy oskarżony wszedł na salę, było dla nich jasne, że był winny jak diabli: „Od razu było to po nim widać. Miał brodę i w ogóle".

Co więcej, znam też ludzi, którzy nie powinni być w ogóle dopuszczani w pobliże sali rozpraw, ponieważ, szczerze mówiąc, już nawet kałamarze w pulpitach byłyby bardziej od nich zdolne do podjęcia racjonalnej decyzji.

Słyszałem niedawno, jak w jakimś konkursie radiowym pewna kobieta stwierdziła, że dwa hrabstwa graniczące z Devon to „York i Wyspy Falklandzkie". Kraj pełen jest ludzi, którzy regularnie i dobrowolnie oglądają telenowele. Spotkałem pewnego razu dziewczynę, która była przekonana, że Ziemia ma dwa księżyce i że komary mogą przewiercać się przez ściany. Zgodnie z obowiązującym prawem, także i ona mogła zostać wybrana, aby wydać wyrok na Ernesta Saundersa[3].

John Wadham, szef grupy na rzecz swobód obywatelskich „Liberty", powiedział, że zniesienie ław przysięgłych jest równoznaczne z atakiem na uczciwość systemu sprawiedliwości. Ale co, przepraszam bardzo, jest uczciwego w byciu sądzonym przez kogoś, kto myśli, że insekty potrafią posługiwać się dwubiegową wiertarką udarową firmy Black & Decker?

Co uczciwego jest w zwracaniu się do mnie, bym był przysięgłym w sprawach o oszustwa finansowe, które

---

[3] Brytyjski oszust finansowy, skazany za defraudację.

zwykle ciągną się przez dwanaście miesięcy? Cóż, nie dojdzie do tego. Jeśli zostanę wezwany jako przysięgły, zaraz pierwszego dnia rozprawy zachowam się niewłaściwie przed obliczem sądu. Jak słowo daję, miesiąc w ciupie za brak szacunku jest o niebo lepszy od siedzenia przez bity rok w szkolnej ławie i słuchania, jak mężczyźni w perukach sprzeczają się o podatki, używając języka, którego nie rozumiem.

Jeśli sprawa o oszustwo nie jest jednoznaczna, przy czym pod pojęciem „jednoznaczna" rozumiem sytuację, gdy oskarżony jest białym mężczyzną, który usiłował zrealizować czek na nazwisko pani Nbongo, nie można oczekiwać, że najzwyklejszy pod słońcem człowiek będzie w stanie dojść do uczciwego i racjonalnego osądu.

Tylko pomyślcie. Geniusz kształcony przez piętnaście lat w Cambridge dopuszcza się wyrafinowanego przekrętu, by uniknąć płacenia podatków. Następnie któryś z najlepszych prawniczych mózgów w kraju stwierdza, że w rzeczywistości było to uchylanie się. I kto decyduje, która strona ma rację? Banda ludzi z McDonalds'a i Kwik-Fita. Równie dobrze można by rzucić monetą.

Z pewnością istnieją sędziowie, którym nie udaje się przeżyć ani jednego dnia bez gafy. Właśnie w tym tygodniu pewna osoba wysłana przez sędziów pokoju do więzienia na trzy miesiące, została zwolniona przez głównego sędziego, który powiedział, cytuję: „Więzienie jeszcze nikomu nie wyszło na zdrowie". Ale nawet taki błazen jak on wie, ile księżyców ma Ziemia.

Bądźmy szczerzy. Aby móc zostać sędzią trzeba na pewnym etapie życia wykazać się ponadprzeciętną wytrzymałością. Tymczasem ja nie byłem w stanie dotrwać w szkole dziennikarstwa nawet do połowy wykładu o zniesławieniu, zanim nie ogarnęła mnie przemożna chęć snu.

Biorąc to wszystko pod uwagę, myślę, że wykorzystanie sędziów i sędziów pokoju sprawi, że nowe sądy okręgowe będą bardziej uczciwe, szybsze i tańsze. Są jednak pewne aspekty tej propozycji, które musiał chyba wymyślić któryś z najgłupszych widzów *Milionerów*.

Nie widzę żadnego sensu w mieszaniu i łączeniu przekonań sędziego z przekonaniami oskarżonego, i naprawdę nie rozumiem tych nowych wymysłów dotyczących tzw. „negocjacji o ugodę". Propozycja mówi, że im szybciej oskarżony przyzna się do winy, tym łagodniejszy będzie wyrok. Jeśli wybiegniesz ze sklepu jubilera wołając: „To ja, to ja!", wypuszczą cię po lekkiej chłoście. Ale spróbuj nie przyznać się do winy sędziemu, który jest do niej przekonany, a będziesz chodził pod prysznic z innymi facetami przez resztę swojego życia.

W każdym razie, jest całkiem prawdopodobne, że takie będzie nowe prawo, więc na tej podstawie chciałbym zeznać, że wybieram się jutro rano do Londynu i na odcinku autostrady M40 pomiędzy węzłem ósmym a pierwszym będę jechał z prędkością przekraczającą 95 mil na godzinę.

Niedziela, 14 października 2001 r.

Im więcej nam mówią, tym mniej wiemy

Każdego dnia jesteśmy bombardowani wynikami sondaży, które mówią, co myśli społeczeństwo. Pomaga to kształtować politykę zarówno rządu, jak i korporacji. Tyle, że ludzie udzielający odpowiedzi – czyli ty i ja – nie mają bladego pojęcia, o czym tak naprawdę mówią.

W dzisiejszych czasach wprost toniemy zalewani ogromem informacji docierających do naszych domów. Mamy Internet, a w dolnej części ekranu telewizora przewija się pasek z wiadomościami. W Wielkiej Brytanii czytamy więcej gazet niż w jakimkolwiek innym państwie europejskim. Lecz im więcej informacji do nas trafia, tym mniej wiemy.

Tylko pomyślcie. Kiedy ma się dwadzieścia lat, wie się wszystko. Ale im więcej podróżujesz, im więcej się uczysz, im więcej czytasz, tym bardziej zdajesz sobie sprawę z tego, że tak naprawdę, wiesz więcej, ale wiesz więcej o niczym.

Weźmy na przykład wojnę w Kosowie. Według mnie, była to absurdalna decyzja. Całe mnóstwo plemion dawało sobie popalić już od dawien dawna, aż tu nagle NATO bez wyraźnej przyczyny postanowiło, że Serbowie zasłużyli sobie na cholernie porządne bombardowanie.

Przekonany o słuszności tego, co wymyśliłem, przekazałem moją opinię Amerykaninowi Jamesowi Rubinowi[1].

---

[1] Rzecznik Departamentu Stanu USA.

Okupował wtedy razem z Madeleine Albright Bałkany i bardzo prawdopodobne, że do swojej komórki miał wpisany numer do Slobodana. Ale co mi tam, wypiłem właśnie kilka kieliszków wina i byłem przygotowany na sprzeczkę.

Ach, cóż to była za sprzeczka. Rubin może i był dobrze poinformowany, ale w moich żyłach płynęło wino chablis. I właśnie dlatego mnie przygwoździł. Obnażył mnie, odzierając mnie z moich argumentów tak, jak obiera się pomarańczę. Porównując to z boksem, był to pojedynek Lennoxa Lewisa z Charlotte Church[2].

A teraz przenieśmy się w czasie o kilka tygodni w przyszłość, kiedy to podczas innej kolacji spróbowałem użyć argumentów Rubina w rozmowie z mężczyzną siedzącym po mojej lewej stronie. Niestety, okazało się, że jest to amerykański bankier, który – jak się dowiedziałem – pośredniczył w zawarciu umowy pomiędzy firmą telefoniczną w Serbii a samym Papieżem. I znów poczułem się jak Charlotte Church, potraktowana tym razem dwoma uderzeniami młota, rozsądkiem i znajomością tematu.

Tak więc jeśli spotkacie mnie na ulicy i zapytacie, czy trwająca właśnie operacja w wojskowa w Afganistanie jest dobra czy zła, będę musiał odpowiedzieć, że po prostu nie wiem.

Instynktownie czuję, że Ameryka powinna skupić swoje wysiłki na stworzeniu państwa palestyńskiego, ale ponieważ identyczny pogląd prezentowany jest codziennie na łamach „The Guardian", jestem prawie pewny, że się mylę. Ale jak mogę się tego dowiedzieć, skoro wszystko, co do nas dociera, to strzępy wiadomości, spekulacje

---

[2] Dwudziestoletnia walijska sopranistka.

i badania opinii publicznej, z których wynika, że 107% ludzi na świecie uważa, że Tony Blair to bóg? A 0% sądzi, że to zwykły błazen, którego działaniami niebezpiecznie kieruje przytłaczająca potrzeba zaspokajania własnego ego. Z drugiej strony, czy wiecie, że w 72% wyniki badań statystycznych są kształtowane w wyniku chwilowego impulsu? Łącznie z prezentowanymi powyżej.

Zapytajmy więc, co ludzie myślą o EU? Sondaże mówią, że 80% jest przeciwko, a 18% za. Znaczy to, że tylko 2% jest na tyle mądre, by zdać sobie sprawę, że nie wie.

Jeszcze w zeszłym roku myślałem, że to głupie jak budowanie dachu, zanim postawi się ściany. Potem jednak spędziłem całe lato podróżując po Europie od polskiej granicy z Niemcami aż po północno-wschodni koniec Hiszpanii; od Brestu w Bretanii aż po krańce Włoch. I doszedłem do wniosku, że możemy o wiele więcej nauczyć się od naszych europejskich sąsiadów, niż oni od nas. Mają na przykład dobrą kawę. I lepszą pornografię w hotelach.

„A więc – zagadnęła mnie dziewczyna, z którą jadłem kolację w zeszły weekend – chciałbyś przyjąć do Unii Polskę?" „Tak" – odpowiedziałem. „Przyjąłbyś wszystkie kraje bloku wschodniego?". „Tak." „Łącznie z Albanią?". „No cóż, wszystkie oprócz Albanii" – powiedziałem. „A co z Macedonią?". „I oprócz Macedonii" – przyznałem, zdając sobie sprawę, że po sześciu miesiącach reporterskiej podróży po kontynencie, podczas której wchłaniałem wiedzę jak gąbka, wróciłem do domu z zaledwie połowicznie ukształtowanymi poglądami.

Okazuje się bowiem, że aby kraj mógł zostać przyjęty do Unii, musi się dostosować do szeregu przepisów i postanowień tak złożonych, że liczą aż siedemnaście tomów. Teraz już wiem, że to, co wiem, to to, że nie wiem kompletnie nic.

Ktoś pewnie to wie, ale w wiadomościach wieczornych dają mu tylko trzy sekundy na wyjaśnienia. Pojawia się więc ze strzępkiem informacji, która syci naszą chęć poznania tak wydajnie jak McNugget.

Podobne problemy mam ze środowiskiem naturalnym. Przeczytałem na ten temat więcej materiałów naukowych niż większość ludzi. Wyrobiły one we mnie przekonanie, że to po prostu antykapitalistyczny bełkot, sugerujący, że wszyscy podusimy się w okolicach przyszłej środy. Ale w zeszłym tygodniu znalazłem się na południu Francji w smogu tak gęstym, że Lazurowe Wybrzeże zmieniło się w Brunatne. Pomyślałem: Chwila, moment. Przecież smog nie może pochodzić od pływających żaglówek.

Po zebraniu informacji na ten temat i zastanowieniu się nad nimi, zamieniłem dotychczasowe głębokie przekonanie na wewnętrzną debatę z samym sobą.

Nieunikniony wniosek nasuwający się po tym wszystkim jest taki. Jeśli zgromadzisz wszystkie fakty, dojdziesz do wniosku, że każde zagadnienie można rozpatrywać patrząc na nie z dwóch punktów widzenia i w dodatku każdy z nich może być słuszny. Z tego natomiast wynika, że jeśli masz wyrobioną na temat czegoś jednoznaczną opinię, świadczy to o tym, że nie znasz wszystkich faktów. I tak jest z pewnością w przypadku „The Guardian".

Niedziela, 21 października 2001 r.

Bez opieki PR-owca jestem zwykłym grubasem

Wróciłem już w wakacji, dziarski i żwawy, dziękuję uprzejmie. Zresztą i tak wiedzieliście, że wyjechałem, ponieważ pod moją nieobecność „Sunday Mirror" zamieścił moje zdjęcie na plaży w Barbados.

Towarzysząca zdjęciu historyjka opisywała, że świętowałem mój nowy kontrakt z BBC opiewający na milion funtów, że zatrzymałem się w światowej sławy hotelu „Sandy Lane", gdzie nocleg kosztuje 8 000 funtów oraz że się spasłem. Dowcipny nagłówek brzmiał „Pot Gear"[1].

Wszystko to pięknie za wyjątkiem tego, że mój nowy kontrakt nie jest wart miliona funtów, nie mieszkałem w „Sandy Lane" i nocleg nie kosztuje tam 8 000 funtów. Ponadto, zupełnie przegapili najważniejsze. Właściwie jedno z najważniejszych wydarzeń kiedykolwiek. Otóż jestem taki gruby dlatego, że jestem w ciąży.

Hm, do tego właśnie prowadzi bara-bara, czyż nie? Cały problem w tym, że fotograf nie podszedł zapytać, dlaczego wyjechałem na Barbados, przez co nie mogłem podzielić się z nim radosną wieścią o moim kolejnym, zdumiewającym dziecku. Po prostu siedział ukryty w krzakach ze swoim wścibskim teleobiektywem.

Czy mi to przeszkadza? Właściwie nie. Dość mi pochle-

---

[1] Gra słów nawiązująca do prowadzonego przez Clarksona programu „Top Gear" (Na najwyższym biegu). *Pot gear* oznacza w wolnym tłumaczeniu „Na tłustym biegu" lub po prostu „Grubas".

bia, że mój brzuch jest ważniejszy od zmarłej Królowej Matki i wojny na Bliskim Wschodzie. Jednak drażni mnie, że następnego dnia inna gazeta wydrukowała zdjęcia Gary'ego Linekera[2] na plaży w Barbados. Świetnie, oprócz tego, że zamiast nazwać go kłapouchym karłem, napisali, że jest uroczym, zachwycającym, radosnym i pobożnym ojcem rodziny.

Dlaczego? Obaj mamy tego samego pracodawcę. Obaj przyjechaliśmy razem z dziećmi na tę samą wyspę w tym samym czasie. Żaden z nas nie jest osobistym znajomym dziennikarzy, którzy napisali o nas artykuły. Więc dlaczego ja mam być bogatym, grubym dupkiem, trwoniącym pieniądze płatników abonamentu RTV w najgorszym hotelu świata, a tymczasem Lineker uchodzi za pobożniaka, którego nieprzerwana działalność charytatywna przywróciła do życia tysiące sierot i zakończyła liczne wojny?

Wykonałem kilka telefonów i okazało się, że Gary zatrudnia specjalistę od *public relations* – i to samego byłego wydawcę „Sun" – aby ten odpowiednio kształtował relacje prasowe na jego temat. Ja natomiast nie dysponuję kimś takim.

To samo, jak sądzę, jest bezpośrednią przyczyną niedawnych zgrzytów pomiędzy Naomi Campbell i „Mirror", historyjek o Lesie Dennisie i Amandzie Holden[3], i o tym kimś kto odszedł z kapitanem drużyny Blackburn Rovers.

Rzecz w tym, że prawie wszystkie te sławy żyją pod kloszem wytworzonym przez swoich PR-owców i podoba im

---

[2] Znany piłkarz, po zakończeniu kariery w sporcie związał się z TV.

[3] Prezenter Les Dennis, wówczas jeszcze mąż aktorki Amandy Holden, w okresie kryzysu ich związku występował w programie *Celebrity Big Brother*.

się to przyćmione światło, jakie on wytwarza. Są przyzwyczajeni wyglądać świetnie, gdy ktoś ogląda ich w domu, jak kroją świeżo upieczony chleb orzechowy na stoliku do kawy przybranym kilkoma błyszczącymi jabłkami. Wystarczy, że wrzucą 2 pensy do puszki na datki, aby na drugi dzień gazety pisały o nich jako osobach w rodzaju Paula Getty'ego[4], lecz bardziej przystojnych i z lepszym biustem.

Więc gdy jakaś gazeta przyłapie ich z działką koki albo martwym budowlańcem pływającym w basenie[5], to klosz zostaje rozbity i muszą wreszcie stanąć twarzą w twarz z prawdziwym światem. Jest to paskudne doświadczenie.

Usługi *public relations* też są paskudne, ale niestety znakomicie się sprawdzają. Działają nie tylko w przypadku gwiazd, ale również jeśli chodzi o polityków. To PR wyniosły do pierwszej dziesiątki pewnego faceta zupełnie bez zasad, i, co jeszcze dziwniejsze, pomogły mu utrzymać się tam do dzisiaj.

Wszyscy ci beznadziejni intryganci z rządu byli na kursach PR, aby stać się bardziej elokwentnymi i lepiej radzić sobie z prasą. No, wszyscy z wyjątkiem jednego, oczywiście, który jest przedstawiany jako gruby, ograniczony umysłowo palant z dwoma Jaguarami.

PR istnieje również w świecie wielkich interesów. Już dwa razy atakowałem Opla Vectrę i dwa razy olbrzymi oddział *public relations* w General Motors był w stanie tak

---

[4] Znany brytyjski filantrop, przeznaczył ponad 140 milionów funtów na rzecz brytyjskiej kultury.

[5] W basenie na terenie posesji Michaela Barrymore'a, znanego brytyjskiego artysty komediowego, znaleziono ciało Stuarta Lubbocka. Barrymore został oskarżony o spowodowanie śmierci, ale śledztwo zawieszono.

wykręcić kota ogonem, że to ja już kolejny raz z rzędu wyszedłem na winowajcę. I do tego grubego winowajcę.

Rzecz polega na tym, że PR nie są aż tak znowu drogie. Uporanie się z prasą kosztuje gdzieś z 500 funtów, a za 2 000 można nawet dorobić się osobistej aureoli i do tego skrzydeł. Więc zastanawiam się, dlaczego nie używamy PR na co dzień?

Dzień w dzień moje dzieci idą spać złe na mnie z tego czy innego powodu. Zazwyczaj właśnie dlatego, że kazałem im iść spać. Może więc wynajmę PR-dziewczynę, która mogłaby mnie w tym zastąpić? „Wasz tatuś chciałby, żebyście nie spali całą noc i jedli sobie czekoladę, ale mamusia mówi, że pora do łóżka". Z kolei gdybym przez nieuwagę wsadził do pralki wraz z obrusem całą zastawę stołową – jak to czasem mi się zdarza – moja specjalistka od PR mogłaby podać tę informację akurat tego dnia, gdy jedno z dzieci spadłoby z huśtawki rozbijając sobie kolano.

Spóźniony na spotkanie? Przez pomyłkę zamówiłeś 2 miliony spinaczy do papieru? Podczas przyjęcia bożonarodzeniowego podszczypywałeś żonę szefa? Wszystko to można obrócić na swoją korzyść, jeśli masz swojego osobistego Alistaira Campbella[6].

Z pewnością załatwię sobie PR-owca po urodzeniu mojego kolejnego dziecka. Bo gdybym sam chciał zapanować nad sytuacją, na pewno wszystko bym schrzanił. Już widzę tę historyjkę w „Halo!": „Jeremy Clarkson zaprasza nas do swego brudnego domu, aby przedstawić swoje czwarte szkaradne dziecko".

Niedziela, 14 kwietnia 2002 r.

---

[6] Doradca Blaira do spraw mediów.

Po co się spierać? Załatwmy to na pięści!

Tego lata w londyńskiej sali Royal Albert Hall odbędą się zawody w wolnej amerykance. Impreza ta określana jest jako ekstremalny sprawdzian dla ciała i umysłu, a jej uczestnicy w zapowiedziach występują w roli współczesnych rzymskich gladiatorów. Z pewnym zastrzeżeniem: nie są pożerani.

Idea wolnej amerykanki, jak sama nazwa wskazuje, pochodzi z Ameryki. Polega ona na tym, że dwóch zawodników, zamkniętych w metalowej klatce, walczy do upadłego, wykorzystując najdogodniejsze dla nich w danej chwili techniki dowolnej sztuki walki: kick boxingu, kung-fu, zapasów, boksu i judo. Zabronione jest tylko wyłupywanie oczu i wszelkie chwyty związane z kroczem i gardłem. Nie ma jednak żadnej wzmianki o zębach, więc kto wie, jak może być z tym pożeraniem.

Jak można się było tego spodziewać, wszyscy mydłkowaci liberałowie już się burzą, na czele z Derkiem Wattem, posłem z ramienia Partii Pracy. Cytuję: „Protestowaliśmy przeciwko polowaniom na lisy i szczuciu niedźwiedzi psami. Protestowaliśmy przeciwko walkom kogutów. A to jest ich ludzki odpowiednik".

Panie Derku, chyba sam pan widzi, że to nie do końca jest tak. Zawodnicy wolnej amerykanki to nie lisy, które siedzą w norze z Panią Lisicą i dwójką dzieci, Witaliskiem i Kitką, gdy nagle przez drzwi wejściowe wpada rozjuszona sfora ujadających psów. Nikt nie zmusza zawodników, by weszli do metalowej klatki. Nie są też zaniedbanymi dziećmi marginesu społecznego. Trzech z zawodników to Anglicy. Jeden z nich skończył elektronikę na Uniwersytecie w Kent.

Mimo to, rzecznik Brytyjskiego Towarzystwa Medycznego określił wolną amerykankę jako koszmarny sport, polegający na zadawaniu ran przeciwnikowi, co nie jest w porządku. Nie, to nie jest „nie w porządku". Jeśli człowiek z wolnej i nieprzymuszonej woli wchodzi na ring, gdzie przez pół godziny jego przeciwnik go kopie i może go nawet pożreć, to nic do tego ani panu, ani mnie, ani Derkowi Wattowi.

W tym miejscu muszę wyraźnie stwierdzić, że nie przepadam za bójkami. Wolę raczej bierny opór. A jeśli on nie zdaje egzaminu, wybieram czynną ucieczkę. Kiedyś, tak dla jaj, przywdzialiśmy z kolegą rękawice bokserskie i paradowaliśmy w nich z groźnymi minami na twarzy. W pewnej chwili, też tak dla jaj, kolega uderzył mnie w ucho. Nie mogłem uwierzyć, że to może tak boleć! Powiedziałem „Oj!". I nie brzmiało to zbyt męsko.

Potem, w Grecji, pewien smagły rybak uderzył mnie pięścią w twarz. Dlaczego – zapytacie – mu nie oddałem? Cóż, trudno odwzajemnić cios, leżąc na plecach bez przytomności.

Oczywiście, istnieją argumenty, że przemoc jest domeną intelektualnie skarłowaciałych, podczas gdy wyrafinowani intelektualiści preferują wymianę zdań. Ale pomyślcie tylko: mógłbym godzinami prowadzić wymianę zdań z Tysonem, a on i tak chciałby mi spuścić manto.

Nie dalej niż zeszłej nocy w pubie znalazłem się w środku wielkiej kłótni. Zaryzykowałem stwierdzenie, że Izraelczycy tym razem zupełnie oszaleli i że strzały oddane z ich czołgów w palestyńskim Jeninie nie różnią się od strzałów oddanych przez niemieckie czołgi w Warszawie. Mój przeciwnik sympatyzujący z Arielem Sharonem stwierdził, że sytuacja ta jest w pełni usprawiedliwiona w świetle nie kończących się palestyńskich aktów terroru.

Żaden z nas nie zamierzał ustąpić, wciąż się spieraliśmy. Cały wieczór pochłonęła mętna statystyka, zmyślone fakty historyczne, a w końcu, jakże mogłoby być inaczej, zeszliśmy na typowe bicie piany i obraźliwe wycieczki osobiste.

To jest właśnie ten problem z wymianą zdań. Nigdy nie ma w niej zwycięzcy. Musisz ją ciągnąć w nieskończoność. Chyba, że... No właśnie, jeśli chcesz by twój adwersarz przyjął twój punkt widzenia – a o to właśnie chodzi – to dlaczego po prostu nie rąbniesz go pięścią?

Korzystając z własnego doświadczenia chcę was zapewnić, że gdyby dano mi wybór: albo wycofuję się z dotychczas twardo utrzymywanego stanowiska albo dostaję raz jeszcze pięścią w twarz, to wycofałbym się skamląc jak pies.

Czasami zdarza mi się obejrzeć polityków występujących w programie *Czas na pytania*[1]. W kółko powtarzają dane statystyczne i bez końca przedstawiają plany na najbliższe pięć lat, a robią to tylko po to, by za wszelką cenę zrobić ze swych oponentów głupków. Po co tracić na to

---

[1] Ang. *Question Time* – flagowy program publicystyczny BBC, w którym publiczność zadaje pytania politykom z wiodących partii politycznych.

czas? Pozwól, by przeciwnik się wypowiedział, a potem walnij go z pięści!

Jestem przekonany, że takie rozwiązanie podniosłoby atrakcyjność tego programu. Tylko sobie wyobraźcie. Olivier Letwin stwierdza, że wzrasta przestępczość i że Torysi opowiedzą się za zwiększeniem liczby pieszych patroli policyjnych. A wtedy zza swojego biurka wyskakuje Stephen Byers[2] i daje mu solidnego kopniaka. I co, nie chcielibyście tego zobaczyć? Bo ja tak. Z przyjemnością obejrzałbym też walkę Edwarda Heatha z Denisem Healeyem. John Prescott odbył już wstępny trening – jego lewy prosty został powszechnie uznany za najciekawszy element ostatniej kampanii wyborczej do parlamentu[3].

Co tydzień David Dimbleby kończy *Czas na pytania* zwracając się do widzów z prośbą o kontakt, jeśli chcieliby znaleźć się na widowni w kolejnym programie. Jednak jeśli stwierdzilibyśmy, że istnieje szansa obejrzenia Anny Widdecombe targającej za włosy Glendę Jackson, producenci nie mogliby się opędzić od chętnych.

Jest jeszcze coś. W najbliższym czasie Sharon i Jaser Arafat mogliby się spotkać przy okrągłym stole i porozmawiać, jak można zaradzić konfliktowi. Na pewno po wielu tygodniach negocjacji nie wypracowaliby zgodnego stanowiska i przez najbliższe 50 lat Izraelczycy i Palestyńczycy wysadzaliby się nawzajem w powietrze.

Ja natomiast mam inną propozycję: Ariel i Jaser, jeden na jednego, w klatce w Royal Albert Hall. Zwycięzca bierze Jeruzalem.

Niedziela, 21 kwietnia 2002 r.

---

[2] W felietonie „biją się" Partia Konserwatywna z Partią Pracy.

[3] Prescott uderzył wtedy jedną z osób obrzucających go jajkami.

Mówię to jako ojciec: Nigdy nie zastąpię dzieciom mamy

Bob Geldof, najprawdopodobniej drugi najbardziej znany samotny ojciec w Anglii, stwierdził tydzień temu, że sądy muszą w końcu zrozumieć, że nie wszyscy mężczyźni to brutalne, obojętne gbury, niezdolne do wychowywania dzieci.

Najciekawsze jest to, że wypowiedź Geldofa była reakcją na stoczoną w tym samym dniu w Sądzie Apelacyjnym batalię o opiekę nad dzieckiem. Dwoje rodziców. Po jednej stronie ambitny menedżer z londyńskiej dzielnicy biznesu, z dochodem 300 000 funtów rocznie. Po drugiej – pełnoetatowy rodzic, który we wczesnych latach małżeństwa poświęcił swoją karierę zawodową na rzecz opiekowania się dziećmi.

Któż więc wygrał? Czy była to ta osoba, która zrezygnowała z pracy? Ta, która zajmowała się dziećmi dzień i noc przez sześć ostatnich lat? Nie. Ten pracujący rodzic to matka. I to ona wygrała. Matka zawsze wygrywa.

Według Organizacji Samotnych Rodziców „Gingerbread" – nie zawsze. Podobno na każdych dziesięciu samotnych rodziców przypada jeden mężczyzna. To by oznaczało, że rzeczywiście, czasem sąd przyznaje opiekę nad dzieckiem ojcu. Jestem pewien, że oczywiście, tak, ale chyba tylko wtedy, gdy matka jest śliniącą się rośliną. Osobiście nie słyszałem jednak o takich przypadkach.

W rzeczy samej, znam tylko dwóch ciężko pracujących samotnych ojców. Są wdowcami.

Fakty są następujące. Jeśli jesteś facetem, możesz założyć swój najlepszy garnitur i obiecać przed sądem, że będziesz czytał dzieciom *Harry'ego Pottera* co wieczór aż do świtu, ale i tak przegrasz. Nawet jeśli twoja żona będzie siedziała po przeciwnej stronie sali rozpraw w koszulce z napisem „Kocham Myrę Hindley[1]!".

Myślę, że wiem dlaczego. W zeszły weekend na dwa dni zostałem samotnym ojcem i – uwierzcie mi – łatwiej poradziłbym sobie z podwodnym robieniem na drutach. Kiedy moja żona wróciła w niedzielę wieczorem do domu, chwilę po zwyczajowej porze, kiedy to dzieci powinny już spać, jedno z nich obficie krwawiło, drugiego nie było w domu, a trzecie utknęło na drzewie.

Sprawy przybrały zły obrót już po sobotnim obiedzie. Tak naprawdę, mogły przybrać zły obrót już wcześniej. Ponieważ jednak zamknąłem się w moim pokoju coś pisząc, a w tle grał głośno „Drugi album" Led Zeppelin, trudno mi z całą pewnością to stwierdzić.

W każdym razie, wszystko zaczęło się po obiedzie. Zmywarka była już pełna, a ja po prostu nie wiedziałem, jak uruchomić to urządzenie.

Nie stanowi dla mnie najmniejszego problemu takie ustawienie zestawu DVD, że sześć niezależnych zestawów głośnikowych włącza się i wyłącza, w dodatku w dowolnie wybranym pokoju, ale nie znam odpowiedzi na pytanie, gdzie do zmywarki wsypuje się sól. I czy zmywarka po-

---

[1] Myra Hindley została skazana w 1966 roku na dożywocie za zamordowanie wspólnie z kochankiem dwójki swoich dzieci.

trzebuje jakiegoś proszku? Cóż, okazało się, że tak, i że nie można go zastąpić sproszkowaną śmietanką do kawy. A co z pralką? Tego sprzętu również nie mogę rozpracować. Nie widzę też powodu używania zamrażarki, bo po to, na co mam w danej chwili ochotę, wybieram się do sklepu. Wyślijcie mnie do supermarketu, a wrócę po dziesięciu minutach niosąc pod pachą paczkę drażetek Smarties i najnowszy numer magazynu „Gentelman Quarterly". Kupić dzieciom pizzę już w czwartek i podać im ją na kolację w sobotę? Taki pomysł nie pojawiłby się nawet w moich najśmielszych myślach! Dlatego w ogóle nie potrzebuję zamrażarki.

Czyżbym był osamotniony w mojej AGD-fobii? Nie sądzę. Wiem na pewno, że nie jestem jedynym mężczyzną na świecie, który nie może sobie poradzić ze sprzętem gospodarstwa domowego.

I nie chodzi o to, że nie chcę. Po prostu nie mogę. Tak samo, jak nie mogę cofnąć czasu, nie mogę zmusić zmywarki do umycia naczyń. A po tym, jak udało mi się nakłonić mojego sześciolatka, by podtarł pupę trzylatce, w przerażeniu schowałem się w gęstwinie najodleglejszego zakątka ogrodu.

W sobotni wieczór popełniłem błąd. Wiedziałem, że muszę wstać w niedzielę wcześnie rano. Czy w takim razie położyłem się wcześniej spać? Czy zachowałem się dojrzale? Czy wykazałem się kobiecym podejściem do sprawy? Ależ skąd! Z typowo męskim nastawieniem do życia, nie przespałem pół nocy, oglądając w telewizji program, w którym grupa dwudziestolatków porzuconych na wyspie bujała się na kłodzie.

Potem nastała niedziela i dzieci zaczęły głośno domagać się obiadu, takiego, jak robi mama. To niemożliwe. Zrozumcie, tylko mama wie, która odmiana ziemniaka do czego pasuje. Krasa. Augusta. Gloria. Laktacja. Te wszystkie słowa zna tylko mama.

A ja nie miałem nawet najmniejszego pojęcia, że „ziemniaki pieczone w łupinie" – tak było napisane na opakowaniu – można też usmażyć. Zamiast tego, zjedliśmy kalafiora, ale – według mojej siedmiolatki – to nie było to samo.

Sprzątanie po obiedzie też nie było takie, jakie robi mama. Dlatego, że nikt się sprzątaniem nie przejął. Częściowo dlatego, że zmywarka była wciąż załadowana, a częściowo z powodu moich zakrojonych na szeroką skalę planów, żeby wybudować dzieciom szałas. I tu uwidacznia się fundamentalna różnica pomiędzy ojcami i matkami.

Gdybym to ja wracał w niedzielny wieczór po spędzonym poza domem weekendzie, powitałaby mnie trójka dzieci ubranych w piżamy, wyczyszczonych, wyszorowanych, zdezynfekowanych, z odrobionymi zadaniami domowymi. Wszystkie naczynia byłyby umyte, a pokój zabaw lśniłby jak sala operacyjna.

Ja z kolei prześlizgiwałem się nad nudnymi aspektami wychowania lub zostawiałem tam bałagan, koncentrując się na tym, by nauczyć mojego sześcioletniego syna prowadzić mój nowy terenowy gokart, co jest surowo wzbronione poniżej szesnastego roku życia. Zbudowaliśmy szałas, urządziliśmy kilka zwariowanych przejażdżek starym traktorem po wybiegu dla koni, dużo razy się wywracaliśmy, mieliśmy bitwę wodną, a potem wszyscy się rozeszliśmy.

Dla ojca, dzieci to frajda. Dla matki, dzieci to odpowiedzialność. Dlatego to ważne, by mieć obydwoje rodziców.
I dlatego też, jeśli nie ma wyraźnych przeciwwskazań,
sądy muszą trzymać stronę mam.

Niedziela, 28 kwietnia 2002 r.

„Mówię o moim pokoleniu", Britney

Grał w zespole słynącym z piosenki, w której śpiewał „Mam nadzieję, że odejdę, zanim zdążę się zestarzeć"[1]. I teraz odszedł. John Entwistle może i był tym dyskretnym, stojącym z tyłu muzykiem, podczas gdy Roger Daltrey i Pete Townshend wariowali na pierwszym planie, ale każdy, kto zna The Who, dobrze wie, że Entwistle był jedynym basistą, który mógł nadążyć za szaleńczym Keithem Moonem, który słusznie mówił o sobie, że jest „najlepszym na świecie perkusistą w stylu Keitha Moona".

Co więcej, jeśli posłuchacie piosenki *The Real Me* z albumu „Quadrophenia", to usłyszycie, jak Entwistle wydobywa z gitary basowej melodię. Entwistle napisał też *My Wife*, jedną z najlepszych piosenek na jednym z najlepszych albumów nagranych przez prawdopodobnie najlepszy zespół wszechczasów.

The Who mieli właśnie wyruszyć na tournee po Ameryce. Na pewno bilety wyprzedałyby się co do jednego. Dlatego, że zespół obrósł już legendą, dlatego, że dawno już nigdzie się nie ruszał, a poza tym, doskonale znają się na tym, co robią.

---

[1] Fragment piosenki *My Generation* (Moje pokolenie) z albumu o tym samym tytule zespołu The Who. Stąd tytuł felietonu.

Co tydzień Steve Wright zaprasza do Radio 2 znane osobistości pokroju Petera Stringfellowa[2] i rozmawia z nimi o nowościach, jakie ukazały się w ostatnich dniach. Jest to na ogół tandeta, korowód nastolatek, które piskliwym śpiewem wtórują do akompaniamentu brzmiącego jak dzwonek telefonu komórkowego.

Jako koronny przykład weźmy Britney Spears. Od czasu do czasu, faktycznie, można usłyszeć jej własny głos, ale w większości jest on komputerowo przetworzony, i w rezultacie Britney brzmi tak, jakby nagrała się na moją automatyczną sekretarkę.

A co z Mary J. Blige, na punkcie której wszyscy obecnie szaleją? Mówiąc szczerze, wolałbym słuchać młota pneumatycznego. Poza tym, wydaje mi się, że do jej imienia wkradł się błąd – powinna się raczej nazywać KoszMary J. Blige.

Pewnego razu Radio 2 puściło jakąś urzekającą piosenkę. „Nareszcie! – ucieszyłem się. – Mamy nowy talent. Gość potrafi śpiewać, a ten nowy kawałek jest całkiem do rzeczy!" Ale myliłem się. Ten kawałek, to była całkiem stara piosenka *Morning Dew*, a wokalistą był Robert Plant, przygarbiony i przeorany zmarszczkami frontman zespołu Led Zeppelin.

W dzisiejszych czasach pewnie już nie wolno przyznawać się, że woli się Planta od KoszMary J. Blige, tak jak nie wolno mówić, że Partia Konserwatywna jest lepsza od Partii Jego Blairowskości. Byłem więc przekonany, że nie wolno mi się przyznać, że w zeszłym tygodniu prze-

---

[2] Kontrowersyjny multimilioner brytyjski, właściciel sieci klubów z tańcem erotycznym, przy tym zwolennik Partii Konserwatywnej.

mierzyłem długą drogę do Wembley, aby być na koncercie Rogera Watersa, byłego członka zespołu Pink Floyd.

Faktycznie, sporo ludzi pytało mnie, gdzież to wybieram się w środowy wieczór, a ja nie mogłem się przełamać, by powiedzieć im prawdę. „Jadę do Burnley, agitować na rzecz brytyjskich nacjonalistów" – już to zabrzmiałoby lepiej. Albo: „A, muszę ściągnąć trochę pornografii z Internetu". Lub: „Zamierzam ustrzelić lisa". Cokolwiek, byle nie to, że mam bilety na koncert tej legendy nad legendami.

Mówię wam, koncert był pierwszorzędny. Wspaniały i świetnie nagłośniony. Na scenie pojawił się, jak napisano w entuzjastycznej recenzji w „Evening Standard", Rick Mason[3] i wspólnie z gitarzystami Snowym Whitem i Andym Fairweather-Lowem, którzy dawali z siebie wszystko, wystąpił w numerze *Set the Controls for the Heart of the Sun*. Zagrał nawet solówkę na perkusji.

A najlepsze w tym wszystkim było to, że piosenki były długie, dzięki czemu ich piękno miało czas w pełni się rozwinąć. Był więc wstęp, piętnastominutowe *crescendo*, a potem stopniowe opadanie ku końcowi. I nie ma w tym nic złego, że piosenki trwają tak długo. Kto powiedział, że mają być krótkie? Na pewno nie Mozart!

Przepraszam, że znowu zacznę truć o modzie na „Slow Food", którą wielu ludzi uważa za szczytną ideę. Ci ludzie chcą, by wyznacznikiem europejskiego stylu bycia były długie obiady, a amerykańskiego hamburgera uważają za strawę z piekła rodem.

---

[3] Faktycznie Nick Mason. Pomyłka „Evening Standard", którą prześmiewczo przytacza Clarkson, wynika stąd, że jednym z pozostałych członków Pink Floyd był Rick Wright.

Marzą się im miasta z niezliczoną liczbą kawiarenek i placyków, pełnych niespiesznie przechadzających się ludzi, którzy ociągając się załatwiają swoje sprawy. Dla zwolenników *Slow Food* „Vesta"[4] to istny antychryst. Najgorsze jest to, że ludzie ci mają rosnące poparcie. Ich zwolennikom podoba się wizja małych sklepików sprzedających lokalne specjały, nawet jeśli kolejka do kasy ciągnie się w nieskończoność i trzeba czekać tydzień, by zostać obsłużonym.

Osobiście reprezentuję następujący pogląd: supermarkety są wygodne, a Big Mac to wspaniały pomysł na zabicie głodu, jeśli się spieszysz. Ale dlaczego muzyka musi być krótka i szybka? Dlaczego trzy minuty to w sam raz, a dwadzieścia minut to już przesada? Czy *Schody do nieba* byłyby lepsze, gdyby je skrócić o ten fragment ze szmerem w żywopłocie? Nie sądzę.

Mówi się, że stacje radiowe wolą krótkie piosenki. W dzisiejszych czasach kawałek *Bo' Rap*, jak Ben Elton[5] nazwał *Bohemian Rhapsody* zespołu Queen, nie dostałaby czasu antenowego. I nie mogę u licha zrozumieć, dlaczego. Prezenter Jimmy Young, sędziwy już człowiek, za żadne skarby nie mógłby już dzisiaj wyrwać się na chwilę ze studia do ubikacji i wrócić przed końcem kawałka Britney Spears. Tylko w przypadku „Scaramouche'a tańczącego swoje fandango"[6] miałby szansę na taką eskapadę.

A może to kwestia trudności z dłuższym skupieniem uwagi? Muzyka stanowi dziś raczej tło codzienności niż wydarzenie samo w sobie. Włączamy płytę CD i zajmu-

---

[4] Znana restauracja w Denver serwująca potrawy z grilla.

[5] Angielski pisarz i satyryk.

[6] Fragment utworu *Bohemian Rhapsody* zespołu Queen.

jemy się czymś innym. Nie mogę sobie przypomnieć, kiedy ostatnio słuchałem w całości jakiegoś albumu, siedząc z zamkniętymi oczami w fotelu.

Ale zrobię to dzisiaj. Jeśli będziecie przypadkiem w Chipping Norton i usłyszycie dziwne dźwięki, to znaczy, że słucham *Już nie dam się nabrać*[7] zespołu The Who. I rzeczywiście, już nie dam się nabrać. Lubię muzykę rockową lat siedemdziesiątych i nie wstydzę się tego!

Niedziela, 30 czerwca 2002 r.

---

[7] Tytuł oryginału: *Won't Get Fooled Again*.

Rozchmurz się, mój mały Aniołku – zwycięstwo jest dla frajerów

Moja najstarsza córka nie należy do zgrabnych. Tak naprawdę, jeśli mam być brutalnie szczery, jej własności aerodynamiczne są zbliżone do parterowej willi, a koordynacja ruchów nie odstaje poziomem od eskadry amerykańskich bombowców.

Gdy biega, wkłada w to niesamowity wysiłek. Jej ręce i nogi młócą powietrze jak tłoki 160-tonowego parowozu. Mimo to, bez precyzyjnych instrumentów geodezyjnych ciężko jest stwierdzić, czy rzeczywiście posuwa się naprzód. Mówiąc krótko, dość cienko wypada na szkolnych imprezach sportowych.

Na szczęście dla niej, szkoła, do której chodzi, usiłuje wcielać w życie zasadę „braku współzawodnictwa". Zaczynają się zawody, dzieci ruszają z miejsca i wtedy zawody się kończą. Nie działa to zbyt dobrze w przypadku biegu na pięćdziesiąt metrów, ale bardzo często „brak współzawodnictwa" sprawdza się w innych konkurencjach. Nie ma wtedy zwycięzców, i – jak łatwo się domyślić – nie ma też przegranych.

To wszystko teoria, bo za kulisami wielkich wydarzeń sportowych naszych dzieci odbywa się wspólny piknik rodziców. Tym razem zostałem poproszony o przygotowanie sałatki z ziemniaków, co wyglądało na najbanalniejsze zadanie pod słońcem. O nie, nic podobnego!

Moja sałatka ziemniaczana musi być bardziej kremowa, a ziemniaki o wiele lepsze niż w sałatkach pozostałych rodziców. Dlatego wstałem już o wpół do piątej nad ranem i zacząłem ją przyrządzać.

Nikt nie będzie próbował dyskretnie wyrzucać swojej porcji mojej sałatki w krzaki. Nikt nie będzie się z niej naśmiewał, parodiując efekt wymiotny za moimi plecami. Będę tam, by wygrać, by rozdeptać moich przeciwników jak chrząszcze.

Moja córka nie mogła tego zrozumieć.

– Mówiłeś, że to nie ma znaczenia, jeśli przybiegnę na metę ostatnia – powiedziała.

– Nie ma – odpowiedziałem.

– No to w takim razie dlaczego – nie dawała mi spokoju – zachowujesz się tak, jakbyś chciał wygrać jakiś konkurs na najlepszą sałatkę z ziemniaków? Przecież nie ma takiego konkursu!

W mordę jeża, ależ oczywiście, że jest! Jest też konkurs na najlepsze sałatki z makaronem. I na quiche. Ale wszystkie konkursy bladły przy prawdziwej wojnie na czekoladowe ciasteczka.

Oczywiście, wybrałem te, które zrobiła moja żona, ale od razu obsiadło mnie stado kobiet. „Spróbuj moich! Spróbuj moich!" – przekrzykiwały się jedna przez drugą. Czułem się jak za dawnych lat, w szkole, gdy na lekcjach wf-u drużyny wybierały zawodników, a stłoczona dzieciarnia wykrzykiwała: „Jaaa! Jaaa!".

Niestety, mnie nikt nigdy nie chciał. Zawsze zostawałem na końcu, jak szczypiorek na samym dnie lodówki. „Psze pana, czy naprawdę musimy brać Clarksona? Przecież on jest beznadziejny!"

Przejęty tym wspomnieniem postanowiłem, że nie pominę żadnego ciasteczka. Myślałem, że zadowolę tym kobiety, ale to nie wystarczyło. Zmusiły mnie do wydania oficjalnego werdyktu: które z ciasteczek było najlepsze? Mojej żony, to z kremowym nadzieniem? A może to z czekoladą, sprowadzoną specjalnie z Ameryki? Czy może to z orzeszkami pekana pośrodku? „Wszystkie były pierwszorzędne" – odpowiedziałem zgodnie z duchem dnia.

Z jakim duchem? Po co chronić dzieci przed goryczą porażki na boisku sportowym, skoro ich rodzice za linią autu robią sobie na pozór niewinne przytyki? „Moje ciasteczka są lepsze od twoich. Sama przyznaj".

Ostatnio rozmawiałem z facetem, który podczas zawodów swojej córki wcisnął jednemu z nauczycieli 50-funtową łapówkę, mówiąc: „Słuchaj, jeśli będzie tak pomiędzy drugim a pierwszym miejscem, to wiesz, co masz robić".

W następnym roku córka wręczyła ojcu list: „Kochany Tatusiu, pozwól mi zająć to miejsce, które mi się należy. Nie próbuj nikogo przekupić". Zrobił, o co go prosiła. Zajęła drugie miejsce. Ale to nie koniec opowieści. Puchar, który zdobyła córka, ojciec zabrał do grawera i polecił wyryć wielki napis: „I Miejsce".

Wszyscy zachowują się tak, jakby dzieciom obce było pojęcie przegranej. Tymczasem moje często bawią się w ofiary obślizgłych obcych rozsadzających im brzuchy albo padają od ciosów zadanych przez rosyjskiego szpiega.

Oczywiście, moglibyśmy być poprawnymi rodzicami i pojawić się na zawodach z salaterką, do której wsypalibyśmy suszone śliwki z puszki. Moglibyśmy zakazać dzieciom gier na PlayStation i podsunąć im Monopol. W Monopolu nie ma wygranych i przegranych, bo nie spotkałem jeszcze nikogo na tyle cierpliwego, by dotrwał do końca tej gry.

Zastanówcie się. Jeśli wasze dziecko nie nauczy się akceptować przegranej, jak zachowa się pewnego pięknego dnia, gdy na tyłach szopy z rowerami natknie się na swoją dziewczynę w namiętnym uścisku z jakimś lalusiem? Krew poleje się strumieniami!

Niczego bardziej nie pragnę, niż szczęścia swoich dzieci. Rozpacz ścisnęła moje serce, gdy tak jak przewidywałem, Emily tupiąc jak stado bawołów przybiegła na metę ostatnia. Nie mogłem patrzeć, jak z trudem powstrzymuje łzy upokorzenia.

Cóż więc nam pozostaje? Może nauczmy nasze dzieci, że przegrana często bywa lepsza od zwycięstwa? Z pewnością nie można rozśmieszać i zjednywać sobie ludzi, jeśli nasze życie stanowi pasmo nieprzerwanych sukcesów. „No cóż, podpisałem świetny kontrakt, wygrałem w totolotka, a nazajutrz obudziłem się w łóżku obok Cameron Diaz i Claudii Schiffer". Super. Tylko, że to wcale nie jest śmieszne.

Co więcej, w chwili zwycięstwa jest niezmiernie trudno przybrać odpowiedni wyraz twarzy. Musi być dumny, a jednocześnie wielkoduszny. To ciężki orzech do zgryzienia, nawet dla Dustina Hoffmana. Michael Schumacher pierwsze zwycięstwa odnosił jako ośmiolatek i wciąż jeszcze nie może opanować tej trudnej sztuki.

Najzabawniejsi ludzie są w prywatnym życiu skończonymi fajtłapami i frajerami. Nie istnieją zabawne modelki albo odnoszący sukcesy biznesmeni, którzy potrafiliby rozśmieszyć do rozpuku najsłabszym nawet żartem.

Przypuszczalnie w wyniku tych właśnie rozważań poczułem pewien rodzaj dumy, gdy maszerowaliśmy do domu po zakończonych zawodach sportowych. Każdy, prócz mnie, niósł wylizane do czysta półmiski po sałatkach. A ja? Cóż, mój półmisek był po brzegi wypełniony nie zjedzoną sałatką z ziemniaków.

Ale przynajmniej mogłem napisać o tym felieton!

Niedziela, 7 czerwca 2002 r.

Przez lisa mordercę zastrzeliłem Davida Beckhama

Powiedzmy to sobie jasno i dobitnie, dobrze? Lis nie jest małym, pomarańczowym pieskiem, który wpatruje się w nas rozkosznymi oczkami i merda ogonkiem. To toczony przez choróbska wilk z osobowością psychopaty i zębami wielkiego żarłacza ludojada.

Niedawno, bo w zeszłym miesiącu, taki przemiły Pan Witalis wtargnął go czyjegoś domu i próbował pożreć dziecko. Wcale nie żartuję. Biedni rodzice zastali swojego synka z twarzą pokiereszowaną przez jednego z tych potworów. Lis zaatakował dziecko, gdy to spało na sofie. Co więcej, gdy przebudziłem się w zeszły wtorek, odkryłem, że jakiś lis urwał głowę Michaelowi Owenowi. Tak dla zabawy.

Być może w tym miejscu powinienem wyjaśnić, że Michael Owen był jednym z naszych kurczaków[1], które kupiliśmy – z bólem serca to powiem – ponieważ produkty z własnej hodowli faktycznie smakują o wiele lepiej niż jedzenie ze sklepu. Mówię to jako mężczyzna, który z trudem odróżnia rybę od sera. Gdybym jednak zdołał się tego nauczyć, redaktorzy jednej z gazet pozbyliby się Pana Dysleksji i zatrudniliby mnie również i do recenzowania restauracji.

Przydałoby się, bo potrzebuję pieniędzy na moją nowo

---

[1] Imiona kurczaków Clarksona pochodzą od angielskich piłkarzy.

odkrytą pasję rolnika. Gołębie wydziobały mój cały pachnący groszek, robaki zaatakowały moje pomidory, a teraz Michael Owen stracił głowę.

Dzieci wpadły w histerię, obwiniając mnie za brak bezpiecznego kurnika. Próbowałem je oczywiście przekonać, że to wszystko wina Tony'ego Blaira, ale to nic nie dało.

Musiałem więc wydać 150 funtów na kurnik, który przypominał Fort Knox i kolejne 100 funtów na klatkę z wybiegiem dla kurczaków.

Następnego ranka zbiegliśmy radośnie do ogrodu, zupełnie jak dzieci z *The Railway Children*[2]. Wiedzieliśmy, że tatuś będzie w pociągu i że wszystko będzie cacy. Nie było.

Sol Campbell zniknął, a zbadanie, jak to się stało, wcale nie wymagało szeroko zakrojonego dochodzenia. Mój ogródek wyglądał jak obóz Stalag Luft III po ucieczce Charles'a Bronsona[3], który wydostał się z niego przy użyciu narzędzi ogrodniczych. Jeden z podkopów, daję słowo, kończył się chyba w Burton nad rzeką Trent.

Teraz to nawet i ja się zezłościłem. Wybrałem się do jednego z londyńskich sklepów z akcesoriami szpiegowskimi i szarpnąłem się na noktowizor za 350 funtów. Niestety, nosił na sobie napis „Made in Russia", co w wolnym tłumaczeniu brzmi: „źle zrobiony po pijaku". Noktowizor działał beznadziejnie.

---

[2] Książka Edith Nesbit o trójce dzieci, które po tym, jak ich ojciec został w tajemniczych okolicznościach aresztowany, przenoszą się z Londynu na wieś. Przebiegająca tamtędy linia kolejowa staje się dla dzieci źródłem nadziei na powrót taty. Wreszcie pewnego dnia ojciec, fałszywie oskarżony o zdradę tajemnicy państwowej Rosjanom, dołącza do swojej rodziny.

[3] Nawiązanie do filmu *Wielka ucieczka* opowiadającym o ucieczce jeńców wojennych z niemieckiego obozu.

Na krótkich odległościach wszystko było w porządku, ale przedmioty odległe o 5–10 centymetrów były już nieostre. No, jeśli jest to szczyt współczesnej technologii rosyjskiej, to faktycznie nie było się czego obawiać podczas zimnej wojny. Rosyjskie czołgi zakończyłyby swój nocny najazd w Turcji, a w tym czasie sowieckie siły powietrzne zaciekle bombardowałyby wody Morza Irlandzkiego.

Mimo to, przy sporym wysiłku obserwatora, noktowizor umożliwiał rozróżnienie żywej istoty od kamiennego grzybka. Tak więc gdy ostatnie blaski słońca zniknęły za zachodnim horyzontem, a Ziemię okrył mrok, czatowałem już w oknie swojej sypialni z wycelowaną w ogród Berettą kaliber 12. Pan Witalis musi zginąć.

O pierwszej nad ranem opróżniłem już praktycznie całą butelkę beaujolais i z coraz większym trudem przychodziło mi rozróżnianie, co jest czym w zielonym świecie podczerwieni. Ale, tak, oczywiście, byłem całkowicie pewny, że ujrzałem błysk tam, gdzie do tej pory panowała ciemność.

Przeprowadziłem w ciut zawianej głowie szybkie obliczenia współrzędnych tego błysku względem różnych drzew, odłożyłem noktowizor, chwyciłem za broń i wystrzeliłem.

Nazajutrz rano zastałem żonę rozpaczającą nad jej ulubionym krzesłem ogrodowym rozwalonym w drobny mak. I nie dała się przekonać, że krzesło przez noktowizor wyglądało zupełnie jak lis. „Chyba przez piwowizor!" – odburknęła.

Kolejnej nocy byłem więc zmuszony obserwować ogród w stanie nie wskazującym na spożycie. Dzięki temu byłem wciąż rozbudzony i czujny, aż nagle o trzeciej nad ranem zauważyłem ruch przy klatce z kurnikiem. Podniosłem broń i po raz kolejny atmosfera cichej i spokojnej nocy została przeszyta hukiem broni wypluwającej z siebie grad ołowiu.

Po śniadaniu, z ogrodu dał się słyszeć krzyk: „Ty pieprzony idioto! Zastrzeliłeś Davida Beckhama!". Faktycznie – zastrzeliłem go. Próbowałem usilnie przekonać dzieci, że Beckhama zaatakowała ta ruda kanalia, nic to jednak nie dało. Na szczęście dla policji na całym świecie, istnieje zasadnicza różnica pomiędzy raną postrzałową a raną zadaną przez lisa.

Teraz mam szlaban na całonocną wartę i wynikający z tego problem. Nie mogę podłożyć trutki, bo zjedzą ją psy. Nie mogę poszczuć lisa psami, bo rozzłoszczę pana Blaira. Nie mogę też pozostawić biegu spraw Naturze, bo stracę wtedy wszystkie swoje kurczaki i skończymy jedząc jajka z supermarketu, narażając się na śmierć w wyniku salmonelli, listeriozy, czy innych chorób, którymi straszą nas w tym tygodniu.

I to jest przykład na to, czego nie może zrozumieć miejska elita: że wieś to bardzo złożony system i że wkrótce nie będzie można kupić w mieście ekologicznego chleba, bo banda lisów zatrzyma tira z transportem i wyżre jego zawartość zanim dotrze on do Hoxon.

Reasumując, cała sprawa przedstawia się następująco: Próbowałem zrobić swoje. Próbowałem stosować naturalne metody hodowli i uprawy. I jedyne, co mi z tego zostało to kogucik Nicky Butt i kura o imieniu David Seaman.

Niedziela, 14 lipca 2002 r.

Przynoszę wam wieści z krańca wszechświata

Osobiście uważam, że nie ma większej przyjemności nad leżenie brzuchem do góry na środku przepastnej, okrytej mrokiem pustyni, i wpatrywanie się w nocne niebo. Wprost uwielbiam, gdy mój umysł usiłuje ogarnąć ogrom liczb, mówiących na przykład, że pędzimy wokół Słońca z prędkością 150 kilometrów na sekundę albo że Słońce mknie przez Wszechświat przebywając milion mil dziennie.

A potem uświadamiam sobie, że któraś z tych gwiazd na niebie, której światło wciąż widzę, mogła przestać istnieć już tysiąc lat temu.

Najlepsze jest to, że znajdujemy się około 3 000 lat świetlnych od krańca naszej galaktyki, a to jest 28 400 000 000 000 000 kilometrów! Uświadomiłem to sobie pewnej bezchmurnej nocy w pobliżu Tucson. Wtedy naprawdę to do mnie dotarło, i było to – uwierzcie mi – niesamowicie przejmujące.

Od tego momentu zacząłem rozumieć naukowców, których fascynuje astronomia. Nie jestem też zdziwiony, że po 40 latach badań prowadzonych dosłownie po omacku, brytyjscy astronomowie zdecydowali się przekazać 80 milionów funtów Europejczykom i połączyć z nimi swoje siły. Mają teraz dostęp do VLT (co jest skrótem od Very Large Telescope – Bardzo Duży Teleskop) w ESO (co jest skrótem od European Southern Observatory – Europejskie Obserwatorium Południowe) w Chile. Pomogą też Europejczykom w budowie OWL (co jest skrótem od OverWhelmingly Large telescope – Przytłaczająco Wielki teleskop). Kurczę, czy zamiast tych wszystkich chwytliwych skrótów, nie lepiej było powiedzieć, że wszystko to, to NI? To od Niemieckiej Inicjatywy.

Bądźmy jednak szczerzy. Od czasów, gdy Galileusz obalił Stary Testament, astronomowie stawiają już tylko kropki nad „i" i dorysowują kreseczki w „t". Zaledwie miesiąc temu meteoryt otarł się na centymetry o powłokę ozonową Ziemi. Czy astronomowie widzieli, jak się do nas zbliża? Tak, jasne, na pewno.

Od czasu do czasu pokazują nam zdjęcia jakiś kosmicznych wybuchów. Ale co to za wybuchy, bez huku! Pamiętasz? W kosmosie nikt nie usłyszy twojego wołania.

Co więcej, potrzebuję jakiejś skali porównawczej. Aby pojąć cokolwiek, muszę wiedzieć, czy to coś jest wielkości dwupiętrowego autobusu czy boiska do piłki nożnej. Gdy słyszę, że pali się 20 000 kilometrów kwadratowych lasów równikowych, zupełnie mnie to nie rusza. Gdy słyszę, że pali się las równikowy o powierzchni Walii, też mnie to zupełnie nie rusza, ale przynajmniej rozumiem, o co chodzi.

Przypuszczam, że zdjęcie Alfy 48///bB1 eksplodującej w drobny pył może faktycznie wyglądać frapująco. Ale wydawać 80 milionów funtów na dostęp do aparatu, który może pstryknąć taką fotkę, to lekka przesada.

A co z istotami pozaziemskimi?

Hollywood już nas przekonał, że migocące gwiazdami niebo to miliony Obcych, którzy oglądają *Na dobre i na złe*. Niestety, rzeczywistość jest mniej romantyczna. Projekt poszukiwania pozaziemskich cywilizacji, SETI, uwieczniony w filmie *Kontakt* z Jodie Foster, pochłonął już 95 milionów funtów. Od 17 lat ludzie nasłuchują jakiegoś sygnału z kosmosu. Bez najmniejszego powodzenia.

No dobrze, przypuśćmy jednak, że odebrano taki sygnał. Przypuśćmy, że jakiś komputerowy maniak faktycznie złapał stację radiową Korylian FM. Przypuśćmy, że udało się nam nadać Korylianom jakąś odpowiedź, coś w stylu „Heja!".

I co później? W najgorszym przypadku przeteleportują się na Ziemię i zjedzą nasze zwierzęta domowe. „O, labrador! Najlepiej smakuje z rzeżuchą!". W optymistycznym wariancie zaproszą nas do siebie na drinka. Brzmi zachęcająco, ale jak do nich dotrzeć?

Prom kosmiczny wyciąga maksymalnie 28 000 kilometrów na godzinę, czyli całkiem sporo jak na ziemskie warunki. Jednak w przypadku podróży po galaktyce, równie dobrze możesz iść na piechotę. W ciągu 29 lat lotu promem z prędkością 28 000 km/h dotrzemy zaledwie do granic naszego Układu Słonecznego. W skali kosmicznej to tak, jakbyśmy doszli do drzwi wejściowych naszego mieszkania.

Aby mieć choć cień szansy na to, by dotrzeć gdziekolwiek zanim wymrze załoga, musielibyśmy poruszać się z prędkością światła. Niestety, tu pojawia się kolejny problem. Im szybciej pędzisz, tym wolniej płynie czas. To fakt naukowy. Przez większość życia jeździłem szybko – dlatego dziś mam wciąż fryzurę z lat siedemdziesiątych.

Tak więc jeśli udałoby się wam skonstruować coś, co zasuwałoby z prędkością 300 000 kilometrów na sekundę, wylecielibyście z Układu Słonecznego już po sześciu godzinach. Niestety, do Korylian dotarlibyście w roku 1934.

Z tego wynika, że przybylibyście na miejsce wcześniej, niż podjęto decyzję o waszym locie. Co gorsza, do Korylian wpadlibyście zanim zdążyliby was zaprosić. Byłaby to straszliwa gafa.

Ludzkość nigdy nie będzie mogła podróżować z prędkością światła, bo to umożliwiałoby podróże w przeszłość. A wtedy nasz współczesny świat byłby pełen ludzi z przyszłości. Małżeństwa z wnukami byłyby nie do uniknięcia. Pomyślcie tylko, co za bałagan.

Podsumujmy więc. Astronomowie leżą do góry brzuchami i wpatrują się w niebo, ale po co? Nie potrafią w porę dostrzec meteorytu na kursie kolizyjnym z Ziemią, a nawet gdyby, to czy chcielibyśmy o tym wiedzieć? A gdyby rzeczywiście odkryli życie poza Ziemią, nie potrafiliby nawet wpaść do obcych z ziemskim pozdrowieniem „Heja!".

Mimo wszystko, w pełni popieram tę 80-milionową inwestycję. Bo jeśli szesnastowieczny astronom przy pomocy lichej lunetki był w stanie stwierdzić, że Biblia się myli, pomyślcie, jakiego spustoszenia mogą dokonać współcześni astronomowie ze swoimi VLT i OWL, wykazując nonsens astrologii. Ośmieszyć Russella Granta[1]? Za jedyne 80 milionów funtów? Ależ tak, oczywiście, poproszę!

Niedziela, 21 lipca 2002 r.

---

[1] Popularny astrolog angielski, postać medialna.

Wybierzcie się do cyrku. To lepsze niż *Big Brother*

Co u licha wy wszyscy robicie teraz wieczorami? Znam wyniki badań oglądalności, więc wiem, że nie siedzicie przed telewizorami, a ponieważ codziennie zamykają jakiś pub, wiem również, że nie spędzacie wieczorów w knajpach.

Nie możecie mieć wszyscy Sony PlayStation, więc technologicznie zaawansowana rozrywka też nie jest dobrym wytłumaczeniem. Do teatru też z pewnością nie chodzicie, bo wtedy nie byłoby potrzeby dofinansowywania instytucji kulturalnych.

Mógłbym pomyśleć, że wyszliście potańczyć, ale w zeszłym tygodniu przeczytałem w gazetach, że liczba gości odlotowego klubu „Cream" w Liverpoolu zmniejszyła się czterokrotnie w przeciągu ostatnich dziesięciu lat. Wnioskując z obecnych żałosnych wyników sprzedaży książek, na pewno nie leżycie wygodnie przed kominkiem oddając się lekturze.

Fakty są takie: jeśli zsumujemy wyniki oficjalnych badań dotyczących liczby osób, które wieczorem robią różne zwykłe rzeczy: piją, idą do kina, teatru, jedzą na mieście, oglądają telewizję, uprawiają seks, czytają – dojdziemy do przerażającego wniosku. Co wieczór dwadzieścia milionów Brytyjczyków nie robi absolutnie nic.

W tym tygodniu sam dołączyłem do takich „nieobecnych". Po pierwsze, nadal jestem silnie zaprzątnięty problemem znalezienia i zamordowania lisa, który zabija moje kurczaki, a po drugie wybrałem się do cyrku. A dzięki staraniom różnych organizacji zajmujących się prawami zwierząt, takich jak Born Free, Liga Ochrony Zwierząt i Partia Pracy, żadna z tych dwóch czynności nie może być oficjalne zaliczona do sposobów spędzania wolnego czasu.

Mgliście uświadamiam sobie, że gdy byłem mały, bardzo podobały mi się tradycyjne pokazy cyrkowe, oprócz klaunów, którzy mnie zawsze przerażali. Równie mgliście zdaję sobie sprawę, że takie cyrki zostały wyrzucone poza nawias społeczeństwa parę lat temu, gdy Mary Chipperfield została uznana za winną nieodpowiedniego traktowania małpy[1].

Przypuszczam, że prawdopodobnie było to słuszne. Zwykle nie zgadzam się z Ligą Ochrony Zwierząt, ponieważ jestem zdania, że obowiązkiem zwierzęcia jest znaleźć się w porze kolacji na moim talerzu. Trudno jest jednak zaakceptować niczym nieusprawiedliwione okrucieństwo.

A cyrki rzeczywiście były okrutne. Miały w swoim repertuarze boks kangurów, które roztrzaskiwały sobie głowy. Walczący o prawa zwierząt aktywiści po otwarciu klatek odkrywali, że słonie zjadały swoje własne łajno, a tygrysy odgryzały sobie ogony. Gdyby jednak dali lisowi trochę haszyszu i kazali mu skakać przez płonące obręcze, to akurat byłoby w porządku. Lisy zasługują na

---

[1] Właścicielka cyrku, skazana w 1999 roku wspólnie z mężem za znęcanie się nad zwierzętami.

upokorzenie. Ale jest coś odrażającego w przyglądaniu się, jak lew – król dżungli, stoi na jednej łapie w spódniczce baletnicy.

Było coś równie ohydnego w „nowoczesnym" cyrku, który zastąpił oryginał Chipperfieldów. Zwykle prezentował on pewnego rodzaju przesłanie, które na ogół odnosiło się do Margaret Thatcher: „Już za chwilę, panie i panowie, Dave Spart przedstawi pantomimę ukazującą związek pomiędzy podatkiem pogłównym i apartheidem".

Nie miało to zbyt wiele wspólnego z familijną rozrywką, podobnie jak cyrki francuskie i holenderskie, które zwykle prezentowały jakichś karłów żonglujących piłami łańcuchowymi.

Gdy zaświtało nowe tysiąclecie, naprawdę wyglądało na to, że era cyrków przeminęła na dobre. Nawet Kopuła Tysiąclecia, która okazała się największym cyrkiem ze wszystkich, tylko wzmocniła to wrażenie. Cóż więc robiłem w zeszłym tygodniu w namiocie cyrkowym?

Nie mam zielonego pojęcia, ale mogę wam powiedzieć, że jeśli chodzi o rozrywkę na żywo, Darcy Bussel[2] totalnie wymięka, a Rolling Stones to istny obciach.

Był to „Cyrk Gifforda" i zajmował namiot o rozmiarach znanych każdemu, kto obozował na Mount Everest. Nie było klaunów w przerażających kostiumach, ani zwierząt porwanych na pustyni Kalahari. W rzeczywistości jedynym czworonożnym elementem rozrywki był pies jednego z widzów, który pod koniec przedstawienia wybrał się na przechadzkę po scenie i zaczął wywalać język. Pokazy były właśnie w takim stylu.

---

[2] Znana angielska tancerka baletowa.

Występowało dwóch żonglerów z Etiopii, którzy byli na granicy absolutnego mistrzostwa w swoim pokazie żonglowania tyłem do siebie. Mieli też Ralpha i Celię, którzy pojawili się w wiktoriańskich kostiumach kąpielowych i zaprezentowali coś, co wyglądało jak gra w twistera w powietrzu.

Czy wiedzieliście, że można stać na jednej nodze i utrzymywać w równowadze kobietę stojącą na waszym nosie? Ja też nie wiedziałem.

Nie chcę zabrzmieć jak jakiś gminny oszołom, który uważa telewizję za zło wcielone, ale było coś pokrzepiającego w tej prostej, plebejskiej rozrywce.

Uwierzcie mi, oglądanie faceta zdejmującego spodnie i jednocześnie balansującego na linie jest niesamowite. Ja nawet w sypialni nie umiem zdjąć spodni tak, żeby się nie przewrócić. Było to coś bardzo bliskiego i osobistego; takie małe i niskobudżetowe przedsięwzięcie, bez żadnego komputerowego oszustwa.

Czyż nie tego właśnie chcemy od rozrywki – zobaczyć, jak inni ludzie robią coś, czego sami nie potrafimy? *Big Brother*? Dziękuję, ja wolę chodzić do cyrku, choćby codziennie.

Jeśli jesteś jedną z tych dwudziestu milionów osób, które co wieczór gapią się w ścianę, bo nie potrafią znaleźć sobie lepszego zajęcia, daj szansę pobliskiemu cyrkowi. Myślę, że ci się spodoba.

Miałem zamiar zakończyć w tym miejscu jakąś błyskotliwą puentą. Czymś dowcipnym i aktualnym. Ale w duchu tego felietonu zostawię was z tym:

Koza udała się do urzędu zatrudnienia i pyta najczystszą angielszczyzną, czy nie ma dla niej jakiejś pracy.

Lekko zdziwiony urzędnik przegląda swoje dokumenty i proponuje jej, żeby spróbowała w cyrku.

„W cyrku? – pyta koza. – Ale po co w cyrku murarz?"

Niedziela, 28 lipca 2002 r.

Ornitolodzy przetrącają skrzydła Anglii

Ceny posiadłości w Anglii stoją na krawędzi bezdennej przepaści i już wkrótce może się okazać, że domy, które nie mają co najmniej sześciu lub siedmiu sypialni, będą wyprzedawane za bezcen.

Istnieje jeden wyraźny powód tego stanu rzeczy. Z tego, co wiem, każdy dom w Anglii znajduje się pod którymś z korytarzy powietrznych wytyczonych dla nowych lotnisk, których budowę zapowiada nasz rząd.

Nie oszczędzą żadnej wioski. Żadna dolina nie okaże się wystarczająco urokliwa. Nie będzie miast zbyt małych bądź za mało ważnych. Nawet miasteczko Rugby najwidoczniej potrzebuje czterech pasów startowych, sześciu terminali i pięciu tysięcy mil ogrodzenia. Nottingham również, nie wspominając już o Exeter – lotniska będą wszędzie.

Ideologia, jaka się za tym kryje, jest przerażająco nieskomplikowana. Rząd, który dopiero co ochłonął ze swoich oszałamiających sukcesów związanych z Kopułą Tysiąclecia i „Rzeką Ognia"[1], wyliczył, że w 1901 roku Brytyjczycy nie korzystali z usług linii lotniczych, natomiast w 2001 latało ich już 180 milionów. Tak więc korzystając

---

[1] Zarówno budowa Kopuły Tysiąclecia, jak i parada ogni sztucznych wzdłuż Tamizy („Rzeka Ognia") z okazji obchodów Roku 2000, okazały się wielkim fiaskiem.

z podobnych wyliczeń, jakie za kadencji Gordona Browna[2] doprowadziły do imponującej dziury budżetowej, rząd oszacował, że w 2030 roku ruch lotniczy w Anglii będzie obsługiwał 500 milionów pasażerów.

To przecież połowa populacji Chin. Dwa razy więcej ludzi niż zamieszkuje Amerykę. Albo inaczej: to tak, jakby każdy obywatel Wielkiej Brytanii latał dziesięć razy do roku. Mało prawdopodobne.

W każdym razie, jeśli faktycznie za 28 lat pół miliarda ludzi będzie potrzebować pasów startowych, to łatwo zrozumieć, dlaczego każde poletko w Anglii zostało przeznaczone pod potencjalne lotnisko.

To z kolei doprowadziło do apokaliptycznej wręcz eskalacji Bnumizmu[3]. Władze samorządowe hrabstwa Kent, którym nie spodobał się pomysł wybudowania wielkiego lotniska na tamtejszych mokradłach, w zeszłym tygodniu podały rząd do sądu, twierdząc, że to lotnisko Gatwick powinno przejąć nadmiarowy ruch lotniczy i związany z nim hałas. Teraz z pewnością można się spodziewać odwetu mieszkańców hrabstwa Sussex.

W wyniku takich posunięć Tunbrigde Wells, ciche miasteczko w hrabstwie Kent, zmieni się w teren zamieszek i walk porównywalny z Zachodnim Brzegiem Jordanu. I powstanie ojciec przeciwko synowi, córka przeciwko matce, sąsiad przeciwko sąsiadowi. A będzie to zupełnie bezcelowe, bo – pozwólcie mi to w tym miejscu wyjaśnić – prędzej mi kaktus na dłoni wyrośnie, niż powstanie kiedyś jakieś lotnisko na mokradłach takich jak Medway!

---

[2] Minister Finansów Wielkiej Brytanii.
[3] Bnumizm: od BNUM – Byle Nie U Mnie (ang. *Nimbyism – Not In My Back Yard*).

Poza tym Londyn, który rozrósł się już do rozmiarów Belgii, sprawił, że Kent stał się tak nieosiągalny jak Biegun Południowy lub Mars. I gdybym miał decydować, czy lecę na wakacje z lotniska mieszczącego się w samym środku szerokiego ujścia Tamizy, czy zostaję w domu i walę głową w mur, wybrałbym to drugie.

Oczywiście, akurat ten problem można by łatwo pokonać, budując lepszą drogę dojazdową i otwierając nowe połączenia kolejowe. Niestety, nie można pokonać najbardziej przerażającej na świecie organizacji. W bezpośrednim starciu Al-Kaidy z tą bandą, Osama bin Laden wolałby popełnić samobójstwo, niż dostać się w ich łapy. Mogą zadręczyć cię na śmierć. Nie poddają się. Są gorsi od Terminatora. Panie i panowie, przedstawiam wam... Królewskie Towarzystwo Ochrony Ptaków, w skrócie RSPB[4].

Ornitolodzy z RSPB zwrócili uwagę na fakt, że mokradła Medway są największą w kraju kolonią czapli. I to by było na tyle. Pojedynczego szablodzioba można by jeszcze jakoś przeboleć, ale ponieważ RSPB wyskoczyło z całym stadem czapli, jedno jest pewne. Lotnisko Kent nie powstanie.

Jakiś czas temu pisałem o pewnych chińskich ekologach, którzy posłużyli się delfinem, by zatrzymać budowę ogromnej zapory na rzece Jangcy. Władze Chin rozwiązały ten problem zabijając delfina.

Tutaj coś takiego nigdy się nie zdarzy. Już sam fakt konsultowania wszystkiego z opinią publiczną pokazuje, jak demokratycznym staliśmy się społeczeństwem. Dzisiaj każdy może protestować. W konsekwencji, aż do końca

---

[4] Ang. *Royal Society of the Bird Protection*.

wieczności nic nowego nie powstanie. Nieważne, gdzie rząd chciałby inwestować, zawsze znajdzie się jakiś ślimak, chrząszcz lub motyl.

W takich czasach trzeba nam kogoś, kto przebije się siłą przez te ekologiczne bzdury. Kogoś, kto przepchnie projekty rządowe z powrotem do biura Alistaira Darlinga[5]. I nie przychodzi mi do głowy nikt lepszy ode mnie.

Wideokonferencje i poczta elektroniczna zajmują mniej czasu niż podróż samolotem i nie narażają biznesmena na rozmaite niebezpieczeństwa, jak na przykład zmasowany atak pocisków samonaprowadzających nad Atlantykiem. Przewiduję więc ostatecznie dramatyczny spadek częstotliwości podróży służbowych.

Niemniej jednak na pewno nastąpi wzrost liczby ludzi latających w celach turystycznych, dla przyjemności. I, tak jak powiedziałem wcześniej, nie spodoba się im, że wyruszają w podróż z równiny błotnej w Medway, lub z centrum biurowo-przemysłowego w Rugby.

Najlepiej wyruszać w podróż z Londynu. W przeciwieństwie do tego, co twierdzi lotnisko Stansted, które mieści się w Bishop's Stortford, oraz lotnisko Gatwick, które jest w Brighton – stolica Anglii ma tylko jedno lotnisko: Heathrow.

Rząd proponuje rozbudowę Heathrow o jeden krótki pas startowy, ale czy to rozwiąże problemy? Wybudujmy sześć długich pasów startowych i sprawa załatwiona. Będą mogły lądować na nich wprowadzane już do użytku coraz większe samoloty. Heathrow jest lotniskiem z najwygodniejszym dostępem w całej Anglii, i nikt nie może na nie narzekać, bo było tam wcześniej niż ci, którzy mieszkają

---

[5] Minister Transportu Wielkiej Brytanii.

w jego pobliżu. Co prawda i tak są już głusi, ale gwoli formalności przypomnijmy, że sześć samolotów lądujących jednocześnie nie wytwarza hałasu sześć razy większego niż sześć samolotów lądujących jeden za drugim.

Najlepsze jest jednak to, że RSPB nie będzie mogło w tym przypadku protestować przeciwko czemukolwiek, bo wszystkie ptaki zamieszkujące pobliskie rezerwaty Staines już dawno temu zostały wessane i poszatkowane przez turbośmigłowe silniki przelatujących tamtędy Boeingów 777.

Niedziela, 1 grudnia 2002 r.

Krykiet to narodowy sport marnotrawców czasu

Z tego, co wiem, Anglia przegrała ostatnio w krykieta. To dobrze. Im częściej przegrywamy, tym mniej interesujemy się tą grą i tym rzadziej pojawia się ona jako dominujący temat w gazetach i w telewizji.

Krykiet – i nie dam się za żadne skarby przekonać, że jest inaczej – jest nudny. Sport, którego rozgrywka trwa tak długo, że dopuszcza się „przerwę na odprężenie", to nie żaden sport. To raczej sposób zabijania czasu. Taki jak czytanie.

Oczywiście, czytanie też było emitowane w telewizji. W programie *Jackanory*[1]. A teraz mamy o wiele lepszy serial *Buffy postrach wampirów*. Tak więc wszystko się rozwija. Oprócz krykieta.

Nie jestem wcale pewny, czy krykiet w ogóle może się rozwijać. Nawet gdyby Nasser Hussain, kapitan drużyny Anglii, zainwestował w nową fryzurę i ożenił się z Claire Sweeney, byłą aktorką opery mydlanej *Brookside* i uczestniczką jednego z programów *Big Brother*, nie zrobiłoby to żadnej różnicy.

Nie ma całkowitej pewności, skąd wziął się krykiet, ale wielu ludzi sądzi, że został wynaleziony przez pasterzy,

---

[1] Program telewizyjny w BBC, którego zadaniem było zainteresowanie dzieci czytaniem. Znani aktorzy i nie tylko czytali w nim literaturę dziecięcą.

którzy kijami bronili dostępu do furtki w zagrodzie dla owiec. Z pewnością ma to sens, bo pasterze mieli całą masę wolnego czasu, który musieli jakoś zabijać.

Pierwsza pisemna wzmianka o krykiecie pochodzi z 1300 roku, kiedy to książę Edward grał w niego ze swoim przyjacielem Piercem Gavestonem[2]. I znowu – to ma sens. Książęta w tamtych czasach też nie byli jakoś wyjątkowo zagonieni.

Krykiet rozpowszechnił się w świecie dzięki brytyjskim żołnierzom, którzy w zapomnianych przez Boga i ludzi, zapuszczonych zakątkach świata czuli się osamotnieni i musieli robić coś dla rozrywki. I to nie przez godzinę, ale przez długie, niekończące się tygodnie.

Dziś prym w krykiecie wiedzie Australia, co jeszcze bardziej potwierdza moją teorię. Oczywiście, że Australijczycy są w tym dobrzy. Przecież nic ich nie rozprasza. A jedynym sposobem, w jaki możemy ich pokonać, jest zebranie wszystkich naszych bezrobotnych i obiboków, i rozdanie im kijów do krykieta. W altanie na boisku do krykieta poczuliby się jak w domu. Przecież to dokładnie to samo, co siedzenie przez cały dzień na przystanku autobusowym.

Ujmę to w ten sposób. Czy jest coś bardziej przerażającego niż dziecko, które w niedzielne popołudnie pyta: „Tatusiu, zagrasz ze mną w Monopol?".

Podobnie jak krykiet, również rozgrywka w Monopol nie ma końca. Reguły gry wyjaśniają, jak znieść hipotekę na nieruchomość i kiedy najlepiej wybudować hotele na Bond Street, ale nie wspominają ani słowem, choć powin-

---

[2] Wielu sądzi, że Piers Gaveston był kochankiem księcia Edwarda, koronowanego w 1308 roku na króla Anglii jako Edwarda II.

ny, że zwycięzcą jest ostatni pozostały przy życiu gracz. A inna gra planszowa – Ryzyko? Ryzyko opiera się na prawach statystyki, z których wynikają twoje szanse podbicia świata, ale i tak zawsze bierze górę rachunek prawdopodobieństwa, który pozbawia cię impetu i sprawia, że kończysz na Kamczatce wyrzucając nieskończoną serię dwójek i jedynek. To i tak lepsze od współczesnej wersji Ryzyka, gdzie George W. Bush najeżdża na Irak, a my umieramy z powodu wywołanej w odwecie epidemii ospy wietrznej.

Na szczęście trójka moich dzieci, które mają teraz osiem, sześć i cztery lata, wyrosła już z gier planszowych. Gdy mają wybierać pomiędzy obciążaniem hipoteką domu na Old Kent Road a wcieleniem się w Jamesa Bonda na PlayStation, skłaniają się zawsze ku rozrywce elektronicznej.

Są jeszcze puzzle, których sens musiałem wyjaśnić kiedyś pewnemu Grekowi. „Tak, chodzi właśnie o to, żeby spędzić kilka tygodni na układaniu tych kawałków tak, by powstał jakiś obraz."

„No a co dzieje się potem?" – zapytał.

„Cóż, potem rozwalasz to wszystko i wkładasz z powrotem do pudełka."

Nieczęsto zdarza mi się znaleźć wspólny język z Grekiem, ale tym razem tak było. Całkiem podobnie przedstawia się sprawa z krzyżówkami. Gdyby naukowcy w jakiś sposób umieli wykorzystać energię uwalnianą przez mózg za każdym razem, gdy szukamy odpowiedzi na pytanie „po rosyjsku banan, a po francusku wspak wymowa słowa 'być może'", ludzkość znalazłaby już pewnie lekarstwo na raka.

Krzyżówki, podobnie jak puzzle i krykiet, tak naprawdę nie są grami w pełnym tego słowa znaczeniu. Są po prostu sposobami marnotrawienia czasu. A to zupełnie nie pasuje do współczesnego świata.

Możemy sobie marzyć o spokojnym trybie życia, o spędzaniu kilku godzin przy obiedzie i jedzeniu sera aż do świtu, ale rzeczywistość jest taka, że prawie dostajemy zawału serca, gdy czerwone światło na skrzyżowaniu pali się za długo lub gdy drzwi w windzie nie zamykają się od razu, gdy już chcielibyśmy ruszać.

Szczególnie denerwują mnie wiadomości zostawiane na automatycznej sekretarce. Potrzebuję wiedzieć kto dzwonił, jaki ma numer telefonu i to wszystko. Nie mam czasu siedzieć i słuchać, gdzie będziesz przebywał o trzeciej, z kim się będziesz widział i dlaczego chciałbyś ze mną przedtem porozmawiać. Nawet jeśli odbieram telefon osobiście, nie mam ochoty na pogawędki. Jestem facetem. Nie lubię pogawędek. Powiedz, co masz do powiedzenia i odejdź.

Niestety, brytyjscy producenci filmowi nie mają takiego podejścia. Spędzają godziny na planie filmowym oświetlonym tym ich światłem w kolorze sepii, nagrywając przydługie monologi, przy których można ćwiczyć silną wolę. A wszystko to bez sensu, bo i tak wolimy oglądnąć muskularnego Amerykanina krzyczącego „Giń, sk*****lu!"

Podudzie jagnięcia gotowane na wolnym ogniu na kolację? Na litość boską, wezmę coś na wynos!

W świetle powyższego, krykiet jest artefaktem minionej epoki, kiedy to ludzie woleli wydawać swoje pieniądze na spędzanie czasu bardziej niż na przedmioty. A dziś mamy tyle rzeczy, które zapewniają wspaniałą rozrywkę, że wydaje się co najmniej dziwne oglądać kogoś, kto gra w coś, co można określić jako „wyrafinowaną zabawą w łapanie".

Proszę, przestańcie oglądać krykieta, a na pewno zakończy swój żywot.

Niedziela, 8 grudnia 2002 r.

Czy mam dla was wiadomości? Jestem kolejnym spalonym Deaytonem!

Przez całe lata zawsze odmawiałem udziału w programie *Czy mam dla was wiadomości?*[1] W rzeczywistości nie jest to do końca prawdą. Nie odmawiałem udziału zawsze, bo zostałem zaproszony tylko raz. Lecz gdyby zaproszono mnie raz jeszcze, znowu bym odmówił.

Co by mi przyszło z takiego uczestnictwa? Siedziałbym tam, ociekając potem jak ser w starej skarpecie, podczas gdy Ian Hislop, Paul Merton i Angus Deayton demonstrowaliby elegancką jazdę figurową, wynik starannie przygotowanych i mozolnie wypracowanych scenariuszy.

Prawie wszyscy, łącznie ze mną, wiedzą, jak realizowany jest ten program. Przez cały tydzień sztab najlepszych dziennikarzy w kraju łamie sobie głowy wymyślając dowcipy, które w dniu emisji programu są doprowadzane do perfekcji przez uczących się ich na pamięć prezenterów.

---

[1] *Have I Got News For You (HIGNFY)* – brytyjski program rozrywkowy w formie quizu, polegający na zabawnych komentarzach i grach słownych wokół wiadomości bieżącego tygodnia. Program prowadzony jest przez trzech prezenterów, z których dwóch to kapitanowie drużyn złożonych ze znanych postaci medialnych. Główny prezenter zadaje drużynom pytania i przyznaje im punkty. W latach 1990–2002 funkcję tę pełnił Angus Deayton, znany brytyjski aktor komediowy i prezenter telewizyjny. Stracił ją po publikacjach w brukowcach, które ujawniły jego długotrwałe kontakty z prostytutką i zażywanie kokainy. W fotelu głównego prowadzącego zasiadają niekiedy zaproszeni do prowadzenia programu popularni aktorzy, prezenterzy, piosenkarze, itp. Kapitanami drużyn są Ian Hislop i Paul Merton.

A goście programu? Cóż, można ich porównać do dzieci, które wsiadają do kokpitu myśliwca Spitfire i wyruszają samotnie na podniebne starcie z zaprawioną w boju całą niemiecką eskadrą. Oczywiście, że wystrzelą pewnie kilka kul, ale skończą podziurawieni jak ser szwajcarski.

Gdy jednak kilka tygodni temu odebrałem telefon z prośbą o poprowadzenie tego programu, poczułem, że są mi potrzebne sole trzeźwiące. „Co? Mam być głównym prowadzącym? Ja? Gość od samochodów?"

To tak, jakby poproszono mnie o przewodniczenie uroczystemu otwarciu nowej sesji parlamentu. Po mojej stronie ma być cała ekipa przygotowująca program, która na pewno zadba o to, by mój tron lśnił złotem, a korona nie ześlizgnęła mi się z głowy. „Tak. Oczywiście, że tak."

Na dzień przed nagraniem programu przeżyłem małe rozczarowanie. Późnym popołudniem zostałem zaproszony do spędzenia wieczoru z czterema wesołymi i atrakcyjnymi kobietkami, które przez poprzednie cztery tygodnie uczyły się zawodu striptizerki i właśnie potrzebowały męskiego towarzystwa do wypadu po londyńskich klubach z tańcem erotycznym.

W zwykłej sytuacji, nawet Czterech Jeźdźców Apokalipsy nie byłoby w stanie odciągnąć mnie od takiej okazji. Ponieważ jednak prowadzenie HIGNFY z kacem i po nieprzespanej nocy nie byłoby zbyt rozsądne, o jedenastej wieczorem byłem już w łóżku, ubrany w elegancką piżamę ze wzorkiem w uszka króliczka.

Rankiem następnego dnia kurier na motocyklu wręczył mi na purpurowej poduszce gotowy scenariusz programu. Był przezabawny. I na pierwszy rzut oka dość łatwy. Po prostu musiałem najpierw siedzieć spokojnie, czekając aż Paul i Ian zakończą swoją potyczkę słowną, a potem przeczytać moje gagi z telepromptera, odebrać czek (przy użyciu wózka widłowego) i udać się do domu.

No cóż. Nie wyglądało to dokładnie tak.

Przybyłem do studia o wpół do dziesiątej rano i od razu dowiedziałem się, że były minister skarbu został oskarżony o serię wykroczeń drogowych. Bez dwóch zdań, stanowiło to znakomity materiał. Żeby móc to wpleść w program, wyrzucono połowę scenariusza i tak zaczęły się problemy.

Oczywiście zespół trzech scenarzystów pod wodzą chudego jak szczapa Jeda chciał drążyć temat białego proszku, jaki rzekomo znaleziono w samochodzie Robinsona[2], ale prawnicy powiedzieli, że proszek lepiej nazwać substancją. Substancją? Nie brzmiało to dobrze. Substancja bardziej kojarzy się z czymś, co mogło się przyczepić do podeszwy jego buta. W końcu po godzinie wszyscy zgodzili się nazwać to coś „tajemniczym proszkiem".

A gdzie w tym czasie byli Paul i Ian? Coż, szczerze mówiąc, siedzieli jeszcze w domach ubrani w szlafroki. Do studia wparowali bezceremonialnie dopiero o szóstej. I wiecie co? W ogóle nie widzieli na oczy scenariusza; nie wiedzieli nawet, kim będą goście.

Wszystko, na co rzucili okiem przed występem, to znaczy na pół godziny przed rozpoczęciem nagrania, to zdjęcia, które mieli skomentować, i podobizny czterech osób do rundy „wyeliminuj niepasujący element". Przygotowanie Paula i Iana nie trwało wcale dłużej niż przygotowanie gości.

---

[2] Nie poparte dowodami podejrzenia okazały się niesłuszne i Robinsonowi nie postawiono w końcu żadnych zarzutów (przyp. autora).

Powiem wam coś jeszcze. Zawsze wyobrażałem sobie, że po latach występów w roli profesjonalnych cyników, będą okrutni, zawzięci i agresywni.

Ale oni zachowywali się jak rodzice przed szkolnymi zawodami sportowymi swoich dzieci. „Nie przejmujcie się – powtarzali – spróbujcie dać z siebie wszystko. I pamiętajcie, że zwycięstwo nie jest najważniejsze." Byli tak sympatyczni, że prawie udało im się zakręcić hydranty pod moimi pachami.

Boże, jacy oni są szybcy. Na każde zadane przeze mnie pytanie, a osobiście wiem, że nie znali ich wcześniej, odpowiadali bez zastanowienia, i to tak dowcipnie, że zapierało mi dech w piersiach. Szkoda, że nie możecie zobaczyć pełnego, trwającego godzinę i czterdzieści minut nagrania, a jedynie transmitowane dwadzieścia dziewięć minut.

Przepraszam, że piszę w tak egzaltowany sposób, ale Paul jest naprawdę zabawny. A Ianowi w tę jego małą główkę ktoś chyba wcisnął encyklopedię.

Powinienem także wyjaśnić, że tak naprawdę to jednak zależy im na zwycięstwie. Co jest dość dziwne, ponieważ według mnie drużyny otrzymują punkty najzupełniej przypadkowo. Nie mam pojęcia, dlaczego Paul zakończył rozgrywkę z szesnastoma, a Ian z jedenastoma punktami na koncie. Z tego co wynikało z moich obliczeń, nie powinni dostać żadnych.

A ja?

Cóż, spędziłem większość wieczoru odczytując kwestie z telepromptera, podczas gdy powinienem był spoglądać na notatki na moim biurku. Zupełnie zapomniałem zadać dwa pytania, z ucha wypadła mi słuchawka, więc nie słyszałem poleceń z reżyserki, i nigdy nie byłem pewien, kto ma na co odpowiadać.

Oczywiście w telewizji to wszystko będzie wyglądało bez zarzutu – potrafią przecież sprawić, że sensownie wypada nawet Boris Johnson[3]. Fakty są jednak takie, że mój występ oglądnęło 7 milionów widzów, którzy pomyśleli: „Nie. Też nie był tak dobry, jak Angus Deayton."

Zgadzam się. Nikt już nie będzie tak dobry, jak on.

Niedziela, 22 grudnia 2002 r.

---

[3] Ekscentryczny brytyjski polityk, dziennikarz i pisarz. Też występował w HIGNFY w tej samej roli co Clarkson.

Sam w domu – to dla dziecka wymarzona sytuacja

Nie dalej jak w zeszłym tygodniu zostawiłem moje dzieci, w wieku lat ośmiu, sześciu i czterech, same w domu. Musiałem tylko kupić gazety, a byłoby za dużo zawracania głowy, gdybym chciał znaleźć im wszystkim buty i wsadzić je do samochodu. Przecież musiałem wyjść zaledwie na pięć minut.

Oczywiście i tak wpadłem w zupełną panikę. Poprosiłem sąsiada, żeby był czujny, zostawiłem dzieciom kartkę z numerem mojej komórki i pokazałem im, gdzie jest strzelba i jak można ją szybko przeładować, tak na wszelki wypadek gdyby ktoś niepożądany kręcił się przy drzwiach.

Ale mimo podjęcia tych środków zapobiegawczych, wracałem do domu przeczuwając, że zastanę dzieci w samym środku pożaru albo jako białych niewolników w Turkmenistanie.

Dlatego, tak jak wszyscy, byłem zszokowany dowiadując się, że w tym tygodniu dwie matki pozostawiły swoje dzieci w domu udając się nie po gazety, ale na wakacje.

Jedna z kobiet po przybyciu na lotnisko w Manchesterze dowiedziała się, że jej syn też musi mieć paszport (nie żartuję!). Wsadziła go więc do taksówki i odesłała z powrotem do domu. Druga kobieta wyjechała na narty. Przerażające. Dokąd zmierza ten świat? Trzeba coś z tym zrobić.

Mimo wszystko, zastanówmy się jeszcze przez chwilę. Te dzieci, które zostały same w domu miały jedenaście i dwanaście lat. Co prawda może się to wydawać mało ludziom po czterdziestce, ale musimy stanąć przed faktem, że dzisiaj jedenaście lat to tak jak kiedyś siedemnaście.

Gdyby to mnie pozostawiono samego w domu w wieku jedenastu lat, w przeciągu godziny zginąłbym z głodu albo w wyniku porażenia prądem. Gdy się nad tym lepiej zastanowić okaże się, że gdybym został sam w domu w wieku 42 lat, doprowadziłoby to do tych samych skutków w podobnym czasie.

Być może wygodnie byłoby nam trwać w przekonaniu, że jedenastolatki to jak świeżo narodzone źrebaczki, takie mokre i bezbronne na tych swoich chwiejnych nóżkach, ale przecież jeszcze zupełnie niedawno jedenastoletnie dzieci były szkolone do pracy w kopalniach i jako kieszonkowcy. I nic się nie zmieniło.

Dzisiaj większość jedenastolatków potrafi zrobić skręta, uruchomić samochód przez zwarcie stacyjki, uciec policji, odnieść zwycięstwo w bitwie z całą armią obcych, wypić butelkę wódki i nie zwymiotować, a także korzystać z cyfrowego dekodera telewizyjnego. Jedenastoletnie dzieci nie miałyby więc żadnego problemu z obsługą kuchenki mikrofalowej i otwieracza do puszek.

Z pewnością większość jedenastolatków potrafi o wiele lepiej o siebie zadbać, niż większość ośmiolatków. A z kolei państwo nie ma żadnych skrupułów, że ośmiolatki są pozostawiane same sobie na całe tygodnie bez żadnych świadczeń socjalnych i bez odpowiednich środków umożliwiających dotarcie na czas do ubikacji.

Czy ośmiolatek potrafi zaprogramować telewizor albo

przyrządzić sobie jedzenie z puszki? Czy ośmiolatka stać na płacenie rachunków za ogrzewanie? Na ogół nie.

Oczywiście, że jedenastolatka też nie stać na płacenie rachunków, ale ten przynajmniej umie włamać się na konto przedsiębiorstwa energetycznego i w ten sposób wyrównać swoje płatności.

Postawmy się zatem w sytuacji jedenastolatka. W domu. Samego. W czasie Bożego Narodzenia. Dla ośmiolatka to istne piekło na ziemi, ale jedenastolatek czuje się jakby był w raju.

Nie ustawiają się do niego w kolejce ciotki z wąsami, aby ucałować go w usta. Nie musi słuchać orędzia Królowej do narodu.

Nie ma brukselki. Nikt nie urządza przyjęcia z ludźmi z sąsiedztwa, nie trzeba czekać aż do bożonarodzeniowego poranka, by pograć w nową grę na Xboxie, i nie trzeba się martwić, że może ktoś chciałby w tym czasie pooglądać telewizję.

Nie ma potrzeby otwierania prezentów, o których wiadomo, że to swetry. Nikt nie zmusza do pójścia do kościoła w Wigilię. Można trzymać nogi na meblach, wpaść na ukrywane przez mamę filmy dla dorosłych i spokojnie kontemplować życie Joe Strummera[1] słuchając muzyki na pełny regulator.

A ponieważ można jeść, co się chce, gdzie się chce, nawet palcami, niechlujnie, z łokciami na stole, nie wybuchają żadne kłótnie rodzinne, jak to bywa gdy raz do roku cała rodzina jest zmuszona koegzystować na małej powierzchni przez dłuższy czas.

---

[1] Współtwórca brytyjskiego zespołu punkrockowego The Clash.

Nie chcę pleść już takich bzdur. Uwielbiałem spędzać Święta przy choince i spoglądać, jak moje dzieci rozpakowują swoje prezenty, a po obiedzie usadowić się przed telewizorem i obejrzeć szalejącego na motorze Steve'a McQueena[2]. Ale te dni minęły i już nie powrócą.

Nie zapominajmy, że to, co dzieje się dzisiaj, to już przeszłość, do której w przyszłości będziemy wracać w marzeniach.

Bolesna prawda jest taka, że spędzam z moimi dziećmi maksymalnie piętnaście minut dziennie, co jest niczym w porównaniu z ciągłym bombardowaniem jakie serwują im w Radio 1 Sara Cox[3] i Cheeky Girls[4]. Pragnę, by moja ośmioletnia córka była grzeczną dziewczynką. Ale oto w czasie Świąt dowiaduję się od niej, że chce być „nastoletnim gotyckim metalem"[5].

Przypuszczam więc, że matka, która wyjeżdża na Boże Narodzenie do Hiszpanii i zostawia w domu swojego kłótliwego, ubranego jak dresiarz, znajdującego się na progu dojrzewania i odburkującego monosylabami wypłosza, będzie się o wiele lepiej bawić sama. Pewnie to samo można powiedzieć o jej synu.

Oczywiście, pozwalanie na niezależność dzieciom, które jeszcze nie są nastolatkami może wydać się przygnębiające, a nawet przerażające. To jak powrót do czasów Dickensa. Ale jeśli przyjmiemy do wiadomości fakt, że dzieci te są już w pełni zaradne w wieku dziesięciu czy jedenastu lat, może to pomóc rządowi wydostać się

---

[2] Znany aktor amerykański, miłośnik motorów.

[3] Brytyjska prezenterka radiowa i telewizyjna.

[4] Bliźniaczki z Rumunii, tworzące zespół grający disco dla nastolatek.

[5] Od tytułu piosenki zespołu Wheatus – *Teenage dirtbag baby*.

z dołka. Gdyby państwo przestało być zdolne do płacenia emerytur, rodzice mogliby uzyskać wsparcie u swoich dzieci. Musieliby po prostu zacząć wysyłać tych niewdzięcznych, rozpieszczonych i zepsutych smarkaczy do czyszczenia kominów![6]

Niedziela, 29 grudnia 2002 r.

---

[6] Wykorzystywanie małych dzieci, głównie chłopców, które mogły wejść do komina i wyczyścić go od środka było nagminną praktyką kominiarzy w epoce wiktoriańskiej.

Iwan Groźny to wczasowicz z piekła rodem

Ostatnie badania opinii publicznej wykazały, że Brytyjczycy są najbardziej znienawidzonymi wczasowiczami, ale szczerze mówiąc, trudno to zrozumieć.

Zgadzam się, że grupa elektryków z Rochdale wypoczywająca na Ibizie może być trochę głośna i od czasu do czasu może się zdarzyć, że zwymiotują prosto na miejski kwietnik, ale my – ty i ja – wypoczywając w Prowansji w wynajętych domach, nie stanowimy żadnego problemu. Jemy miejscowy ser. Pijemy miejscowe wino. Co rano mówimy listonoszowi *„Bonsoir"*[1]. Jesteśmy naprawdę jak do rany przyłóż.

Tymczasem z Niemcami naprawdę ciężko dzielić wakacyjne łoże. Głównie dlatego, że gdy są gdzieś w pobliżu, nie ma już wolnych łóżek. Od kiedy poznałem ich, w sensie towarzyskim, na wyjeździe zorganizowanym w 1960 roku, wiedziałem już, że gdy chodzi o nietowarzyskie wyżeranie wszystkiego ze wspólnego bufetu, Niemcy stanowią klasę samą w sobie.

Okazuje się, że już nie. Właśnie wróciłem z Dubaju, gdzie spędziłem trochę czasu w „Wide Wad", ogromnym parku wodnym, gdzie siada się na dętce od traktora i jest się w niej zrzucanym na 101 nowych i podniecających sposobów, na które nigdy by się samemu nie wpadło.

[1] Fr. „dobry wieczór".

Jak łatwo sobie wyobrazić, do najlepszych zjazdów ustawiały się dość długie kolejki. No ale cóż, to nic takiego. Radzimy sobie z czekaniem. Jesteśmy cierpliwi. Jesteśmy Brytyjczykami. A to oznacza, że jesteśmy najlepszymi kolejkowiczami na świecie.

Ależ nie, skądże. Przez 10 minut czekamy na autobus numer 27 i myślimy, że o czekaniu wiemy już wszystko. Ale wierzcie mi, w porównaniu z Rosjanami, zupełnie się nie liczymy. Przez 70 lat stali w kolejkach po bochenek chleba i znają wszystkie możliwe podstępy. Za każdym razem, gdy tylko mrugnąłem, albo schyliłem się, żeby powiedzieć coś dziecku, działo się to samo. Przede mną w kolejce wyrastał nagle człowiek góra.

I w żadnym razie nie miałem ochoty dyskretnie chrząkać ani lekko trącić go w ramię. Bo każde z tych ramion było ozdobione tatuażem w stylu sił specjalnych. Sztylet tkwiący w kolanie. Niemowlę rozdzierane na pół przez dwa buldożery. Tego typu rzeczy.

Bądźmy szczerzy. Ci ludzie byli w Dubaju. Prawdopodobnie płacili 1 000 dolarów za dobę hotelową. Mieli kamery cyfrowe, na widok których Japończykom opadały szczęki, i telefony satelitarne, które mogłyby pewnie sterować stacją kosmiczną. A na tego typu sprzęt i wakacje nie zarabia się pisząc wiersze. To była mafia. Wszyscy oni wywodzili się z KGB albo Specnazu.

Nie dalej, jak w zeszłym roku słyszałem o rosyjskim wczasowiczu, spędzającym wakacje na południu Francji. Jak wielu innych zwiedzających Lazurowe Wybrzeże, zainteresował się willą na brzegu morza i udał się w tej sprawie do agenta nieruchomości. „*Pardon monsieur* – powiedział agent – *mais il n'est pas possible de visiter cette maison parce qu'elle n'est pas à vendre.*"[2] Najwidoczniej nie spodobało się to Rosjaninowi, ponieważ następnego ranka znaleziono agenta nieruchomości na plaży, zakopanego głową w dół, tak że tylko jego stopy wystawały z piasku. Tak właśnie przedstawia się sprawa z Rosjanami. My nosimy koszulki z firmy No Fear[3]. A oni mają takie spojrzenie.

I właśnie dlatego wolałem się nie śmiać z ich kąpielówek. Teraz jednak jestem w domu, więc mogę spokojnie powiedzieć, że były przezabawne. Wyglądały jak kąpielówki Speedo, ale zupełnie bez fasonu, no i jeszcze bardziej obcisłe.

I tak byli ubrani lepiej od swoich żon. Na całym świecie kostiumy kąpielowe ze stringami są domeną Petera Stringfellowa[4] i dziewcząt noszących rozmiar 8. W Rosji jednak noszą je również osoby ważące 8 ton albo mające 80 lat.

Słyszałem, że istnieją również niezwykle piękne rosyjskie dziewczęta. Ale najwidoczniej można je znaleźć jedynie w Internecie, bo te, które spotkałem w Dubaju były szpetne jak noc.

Oprócz jednej, która nie mogła równać się z niczym na Ziemi. Zacznijmy od jej piersi, które wcale nie były olbrzymie. Olbrzymie to za małe słowo, by oddać ten rozmiar. Gdy jej chłopak, z tatuażem przedstawiającym dwie ryby młoty pożerające ludzkie oczy, wybierał je z katalogu, zapewne przyciągnął go rozmiar oznaczony jako „masywne". W końcu jednak zdecydował się na piersi

---

[2] Fr. „Przepraszam pana, ale tego domu nie można zwiedzać, ponieważ nie jest przeznaczony na sprzedaż".

[3] W wolnym tłumaczeniu – nieustraszony.

[4] Patrz przypis 2, str. 176.

z samej góry listy. Te, które w kręgach lekarskich znane są
jako: „O Boże! Ożyły! Atakują nas!".

Obszar pod nimi miał swój własny mikroklimat. Mimo
to, nie były pierwszą rzeczą, jaka rzuciła mi się w oczy, gdy
zobaczyłem dziewczynę, do której były przymocowane.

Tą rzeczą były jej usta, tak napompowane kolagenem,
że wyglądała jak orangutan. Orangutan ze świńskim
ogonkiem.

A jeśli chodzi o te dwa pełnowymiarowe modele ste-
rowców R101 w jej staniku, to tak długo się na nie gapi-
łem, że gdy w końcu przestałem, w kolejce przede mną
stało już pół Ukrainy.

Ostatecznie jednak udało mi się dostać na przejażdżkę
w takim wielkim kanale, gdzie ogromne fale bez przerwy
przewracały mnie głową w dół. Było bardzo zabawnie
dopóki nie zderzyłem się z kobietą, która najwyraźniej
zjadła tak wiele pizzy, że w końcu sama zaczęła ją przypominać.

Albo to, albo była na wakacjach w Czarnobylu. Każda
fala zmywała z niej nie tyle warstwę łuszczącej się skóry,
co skórę zbitą w grudę.

Jest jeszcze coś innego związanego z Ruskimi. Nie wy-
silają się, żeby uśmiechać się czy gawędzić. Niemcy przynajmniej są zadowoleni, gdy mogą przeprosić za to, że ich
kraj przewodził ostatniej wojnie. Tymczasem Rosjanie
zachowują się tak, jakby wciąż w niej walczyli.

Niedziela, 12 stycznia 2003 r.

Rambo ponosi wielką odpowiedzialność za dzisiejszy terror

Pamiętacie może serial telewizyjny *Dallas*? Jeśli tak, to może przypominacie sobie postać niejakiego Cliffa Barnesa – trochę nieudacznika, trochę błazna.

Zajmował się wydobywaniem ropy, tak jak ojciec. Urodził się i wychował w Teksasie. A potem stał się znany na arenie międzynarodowej. Nie przypomina wam to kogoś?

To tylko taka mała refleksja. W każdym razie po historii z wieżowcami w Nowym Jorku, Cliff dość obszernie mówił o tym, że amerykański żołnierz niczego nie zapomina i że poruszy niebo i Ziemię, aż zostaną odnalezione osoby odpowiedzialne za zamach, w szczególności Osama bin Laden.

Odnalezienie osób odpowiedzialnych za zamach nie było łatwe, bo zostały pogrzebane pod milionami ton gruzu. Okazuje się jednak, że odnalezienie Osamy bin Ladena było jeszcze trudniejsze.

Amerykanie przyjrzeli się dobrze Afganistanowi, rzucili też okiem na Pakistan, ale potem pewnie któryś z nich zgubił swój wielki atlas, bo najwyraźniej dali za wygraną i postanowili wypowiedzieć wojnę Irakowi.

Czy to znaczy, że dali Ozziemu spokój? Skądże znowu! Będzie na niego polował najbardziej nieustraszony i monosylabiczny żołnierz na świecie.

O, tak. Nie udało się CIA i jej samolotom szpiegowskim odnaleźć Osamy. Mimo że Amerykanie wysadzili w powietrze wszystkie jaskinie od Iranu po Turkmenistan, amerykańskie siły powietrzne nie zdołały go zabić. W takim razie czas najwyższy na bombę atomową pod postacią człowieka.

Oto pojawia się, z ognistym wybuchem w tle, z lokami falującymi na wietrze, Sylwester Stallone, który w zeszłym tygodniu zapowiedział powrót superbohatera lat osiemdziesiątych – Rambo.

I wiecie co? Rambo wybiera się teraz do Afganistanu, by zasztyletować paru Talibów i przygotować zasadzkę, dzięki której bin Laden zostanie oddany w ręce sprawiedliwości.

Jest to dość delikatna sprawa, bo gdy ostatnio widzieliśmy Rambo, walczył ramię w ramię z mudżahedinami przeciwko Rosjanom. Było to w filmie dedykowanym – i tu cytat – „walecznemu Narodowi Afgańskiemu".

W zeszłym tygodniu podjąłem się trudu obejrzenia *Rambo III*. Film ten z perspektywy czasu okazuje się niesamowicie proroczy. Jest tam przepiękna scena, kiedy to amerykański pułkownik gromi swoich rosyjskich porywaczy słowami: „Każdego dnia zajęty przez was teren odbija grupka słabo uzbrojonych i marnie wyposażonych bojowników o wolność. Po prostu nie doceniacie wroga. Gdybyście znali historię, wiedzielibyście, że ci ludzie nigdy nikomu się nie poddadzą. Wolą raczej umrzeć."

Wiemy, że Hollywood jest zdolny do różnych gaf. Któż nie pamięta filmu *U571*, w którym odważna amerykańska załoga łodzi podwodnej przechwytuje od nazistów maszynę szyfrującą Enigma, po czym wygrywa wojnę!

A potem był *Pearl Harbour*, w którym odważny amerykański pilot najlepszego amerykańskiego myśliwca zwycięża w Bitwie o Anglię i raz jeszcze wygrywa wojnę. Wiem, co powiecie. W filmach od suchych faktów historycznych ważniejszy jest dramatyzm fabuły.

Pozostawiamy więc fakty historyczne naszym politykom, takim jak Tony Blair, który, jak wszyscy wiedzą, pochwalił przed Cliffem Amerykanów za to, jak mężnie stali po naszej stronie w czasie *Blitzkriegu* w latach 1940–1941.

Niestety, większość ludzi nie czyta prasy. Zmieniają kanał, jak tylko zaczynają się wiadomości telewizyjne. Nie spędzają wieczoru oglądając sympatycznego Simona Schama[1]. Dowiadują się o swojej historii i sprawach bieżących z kina. Dlatego producenci filmów ponoszą pewną odpowiedzialność za obrót spraw na świecie.

Ciekaw jestem na przykład, ile pieniędzy zebrałby Noraid[2], gdyby nie fakt, że hollywoodzkie produkcje nieprzerwanie przedstawiają żołnierzy IRA jako sympatycznych, sączących whisky bojowników o wolność, którzy mają uzasadnione i szlachetne pretensje wobec nikczemnego brytyjskiego kolonializmu.

Po raz kolejny oglądamy więc Richarda Harrisa[3] ubranego w elegancki płaszcz i rozdającego dzieciom prezenty, podczas gdy grasujące gangi brytyjskich rekrutów rozjeżdżają swoimi Land Roverami wózki z niemowlętami.

---

[1] Profesor historii, znany z cyklu programów BBC pod tytułem *Historia Wielkiej Brytanii*.

[2] Amerykańska fundacja wspierająca dążenia wolnościowe Irlandii, oskarżona przez rządy Wielkiej Brytanii i USA o pomoc finansową dla IRA.

[3] Irlandzki aktor filmowy.

Nic dziwnego, że gdy chłopcy chodzili potem z puszkami na datki do okolicznych barów, ludzie mówili: choć tu, mały, masz dolara. Pewnie zrobili to samo po obejrzeniu *Rambo III* i teraz czują się jak ostatnie matoły.

Kto wie, może jakiś młody Algierczyk też obejrzał *Rambo III* i pomyślał: „Rany, ci Afgańczycy naprawdę są nieustraszeni. Musimy jak najszybciej zjednoczyć z nimi siły".

Pewnego dnia dowiedziałem się, że któryś ze starożytnych wrogów Afgańczyków napisał o nich wiersz: „Niech Bóg nas strzeże od jadu kobry, od kłów tygrysa i od zemsty Afgańczyka".

Stallonowi radziłbym wziąć to pod uwagę, gdy będzie kręcił *Rambo IV*. Bo jeśli ten film będzie tak głupi i tak nieodpowiedzialny jak poprzedni, może sprowokować jakiegoś bojownika o wolność do wypełnienia swojego posłannictwa świętej wojny i wpakowania samolotu w Sears Tower.

Ameryka nie jest niezwyciężona – szkoda tylko, że Cliff najwyraźniej tego nie rozumie.

W świecie, w którym żyje Cliff, najpierw się umiera, a następnie, po paru latach, wraca do życia pod prysznicem[4].

Niedziela, 19 stycznia 2003 r.

---

[4] Nawiązanie do epizodu z serialu *Dallas*, w którym jeden z nieżyjących już bohaterów w niewyjaśniony sposób powraca do życia kilka lat później, wychodząc w jednej ze scen, jak gdyby nigdy nic, spod prysznica.

Gwałtowny spadek cen domów? To przez odwożenie dzieci do szkoły, ty głupku!

No i stało się. Wartość rynkowa twojej wiejskiej rezydencji z sześcioma sypialniami i sześcioma hektarami ogrodu w ciągu ostatnich sześciu dni spadła z sześciu milionów do sześciuset tysięcy funtów. Magazyn „Życie na Wsi" jest do granic możliwości przepełniony ogłoszeniami o nieruchomościach, które ludzie usiłują sprzedać już od kilku miesięcy. Przy zakupie można spodziewać się dużych obniżek cen. A wiecie, jak można podwoić wartość domu w hrabstwie Gloucester? Wystarczy wyposażyć go w dywany i zasłony.

Według ekspertów, krach cenowy w hrabstwach środkowej Anglii jest spowodowany tym, że nikt nie jest pewien, czy utrzyma posadę w centralnej dzielnicy Londynu, EC1, i tym, że premie biznesmenów z londyńskiego City są o wiele mniejsze niż dotychczas. Czyżby? Najpierw sprawdźmy, kim tak naprawdę są ci „eksperci".

Gdy absolwenci szkół prywatnych przeprowadzają się do Londynu, ich wachlarz możliwości jest dość ograniczony. Ci najlepsi dostają pracę w bankach, odrobinę gorsi zostają maklerami. Lekko głupawi dostają posadę w firmach ubezpieczeniowych, a ci na granicy idiotyzmu kończą za ladami sklepów odzieżowych sieci Hacketta.

Pozostaje jeszcze Rupert[1]. Rupert potrzebuje pracy,

---

[1] Rupert jest stworzonym przez Clarksona synonimem tępego i ograni-

w której może nosić garnitur. Inaczej nie byłby zapraszany na ekskluzywne, suto zakrapiane przyjęcia w Fulham. Mimo to, obliczenie, ile jest dwa dodać dwa, wymaga od Ruperta takiego wysiłku, że mdleje. Rupert myśli, że program, w którym występuje Tim Nice-But-Dim[2], to film dokumentalny. Właśnie dlatego Rupert został pośrednikiem w handlu nieruchomościami. A to czyni z niego eksperta od cen domów.

Tak więc obecnie Rupert sądzi, że wszystko na wsi chyli się ku upadkowi, a to dlatego, iż w zeszłym tygodniu spotkał na jakiejś imprezie gościa, którego wylali właśnie z GoodYeara, PalnikBunsena i czegoś tam jeszcze. „Biedak. Tak chciał sobie kupić dom w Hampshire. A teraz już go nie stać".

Oj, Rupert, tym razem nie trafiłeś. Oczywiście, że poziom premii w londyńskim City ma wpływ na rynek, ale tylko w nieznacznym stopniu i tylko w Surrey. Ilu chłopców pracujących w City mieszka w Alnwick czy w lasach Bowland[3]? Również i Szkocja jest daleko poza zasięgiem londyńskich pociągów podmiejskich, nie wspominając już o południowo-zachodniej części kraju. Jak więc, na miłość boską, premie w City mogą wpływać na cenę domostwa w Milford Haven?

Mieszkam w miejscu, które kiedyś w magazynie „Tatler" zostało nazwane „punktem G Wielkiej Brytanii". Do Notting Hill mam zaledwie godzinę jazdy, a do domu

---

czonego intelektualnie przedstawiciela młodej elity finansowej w Anglii.

[2] Postać komiczna grana przez aktora komediowego Harry'ego Enfelda według scenariusza autorstwa Iana Hislopa. W wolnym tłumaczeniu: Miły Tymek Ciemny-Jak-Dymek.

[3] W przeciwieństwie do Surrey, obydwa miejsca leżą daleko od Londynu, w północnej części Anglii.

Jilly Cooper[4] w hrabstwie Gloucester tylko pięć mil. Mieszkam w Cotswolds, a dzięki pobliskiemu rezerwatowi przyrody, mamy tu więcej białych nosorożców niż chłopców z City.

Jeśli więc krach na rynku nieruchomości nie jest konsekwencją zaciskania pasa przez ludzi ubranych w koszule w paski, to z czego w takim razie wynika?

Cóż, znam osobiście pięć rodzin, które zamieszkują w promieniu trzech mil ode mnie. Każda z nich posiada ogromny, obrośnięty pięknymi pnączami, osiemnastowieczny dom z basenem i widokiem, który samego Elgara przyprawiłby o palpitację serca, wybudowany na tak rozległym polu, że właściciele mogą samodzielnie wpływać na wygląd horyzontu. I wszystkie te rodziny wyprowadzają się.

Nie ma to nic wspólnego z zakazem polowań. Mają to gdzieś, bo nie jeżdżą konno. Nie ma to również związku z pryszczycą. Może i posiadają kawał ziemi, ale tylko po to, żeby nic na niej nie robić.

Co więcej, ich przeprowadzka nie wynika z likwidacji miejscowych oddziałów banku i poczty. Te osoby posiadają Range Rovery i inny sprzęt do wysyłania listów. Dlaczego więc całe rzesze ludzi opuszczają swoje posiadłości na wsi i przekształcają jej krajobraz w las tabliczek „na sprzedaż"?

Z powodu odwożenia dzieci do szkoły. Dzieci tych rodziców uczęszczają do szkoły w Oksfordzie osiemnaście mil stąd. W ciągu dnia to 25 minut jazdy. Trochę długo, ale jakoś można to znieść.

---

[4] Znana brytyjska pisarka i dziennikarka.

Jednak rano jazda trwa aż półtorej godziny, a to już zdecydowanie zbyt wiele. Dzieci muszą wstać już o wpół do siódmej, a w samochodzie muszą znaleźć się kwadrans po siódmej. Śniadanie muszą wyjadać już w drodze z pojemników Tupperware. Wieczorem jest jeszcze gorzej, bo dzieci zjawiają się w domu nie wcześniej niż o szóstej. Zanim zdążą odrobić zadania, poćwiczyć na instrumencie, zjeść kolację i wziąć kąpiel, nadchodzi pora snu. To nie jest życie dla sześciolatka.

Tak więc porzucając swoje błogie zadowolenie z mieszkania w kamiennych pałacach w Cotswold, rodzice w trosce o zdrowie psychiczne swoich dzieci przeprowadzają się do centrum Oksfordu.

Aby temu zapobiec lokalny samorząd, który za każdym razem, kiedy mowa o drogach, zaczyna się zachowywać jak obłąkany, zapewne weźmie przykład z Londynu i wprowadzi opłatę od ruchu drogowego, co powiększy i tak już wysokie czesne o kolejne 100 funtów miesięcznie.

Samorząd będzie oczywiście argumentował, że dzieci powinny jeździć do szkoły autobusem ale – na litość boską – przecież to są sześciolatki, niezależnie od tego, co mówi wujek Ken Livingstone[5].

Wtedy odezwą się miejscowi naziści i stwierdzą, że dzieci nie powinny uczęszczać do szkoły tak daleko. Zgadza się, ale jest to decyzja, którą ludzie powinni móc podjąć samodzielnie. Nie potrzebują, żeby robiła to w ich imieniu jakaś kobieta z rowerem wyplecionym ze strzępków brody swojego męża[6].

---

[5] Burmistrz Londynu, wprowadził między innymi opłatę od ruchu drogowego, która zredukowała ruch samochodowy w centrum Londynu o 15%.

[6] Aluzja do ekologów.

Jakie kroki należy więc podjąć? Rozwiązanie jest proste. Mamy pięć rodzin, każda ma dwójkę dzieci odwożonych codziennie do szkoły. Dlaczego więc nie złożyć się wspólnie na minibus? Koszt jest minimalny, a minibus mógłby wykorzystywać pas dla autobusów, więc oszczędność czasu byłaby ogromna. My bylibyśmy zadowoleni, eko-brodacze byliby zadowoleni, jedynie Rupert byłby niezadowolony.

Rupert byłby niezadowolony, bo jego kumple z City wciąż traciliby pracę, a rynek nieruchomości na wsi stanąłby na nogi w ciągu jednej nocy: „Do diaska. Ta analiza ekonomiczna jest jednak trudniejsza niż myślałem".

No właśnie. Lepiej poprzestań na oddychaniu, Rupert. To jedyna rzecz, w której jesteś choć trochę dobry.

Niedziela, 26 stycznia 2003 r.

Loteria dofinansuje wszystko oprócz dobrej zabawy

Istnieją pewne wątpliwości, czy nasz kraj będzie w stanie pokryć wydatki związane z organizacją olimpiady w 2012 roku. Pojawiają się komentarze, że lepiej wrzucić te pieniądze do studni bez dna, czyli wydać je na służbę zdrowia i edukację.

Na litość boską! Jesteśmy czwartym wśród najbogatszych krajów na świecie. Jeśli Grecy potrafią zorganizować dwa tygodnie biegów i skoków, to dlaczego, na Boga, nie możemy tego zrobić i my?

Jasne, że za 5 miliardów funtów, które trzeba wydać na ten wielki dzień szkolnych zawodów sportowych, można by kupić niesamowite liczby inkubatorów dla wcześniaków, a jeszcze zostałoby sporo na zakwaterowanie uchodźców i wstawienie nowych stawów biodrowych każdej starszej pani w kraju. Ale to tak, jakby przeznaczać każdą nadwyżkę budżetu rodzinnego na ubezpieczenie lub wrzucać ją do skarbonki. Po prostu od czasu do czasu trzeba sobie powiedzieć: „A co mi tam!" i zrobić sobie dwutygodniowy wypad na Barbados.

Tak naprawdę potrzebujemy tu pewnego podziału zadań. Pozwólmy rządowi zajmować się nudnymi, szlachetnymi sprawami i utwórzmy osobną organizację całkowicie oddaną trosce o nasze dobre samopoczucie i zadowolenie z życia na tej przeludnionej, szarej i zimnej wyspie. Organizacja ta będzie miała zakaz wydawania pieniędzy na nowe stawy biodrowe, a więc nikt nie będzie mógł narzekać, że tego nie robi.

Taką organizacją powinna być loteria narodowa, ale ta niestety jest jeszcze bardziej ponura i prezbiteriańska niż barek z alkoholami Gordona Browna[1].

Zadaniem loterii jest finansowanie sześciu dziedzin. Pierwszą z nich jest „sztuka", która zasadniczo jest zbyt szlachetna, a jej finansowanie oznacza wpompowywanie pieniędzy w niepozorne, czarno-białe filmy o kobiecie z Azji, która nie robi nic przez cały rok.

Kolejne dziedziny to: działalność charytatywna, sport, projekty związane z obchodami tysiąclecia (tę dziedzinę zdążyli już kompletnie spaprać) oraz zdrowie, edukacja i ochrona środowiska. No i po co to wszystko? Po co kupować za nasze pieniądze przeznaczone na rozrywkę jeszcze więcej tych cholernych inkubatorów – przecież to zadanie dla rządu!

Moją wyjątkową niechęć budzi jednak ostatnia dziedzina. Prawie 5 pensów z każdego losu w cenie jednego funta (300 milionów funtów rocznie) jest przeznaczane na „dziedzictwo". Jeśli nie wiecie, co to oznacza, poniżej prezentuję kilka organizacji, które składają podania o dofinansowanie w tej kategorii.

Agencja Parków Królewskich chce 428 000 funtów na ochronę i odnowę parku Bushy Park przy pałacu Hampton Court. Przepraszam. Nie ma mowy. Powiedzcie Królowej żeby sama za to zapłaciła.

Potem mamy Muzeum Reklam i Opakowań, które potrzebuje 948 000 funtów na kilka nowych budynków. Co?!

---

[1] Minister finansów Wielkiej Brytanii.

Przecież wszyscy najbogatsi ludzie w kraju dorobili się na reklamach i opakowaniach! Chcecie 948 000 funtów? Idźcie pogadać z Rausingami[2]!

To jest niezłe: Towarzystwo Opieki nad Ludźmi Starszymi Hrabstwa Northumberland chciałoby pozyskać 38 900 funtów na projekt zatytułowany Dokarmianie Ptaków Ogrodowych. Nie, nie, nie, nie, nie dostaniecie tych pieniędzy – to zbyt nudne!

Lista składających podania o dofinansowanie zawiera tysiące pozycji, a ponieważ nie ma listy tych, którym przyznano środki i w jakiej wysokości, trzeba posłużyć się wyszukiwarką internetową. Zacząłem od wpisania słów „wielo" i „kulturowy" i mój biedny komputer niemal eksplodował. Wpisanie słowa „kościół" odniosło podobny skutek.

Dlaczego pieniądze z loterii są przeznaczane na remonty kościołów? Kościół w Anglii jest bogatszy od rodziny królewskiej. Jest bogatszy, jak mi powiedziano, nawet od Jonathana Rossa[3]. Jeśli Kościół potrzebuje paru groszy na załatanie gipsem ubytków w jednej czy drugiej nawie, powinien zadbać o większą liczbę wiernych. A jeśli nie potrafi ich ściągnąć na msze, powinien pomyśleć o zwinięciu interesu. Albo działać wyłącznie na terenie Niemiec. Tak w podobnej sytuacji postąpił Barclay James Harvest[4].

Dlaczego pieniądze zarobione na loterii są wydawane w pierwszym rzędzie na „dziedzictwo"? Opieka nad historyczną tkanką kraju z pewnością powinna należeć

---

[2] Rodzina właścicieli koncernu TetraPak.

[3] Prezenter radiowy i telewizyjny, krytyk filmowy.

[4] Zespół grający symfonicznego rocka, odnoszący duże sukcesy właśnie w Niemczech.

do kompetencji rządu. Pieniądze z loterii powinny być wydawane na wznoszenie nowych budynków, które będą wprawiały nas w dobry nastrój.

Niech rząd kupuje inkubatory dla wcześniaków, które pełnią rolę „pożyteczną", a loteria – pomniki, które pełnią rolę „zachwycającą".

Weźmy taki Parliament Square w Londynie. To wyspa, otoczona ze wszystkich stron trójpasmową ulicą pełną warczących silników diesla. Trudno się na nią dostać i tak naprawdę nie ma po co, chyba że chcecie umilić sobie czas spoglądając na ptasie odchody zdobiące kapelusz Winstona Churchilla.

Właśnie dlatego Parliament Square stanowi wspaniałe miejsce, by postawić tam kupioną za pieniądze z loterii wielką fontannę.

W naszym kraju większość ludzi nieodłącznie kojarzy fontannę z sikającym cherubinkiem.

W zeszłym roku Towarzystwo Fontann przyznało nagrodę za najlepszą instalację wodną miastu Scheffield za kaskadę w Ogrodach Pokoju. Jest niezła, szczególnie w nocy, ale (tak dla porównania) ma w sobie coś ze stylu Charlie Dimmock[5].

Pomyślcie tylko o Wiedniu, gdzie krystalicznie czysta woda tryska z każdej dziurki w każdej kostce brukowej, albo o Paryżu, gdzie gigantyczne działa wyrzucają tryliony galonów wody, której krople tworzą wspaniałe tęcze pod Wieżą Eiffla.

W Dubaju znajduje się siedmiogwiazdkowy Burj Al Arab. To najlepszy hotel na świecie. Ma więcej lokajów

---

[5] Bardzo popularna w Wielkiej Brytanii autorka programów telewizyjnych o ogrodnictwie. Słynie z tego, że nie nosi stanika.

niż było ich podczas herbacianych przyjęć na dworze króla Edwarda VII, pokoje o powierzchni Walii, kuchnię, która zatkałaby nawet A. A. Gilla[6], i widok z ostatniego piętra na myśliwce F-15 formujące szyk do bombardowania Bagdadu. Ten hotel ma naprawdę wszystko.

Ale każdy, kto w nim był, mówi tylko o jednym: o fontannie w hallu.

Fontanny potrafią to sprawić. Wszyscy kochają fontanny, a Parliament Square to doskonałe miejsce, by stanęła tam matka wszelkich instalacji wodnych.

Fundusze z loterii przeznaczone na „dziedzictwo" z łatwością mogłyby pokryć koszty takiej fontanny. I mimo że Muzeum Reklam i Opakowań mogłoby spotkać rozczarowanie, zostałoby jeszcze wystarczająco środków na obserwatorium w Peak District, filigranowy most z lodu i światła nad autostradą M1, na pomnik Anioła Południa, a przy lekkim zaciśnięciu pasa, także na cholernie wielki stadion olimpijski w roku 2012.

Niedziela, 2 lutego 2003 r.

---

[6] Antybrytyjski felietonista, recenzent restauracji.

Może i wahadłowce są bezużyteczne, ale i tak zarezerwujcie mi miejsce na najbliższy lot

Wiadomość wielkiej wagi. George Bush powiedział coś rozsądnego. Podczas nabożeństwa żałobnego odprawionego za siedmioro astronautów, którzy zginęli w zeszłą sobotę, Bush stwierdził: „Powodem naszego dążenia do odkrywania i eksploracji kosmosu nie jest wybór, którego świadomie dokonujemy; to pragnienie zapisane w sercu człowieka".

Święte słowa. Ale jesteśmy w Ameryce, w kraju, gdzie ludziom nie wolno umierać inaczej niż w wyniku daleko posuniętej starości, co i tak musi jeszcze zostać potwierdzone długim publicznym dochodzeniem. Tak więc zamiast wyruszać w kolejne podróże mające na celu „eksplorację kosmosu", wahadłowce osiadły na mieliźnie.

Powód jest oczywisty. Nadrzędne znaczenie ma bezpieczeństwo załogi. Skoro tak, to dlaczego wahadłowce nie są wyposażone w system katapultowania? Może zabrzmi to dziwnie, ale jeszcze w roku 1960 specjaliści nie myśleli tymi kategoriami. Wysłali wtedy na wysokość 102 800 stóp faceta o nazwisku Joe Kittinger w balonie wypełnionym helem. To ponad 31 kilometrów, co oznacza, że praktycznie rzecz biorąc znalazł się w przestrzeni kosmicznej.

Po osiągnięciu zamierzonej wysokości, Kittinger otworzył właz swojej kapsuły… i wyskoczył. Chwilę później był już człowiekiem, który po raz pierwszy przekroczył barierę prędkości dźwięku poza samolotem, osiągając w swobodnym spadku prędkość 1 150 kilometrów na godzinę. Gęstniejąca atmosfera spowalniała go stopniowo aż do wysokości 5 kilometrów nad Ziemią. Wtedy otworzył główny spadochron, a następnie osiadł łagodnie na pustyni w Nowym Meksyku, zapalił papierosa i udał się do domu na herbatkę.

Kilka lat temu spotkałem gościa z Kalifornii – pilota dwupłatowca, który kreśli na niebie napisy – i był absolutnie przekonany, że gdyby wahadłowce miały katapultowany luk ratunkowy, to załoga Challengera przeżyłaby katastrofę.

A co z Columbią? Oficjele z NASA twierdzą, że poruszą niebo i ziemię w poszukiwaniu przyczyny katastrofy. Trudno powiedzieć, co takie stwierdzenie może oznaczać. Bush też twierdził, że poruszy niebo i ziemię, by odnaleźć Osamę bin Ladena. Na tej podstawie można sądzić, że NASA przeszuka jakiś mały kawałek pustyni we wschodnim Teksasie, a potem – bez wyraźnych przesłanek – wypowie wojnę Francji.

Złożenie kawałków Columbii w całość to chwyt reklamowy wymyślony przez *public relations*. Jest dla mnie oczywiste, że w projekcie 20-letniego statku, który odbył 28 podróży kosmicznych nie ma żadnego błędu. Niezależnie od tego, co tak naprawdę zawiodło, był to po prostu wypadek. Nawet jeśli znajdą jego przyczyny, nie zdołają zapobiec kolejnym. Można odkryć lekarstwo na raka, ale ludzie wciąż będą umierać na zawał.

Statystyka uwzględniająca ostatni wypadek mówi tyle, że raz na dziesięć lat wydarzy się katastrofa wahadłowca.

Czyli gdyby kolejny lot wahadłowca odbył się jutro, zgodnie z rachunkiem prawdopodobieństwa nic złego by mu się nie przytrafiło. Ale jutro nie wystartuje żaden wahadłowiec. Co więcej, z tego, co mówią wynika, że być może nie wystartuje już nigdy.

Niektórzy twierdzą, że kosmiczne loty załogowe nie są już potrzebne. Inni są przekonani, że stacje kosmiczne to naukowy temat zastępczy. A „The Guardian", jak to ma w zwyczaju w takich sytuacjach, już zastanawia się, ile inkubatorów dla niemowlaków można by kupić za roczny budżet NASA, wynoszący 15 miliardów dolarów (9,1 miliarda funtów).

To mnie złości tak, że aż swędzą mnie zęby. Na litość boską, przecież Columbia wzięła swą nazwę od Kolumba! Co by było, gdyby Kolumb nie zdecydował się przepłynąć Atlantyku tylko dlatego, że wydawało się to trochę przerażające?

Weźmy Chucka Yeagera[1]. W 1963 pokazano mu Starfightera NF 104[2]. Yeager miał świadomość tego, że gdy nos Starfightera zostanie zadarty w górę pod kątem 30 stopni, powietrze przestanie opływać tylny statecznik, co może wywołać korkociąg. Wiedział, że katapulta w Starfighterze wyrzuca fotel pilota w dół. Wiedział, że samolot określany był przez innych pilotów jako *Widowmaker*[3]. Mimo to wciąż chciał wylecieć nim w przestrzeń kosmiczną[4]. Nie

---

[1] Amerykański pilot oblatywacz, w 1947 roku jako pierwszy przekroczył prędkość dźwięku w samolocie Bell X-1.

[2] Naddźwiękowy myśliwiec odrzutowy, cieszący się złą sławą trudnego w pilotażu.

[3] Czyniący wdowami.

[4] Yeager pilotując NF 104 usiłował pobić rekord wysokości. Podczas tej próby ledwo uszedł z życiem.

oznacza to wcale, że Yeager był bohaterem. Był po prostu człowiekiem.

Tak, wiem, że promy w dzisiejszych czasach są wykorzystywane do obsługi stacji kosmicznych i wiem, że obserwacja, czy w stanie nieważkości może zakwitnąć pelargonia tylko w bardzo małym stopniu poszerza naszą wiedzę o wszechświecie. Ale przecież nie o to chodzi. To, co dzieje się na stacji kosmicznej wcale nie jest takie ważne. To, co naprawdę się liczy, to fakt, że potrafimy coś takiego zbudować.

To samo tyczy się wahadłowców. W Luizjanie odwiedziłem fabrykę, która zajmuje się regeneracją potężnych zbiorników paliwowych, wyławianych z oceanu po każdej wyprawie wahadłowca. Nieco dalej, w Stennis, byłem świadkiem prób rakietowych, i czułem się, jakbym przeniósł się do przyszłości.

Pozwolono mi nawet zająć miejsce w kokpicie wahadłowca i pobawić się przełącznikami. Zgadzam się, że wahadłowce są brzydkie i drogie. Ale nigdy nie zapomnę, że taka maszyna ma moc 37 milionów koni mechanicznych i w momencie, gdy jej ogon opuszcza wyrzutnię, wahadłowiec ma już na liczniku 200 kilometrów na godzinę.

Należy pamiętać również i o tym, że temperatura nosa wahadłowca podczas powrotu przez ziemską atmosferę jest wyższa niż temperatura powierzchni Słońca.

Wahadłowce – jeden z najbardziej intrygujących i budzących podziw technologicznych cudów współczesnej cywilizacji – są jedynym wartym zachodu darem Ameryki dla świata.

Czy przełożyłbym swoje słowa na czyn? Czy wszedłbym na pokład, gdyby chcieli już jutro wysłać wahadłowiec w przestrzeń kosmiczną? Oczywiście, że tak, bez chwili zastanowienia!

Zrobiłbym to, z pobrzmiewającymi w uszach innymi i – co się rzadko zdarza – mądrymi słowami Busha: „Każdy [z astronautów Columbii] był świadom tego, że nie można oddzielić wielkich wyzwań od wielkiego ryzyka. Wszyscy oni zgodzili się na to ryzyko dobrowolnie, a nawet z radością, mając na uwadze słuszną sprawę odkrywania kosmosu".

Niedziela, 9 lutego 2003 r.

Gdybym musiał wybierać, wybrałbym Vaterland

Po poruszającym antywojennym przemówieniu wygłoszonym przez ministra spraw zagranicznych Niemiec, chciałbym ogłosić, że od tej chwili „*Ich bin ein Berliner*".

Tak, wiem, że tak naprawdę znaczy to „Jestem pączkiem", lecz właśnie dokładnie o to mi chodzi. A zatem posłuchajcie...

Kiedy po raz ostatni słyszeliście polityków mówiących tak naprawdę od serca? Kierowany szczerym zaangażowaniem bardziej niż potrzebą dostosowania się do linii wyznaczonej przez *public relations* swojej partii, Joschka Fischer zmył głowę Donaldowi Rumsfeldowi, wyrażając swoją dezaprobatę dla działań Ameryki krótkim i efektownym: „Nie wierzę wam".

Przez lata wyrażałem się niepochlebnie o Szkopach, ale od teraz aż do chwili, gdy znów zmienię zdanie, przestaję im dokuczać. Usiądźmy zatem wygodnie, włóżmy płytę zespołu *Kraftwerk* do swojego Grundiga, zapalmy Westa, wypijmy łyczek piwa Beck i wyruszmy w małą podróż, podczas której przypomnimy sobie osiągnięcia Vaterlandu na przestrzeni lat.

Myślimy, że *Trainspotting* to dobrze zrobiony film, nie zapominajmy jednak, iż w 1981 roku dwóch gości z magazynu „Stern" napisało scenariusz do o wiele mocniejszego obrazu *My, dzieci z dworca Zoo*. A skoro już mowa o filmach, to *Das Boot* był o wiele lepszym filmem o łodzi podwodnej niż *Morning Departure*. W tym ostatnim Richard Attenborough momentami tracił fason bez żadnej dostrzegalnej przyczyny. W rzeczy samej, *Das Boot* to chyba najlepszy film, jaki kiedykolwiek nakręcono.

A jeśli chodzi o komedie? Często mówi się, że Niemcy nie mają poczucia humoru. Spójrzcie jednak na to z innej strony. Może i bawią ich wyjątkowo mało śmieszne programy, takie jak *Benny Hill* czy *Are you being served?*[1], ale powiedzcie proszę, kto je produkuje?

Przejdźmy teraz do muzyki. Pomijając już nawet Haydna, Händla, Brahmsa, Beethovena i Bacha, czy znacie piosenkę pop lepszą od *99 Luftballons* Neny? Znakomity kicz z polityką w tle. Czegoś takiego nie dał nam nigdy nawet Buck Fizz[2].

Kolejne osiągnięcia, które świat zawdzięcza Niemcom, to między innymi soczewki kontaktowe, globus, prasa drukarska, promienie Roentgena, teleskop i dżinsy Levi Strauss. Lekcje chemii też sprawiałyby o wiele mniejszą frajdę, gdyby nie palnik Bunsena.

Co jeszcze? Cóż, silnik odrzutowy został co prawda wynaleziony przez Franka Whittle'a i nie ma co do tego najmniejszych wątpliwości, ale to właśnie Luftwaffe wykorzystała go w swoich samolotach o wiele wcześniej niż my.

Podobnie było z Amerykanami i Rosjanami, którzy większość lat sześćdziesiątych spędzili walcząc o przewa-

---

[1] Sitcom nadawany w Wielkiej Brytanii w latach 1972–1985, opowiadający o perypetiach pracowników londyńskiego odzieżowego domu towarowego.

[2] Zespół angielski, który w 1981 roku wygrał konkurs Eurowizji.

gę w kosmosie, ale obydwie nacje zatrudniały niemieckich naukowców i korzystały z niemieckich rakiet.

Myślicie, że Range Rover należy do nas? Obecnie jest własnością Niemców, podobnie jak nowy Mini, nowy Bentley, nowy Rolls-Royce, nowy Bugatti, nowe Lamborghini i wszystkie nowe Chryslery. Nawet Rover 75 jest niemiecki; cały hiszpański przemysł samochodowy jest niemiecki i już teraz mogę się założyć, że w przyszłym roku Niemcy wejdą w posiadanie Ferrari, Alfy Romeo, Lancii i Fiata.

Na Bliskim Wschodzie lądowe wojska niemieckie wypadają raczej cienko, ale samoloty, którymi tam latamy, są w większości niemieckiej produkcji. Poza tym, nie zapominajmy o karabinach SA80. Zaprojektowano je i skonstruowano w Wielkiej Brytanii. Ponieważ jednak nie chciały działać, musiały zostać zmodyfikowane przez firmę Heckler-Koch. Niemiecką firmę.

Nie znam się zbyt dobrze na piłce nożnej, ale porażające zwycięstwo 5:1 dla Anglii w meczu z Niemcami w 1966 roku w Monachium to czysty przypadek. Na ogół przy niemieckich piłkarzach wyglądamy jak upośledzeni. To samo dotyczy tenisa, wyścigów motocyklowych, szybownictwa, inwazji na Polskę i narciarstwa.

Jedynym sposobem na wygraną z Niemcami w sporcie jest wynajdywanie dyscyplin, do których Niemcy są zbyt mądrzy, takich jak krykiet i ta dziwna zabawa na lodzie, gdzie kobieta energicznie macha odkurzaczem przed przesuwającym się czajnikiem.

W tym miejscu powinienem również zaznaczyć, że według mnie Nastassja Kinsky ma większą klasę niż Kate Winslet.

Jeśli zaś chodzi o jedzenie – to faktycznie – Niemcy są beznadziejni. Jesteśmy od nich o wiele lepsi, co zawdzięczamy takim mistrzom jak Marco Pierre White, Angus Steak House i Raymond Blanc.

Eurosceptycy wciąż pytają, czy chcemy, by rządził nami Tony Blair, czy banda wpływowych niemieckich bankierów. Cóż, ponieważ wolałbym już nawet wołka zbożowego od Jego Blairowskości, zdecydowałbym się na bankierów.

Spójrzmy prawdzie w oczy: gdy pociąg niemieckiego metra musnął ścianę, powodując jedynie lekkie obrażenia u pasażerów w szczelnie wypchanych wagonach, służby porządkowe usunęły go z torów, naprawiły uszkodzoną trakcję i metro zaczęło działać już następnego dnia rano[3]. Podobnie, gdy niemieckie ulice zaczyna pokrywać kilkumilimetrowa warstewka śniegu, Niemcy od razu wysyłają na nie całą flotę pługów. Myśl, że z powodu warunków pogodowych można na autostradzie stać w korku przez dwadzieścia godzin, wydaje się tam co najmniej niedorzeczna.

Co z tego, że wszyscy Niemcy chcą się zrzeszać? – w Kolonii jest na przykład towarzystwo założone „w uznaniu dla zasług poczty irlandzkiej". Co z tego, że w Niemczech nie można kosić trawników w niedzielę?

Gdybym miał wybierać swojego przywódcę i miałbym wybór pomiędzy Gerhardem Schroederem a Rumsfeldem, nie wahałbym się ani przez moment.

---

[3] Clarkson nawiązuje do wypadku, jaki zdarzył się w kolońskim metrze, w wyniku którego 7 osób zostało poważnie rannych, a 60 odniosło jedynie lekkie obrażenia.

Ameryka lubi przechwalać się tym, że w ubiegłym wieku dwukrotnie wybawiła Europę ze szponów tyranii. To prawda, ale nie zapominajmy, że w obydwu przypadkach niesamowicie się spóźniła. Jak można było się tego spodziewać, Niemcy byli wtedy jak zwykle punktualni. Lubię, gdy człowiek jest punktualny. Doceniam punktualność jako cechę narodową. I dlatego w tym tygodniu jestem przede wszystkim pączkiem.

Niedziela, 16 lutego 2003 r.

Ratujmy żółwie! Umieśćmy reklamy na ich skorupach

Jeśli chodzi o zasoby światowej fauny, to zeszły tydzień obfitował w same złe wiadomości. Małpy z rodziny makaków dołączyły do listy trzystu gatunków, których samice zamiast po bożemu uprawiać seks z samcem, wolą robić to z innymi samicami.

Okazało się również, że imponujące swymi rozmiarami żółwie skórzaste zostały wpisane na listę zagrożonych gatunków. Ponieważ jednak taki żółw spędza większość swojego życia na głębokości mili pod powierzchnią oceanu, naukowcom trudno jest stwierdzić, czy niedostatek populacji żółwia wynika z wybujałego lesbijskiego homoseksualizmu, czy jest raczej efektem bezwzględnych działań meksykańskich poławiaczy tuńczyków.

Tak czy owak, to wielka szkoda, bo żółw skórzasty zamieszkuje Ziemię od 100 milionów lat.

W rzeczy samej, niektóre arystokratyczne rody żółwi, na przykład takie jak Skórzasty-Smythe, są w stanie odtworzyć swoje drzewo genealogiczne aż do czasów, kiedy to wody oceanów były patrolowane przez plejozaury. Biją na głowę rodzinę Fitzalanów-Howardów, którzy mogą cofnąć się tylko do 1066 roku.

Cóż więc można zrobić? Zawsze twierdziłem, że najlepszą metodą, która efektywnie pobudzi przyrost wymierających gatunków, jest ich konsumpcja. Nie żartuję.

Naprawdę. Gdyby komuś udało się przekonać zapatrzone w „Observera" gospodynie z dzielnic wschodniego Londynu, z Hackney i Hoxton, że najlepszym sposobem przywrócenia blasku włosom jest codzienna porcja pandy wielkiej, na pewno gdzieś znalazłby się ktoś, kto wymyśliłby sposób, by zmusić te przebrzydłe lenie do rozmnażania się.

Mimo to nie wiem, czy ta metoda zdałaby egzamin w przypadku żółwia skórzastego. Jadłem już węże, psy i krokodyle, a we Francji połykałem w całości małe ptaszki. Ale Żółwia Franklina oddzielam od swojego menu grubą kreską. Jeśli żółwie okażą się lekarstwem na raka – nie wzruszy mnie to. Nie tknę nawet najmniejszego kawałka żółwia i koniec.

Nie martwcie się jednak. Tak naprawdę mam inny pomysł, który powinien rozwiązać tę bolączkę naszych czasów. Proponuję, by wykorzystać skorupy żółwi jako przestrzeń reklamową.

Czemu nie? Dawnymi czasy reklamy pojawiały się jedynie w książkach, w telewizji i na billboardach w centrum miast. Teraz są wszędzie.

Za każdym razem, gdy łączę się z Internetem, wyskakuje pytanie, czy nie chciałbym przypadkiem większego penisa (jasne, że tak, pod warunkiem, że nie byłby zarażony jakimś wirusem), więc dlaczegóżby nie wykorzystać do reklam skorupy żółwia?

Żółw, wędrujący wolno brzegiem plaży, jest zawsze z ogromnym zaciekawieniem obserwowany przez wielu ludzi, którzy – dajmy na to – mogą być zainteresowani kupnem nowych lornetek.

Tylko pomyślcie. Końcówka węża dystrybutora na

stacji Shella zachęca do zakupu Snickersa, a przed wejściem na pokład samolotu przechodzimy przez rękaw upstrzony tysiącem powodów, dla których warto zmienić bank na HSBC. Wydaje się, że decyzja o wyborze banku sprowadza się do znalezienia takiego doradcy bankowego, którego gesty nie zostaną w Grecji odebrane jako obraźliwe[1].

Potem, gdy wysiadamy z samolotu, reklamy na wózku bagażowym informują nas o wszystkich nowych i ekscytujących sposobach dotarcia do centrum miasta. Nawet tył kuponu parkingowego stał się obecnie minibillboardem.

W czasach George'a Dixona[2], budki telefoniczne były budkami, w których znajdował się telefon.

Dziś już tak nie jest. Teraz pełne są ogłoszeń skierowanych do starających się o azyl pań z Albanii. Co ciekawe, są w nich też plakaty mówiące o korzyściach, jakie płyną z posiadania telefonu komórkowego.

Czy jechaliście ostatnio londyńską taksówką? Siedzenia składanych foteli prezentują reklamy zachęcające do umieszczenia tam swojej reklamy. W zeszłym tygodniu przyszła do mnie przesyłka reklamowa z prośbą, bym został sponsorem jakiegoś dziecka. Czy to oznacza, że jakaś biedna afrykańska sierota będzie musiała chodzić z napisem: „Oglądaj Jeremiego Clarksona" na czole?

Reklamodawcy wykupili już każdy centymetr kwadratowy przestrzeni, gdzie ludzie choć przez chwilę stoją

---

[1] Aluzja do kampanii reklamowej HSBC opartej na fakcie, że ten sam gest lub słowo może mieć, w zależności od kraju i narodowości, różne znaczenie.

[2] Policjant, główny bohater brytyjskiego serialu telewizyjnego emitowanego w latach 1955–1976.

w miejscu. Pewnego dnia w pubie natknąłem się na reklamy nad pisuarami. To samo dotyczy wind, kin i – jak się domyślam – autobusów.

Pewnie marzycie czasem o pełnym relaksie w jakimś pięknym, odległym zakątku, dokąd można by uciec przed harmiderem konsumpcjonizmu. Zapomnijcie o tym. Już prędzej uda się wam znaleźć ławkę z pamiątkową tabliczką poświęconą osobie, która też lubiła to miejsce.

W centrach miast każdy wiszący kwietnik i każde rondo mają swoich sponsorów. Na szczęście przynajmniej na drogach poza miastem jest lepiej. Reklamodawcy mają zakaz umieszczania billboardów przy autostradach.

Nie myślcie jednak, że możecie poczuć się tam bezpiecznie. Kiedy program o sztuce Melvina Bragga w Radio 4 staje się niezrozumiały, zmieniamy stację na Classic FM i już za chwilę jesteśmy sprowadzeni na ziemię przez reklamy mebli ogrodowych na wymiar.

Problem polega na tym, że niewiarygodna liczba ludzi, którzy są potrzebni by szukać miejsc pod reklamy i jeszcze większa liczba ludzi, którzy miejsca takie sprzedają, sprawi w końcu, że nie zostanie nikt, kto robiłby cokolwiek, co można by reklamować.

W zeszłym tygodniu wybrałem się do Sheffield i z przerażeniem zobaczyłem, że zlikwidowali tam wielką hutę stali tylko po to, by zrobić miejsce dla równie wielkiego centrum handlowego. Będzie istniało najprawdopodobniej tylko dlatego, że wszyscy ci ludzie, produkujący do niedawna noże i widelce, zostali teraz zatrudnieni do jego reklamowania.

Już wkrótce agencje reklamowe będą jedynymi firmami, które pozostaną na rynku. Z punktu widzenia gospodarki to źle. Z punktu widzenia żółwia, to wszystko jedno. Żółw ma gdzieś, czy jego skorupa nosi reklamy firmy Corus, Saatchi Cohen czy Rękawica Kuchenna. Dopóki jeszcze w ogóle może je nosić.

Niedziela, 23 lutego 2003 r.

Dajcie mi chwilę, a przekonam was do hrabstwa Stafford

Uuu... Sss... W zeszłotygodniowej ankiecie kontrowersyjnego magazynu „Życie na Wsi", w której typowano najładniejsze i najohydniejsze hrabstwa, Staffordshire otrzymało tytuł najgorszego miejsca w Anglii.

Na początku uznałem, że ponieważ ankietę przeprowadziło „Życie na Wsi", to najprawdopodobniej nie ma ona zbyt wiele wspólnego z rzeczywistością. Pomyślałem, że policzyli pewnie wyłożone mozaiką z monogramem prywatne baseny w każdym hrabstwie, podzielili tę liczbę przez współczynnik dostępności rukoli, a następnie do wyniku dodali liczbę polowań na lisy, przez co pierwsze miejsce przypadło hrabstwu Devon.

Okazuje się, że wcale tak nie było. Redaktorzy z „Życia na Wsi" odwalili kawał porządnej roboty, analizując ceny, warunki pogodowe, skuteczność rady miejskiej, jakość pubów, spokój otoczenia, sztukę – po prostu wszystko. W wyniku tych badań powstała lista, którą otwierają hrabstwa Devon, Gloucester i Kornwalia. (Kornwalia? Czy oni nie widzieli Nędznych psów[1]?!), a zamyka Staffordshire.

Przyznaję, że z hrabstwem Stafford jest trochę tak, jak z zaginionymi miastami Egiptu. Wiemy, że powinny tam

---

[1] Ang. *Straw Dogs* – brutalny film o amerykańskim naukowcu-pacyfiście, który w poszukiwaniu spokoju przeprowadza się z żoną na angielską prowincję, do Kornwalii, gdzie spotyka ich przemoc ze strony miejscowej ludności.

być. Widzimy je na mapach. Są o nich wzmianki w książkach. Ale gdzie w rzeczywistości leżą, tego nie wie nikt. Ponadto, są one otoczone tak przerażającą okolicą, że nawet Indiana Jones pomyślałby dwa razy, zanim skierowałby tam swoje kroki. To prawda, że Indiana w poszukiwaniu Zaginionej Arki stawiał czoła takim niebezpieczeństwom jak toczące się głazy i zatrute strzały, ale gdyby przyszło mu wyruszyć na ekspedycję, której celem byłoby odnalezienie starożytnego miasta Stafford, musiałby przebyć obydwie Walie, Birmingham lub Cheshire. To makabryczne!

Ja wiem, gdzie leży Staffordshire. Spędziłem tam swoje najciekawsze lata. Chodziłem do szkoły położonej niecały kilometr od Stafford, ze swoim dziewictwem pożegnałem się w Yoxall, pierwszy mandat za przekroczenie prędkości wlepili mi na drodze A38 w pobliżu Barton--under-Needwood, a w Abbots Bromley poznałem, co czuje człowiek przytruty alkoholem, wyrzucony na złamany kark z pubu i rzucony bez żalu przez dziewczynę. Tam nauczyłem się szybkiej jazdy i wszystkich pozostałych ważnych rzeczy. Naprawdę.

Serio. W pubie „Coach and Horses" dowiedziałem się, że można nie przerywając gry w bilard obcałowywać się z dziewczyną. Takich rzeczy na pewno nie nauczysz się w Triverton w hrabstwie Devon.

Pamiętam również powroty latem, o świcie z imprez do domu. Te mgliste poranki są żywym wspomnieniem lata z 1976 roku, kiedy to słońce prażyło jak wściekłe. Przejażdżki przez rezerwat w Blithfield na bagażniku Triumpha Staga matki którejś z dziewczyn, album *Night Moves* Boba Segera odtwarzany na ośmiościeżkowcu. Tak było w hrabstwie Stafford. Mój Boże, było wspaniale! Dlatego przeraziłem się, gdy zobaczyłem wyniki ankiety „Życia na Wsi".

Hrabstwo Stafford gorsze niż Hetford? Gorsze niż Essex? Gorsze niż Wschodni Sussex czy nawet Surrey? Bzdura. Jeśli zwykło się mówić, że Kent jest jak ogród Anglii, to Surrey jest jej tarasem.

Natomiast Staffordshire to jedno z płuc Anglii. Pofałdowany krajobraz rolniczy w okolicach Uttoxeter, pełny kwitnących glicynii, jest tak samo zachwycająco angielski jak w pozostałych zakątkach kraju, a tereny łowieckie w Cannock wilgotnym, jesiennym porankiem, gdy widać krople rosy na paprociach, przypominają park Yosemite, tyle, że w Cannock nie ma urwisk, z których można spaść, ani niedźwiedzi, które mogą cię zjeść.

Tak szczerze mówiąc, Cannock wcale nie wygląda jak Yosemite, ale i tak obfituje w faunę. Jelenie. Jelenie. Jeszcze więcej jeleni. Jeśli dopisze szczęście, można nawet zobaczyć przechadzającego się po lasach szacownego Lorda Lichfielda[2]. A gdzie mieszka książę hrabstwa Devon? W hrabstwie Derby, ot co!

Zwróćcie uwagę, że książę Devonu jest jedyną znaną osobą, jaką to hrabstwo dało Anglii. I nie tylko osobą. Za żadne skarby nie mogę sobie przypomnieć, czy mam w domu coś, co wyprodukowano w Devon. Nawet gdyby hrabstwo Devon pokryć gęstym ogniem z karabinu maszynowego, żadna kula nie dosięgnie ani jednego muzyka, artysty, czy grupy rockowej. Nie trafimy też w bażanta. Te cholerne ptaszyska latają za wysoko!

---

[2] Lichfield – miasto w hrabstwie Stafford i nazwisko związanej z nim rodziny arystokratycznej.

A z Staffordshire pochodzą wasze muszle klozetowe, grupa Climax Blues Band, cała wasza zastawa stołowa i Robbie Williams. W hrabstwie Stafford mieszka mój najlepszy przyjaciel, który ma wspaniałe, jeśli chodzi o wymowę, nazwisko: Dick Haszard. Co więcej, jego wujek jest majorem.

Tłumaczyłem to wszystko redaktorowi mojej kolumny z felietonami. Nie obyło się przy tym bez wielkiego oburzenia i cmokania z niezadowoleniem. Ale w końcu stanęło na tym, że zamiast planowanego tekstu o szwajcarskim jachcie, który został zwycięzcą Pucharu Ameryki napiszę coś w obronie hrabstwa Stafford.

Niestety, nie potrafię. Cały szkopuł w miastach. Stafford. Lichfield. Stoke.

Są po prostu koszmarne. To świetnie, że w Staffordshire znajduje się teren łowiecki Cannock. Jego nazwa pochodzi jednak od miasta Cannock, które byłoby najgorszym miastem na świecie, gdyby nie Burton nad rzeką Trent, też w Staffordshire. Rugeley to jedna wielka elektrownia. W Tamworth jest jak w chlewie, w Newcastle-under-Lyme łatwo zabłądzić a Uttoxeter trudno się wymawia. Wszystko, co można kupić na głównych ulicach tych miast to dom lub hamburger. Wieczorem miasta te oferują glutaminian sodu podany na poliuretanowej tacce i powrót do domu z butelką z odbitym denkiem wystającą z lewego oczodołu.

Wciąż jednak utrzymuję, że Staffordshire wcale nie jest najgorszym hrabstwem. Z pewnością wolałbym mieszkać w Staffordshire niż w Surrey, ale – i to jest poważne zastrzeżenie – argumentacja, że można tam doskonale się bawić, bo sam robiłem to 25 lat temu, jest wyjątkowo głupia. Prawie tak samo głupia, jak zachowanie cwaniaków z Liverpoolu, którzy z perspektywy majątków zbitych nad brzegiem Tamizy twierdzą, że Liverpool to najlepsze miejsce pod słońcem. Cóż, jeśli to prawda, droga Cillo[3], to może byś się tam z powrotem wyniosła?

Niedziela, 9 marca 2003 r.

---

[3] Cilla Black – piosenkarka, aktorka i prezenterka telewizyjna urodzona w Liverpoolu, właścicielka sporego majątku i nieruchomości w Londynie.

Uknięcie przez zasłony do królowej

W zeszłym tygodniu Królowa Anglii niezwykle uprzejmie zgodziła się zrobić przerwę w machaniu do poddanych i pomóc w realizacji mojego programu telewizyjnego o Krzyżu Wiktorii.

W ten sposób w ostatnią środę wykorzystałem tę niespotykaną okazję i udałem się do Pałacu Buckingham aby obejrzeć wzory medali, które Królowa znalazła w jakiejś szafie. Niestety, nie spotkałem samej znalazczyni, ale udało mi się powęszyć po państwowych pokojach, co zapewniło mi niecodzienną możliwość wglądu w życie rodziny królewskiej.

Po pierwsze, nigdy nie mogłem zrozumieć, dlaczego najbogatsza i najpotężniejsza ze wszystkich rodzin królewskich na świecie musi żyć za zasłoną rodem z Coronation Street[1] – firankami w stylu klasy robotniczej. Przecież na przykład w Wersalu nie ma firanek. Ale okazało się, że te w Buckingham Palace są obciążone na dole i zaprojektowane tak, by zatrzymać lecące odłamki szkła, gdyby ktoś podłożył bombę.

To jest coś, czym ty i ja nie musimy się martwić. Podobnie jak nie musimy dzielić domu z pół tysiącem osób obsługi, z których większość, jak się wydaje, opłacona pewnego dnia srebrnikami przez jakiś brukowiec, po-

---

[1] Najdłużej nadawana brytyjska opera mydlana.

stanowiłaby wypaplać wszystko o naszych zwyczajach związanych z chodzeniem do ubikacji.

Dalej są te wszystkie nudy związane z przyjmowaniem gości. W zeszłym tygodniu nowy prezydent Albanii był umówiony na 20-minutową wizytę. Wyobraźcie sobie, jak to musiało wyglądać.

Pewnie wyszli mu na spotkanie, a gdy przyjechał Eurostarem, musieli ukryć zaskoczenie widząc, że nie wysiada z przedziału, ale wyłania się z kryjówki pod podwoziem.

Poza tym Królowa jest co tydzień odwiedzana przez Jego Blairowskość. Może to i było zabawne, gdy był jeszcze nowicjuszem, ale teraz na pewno niezwykle męczące staje się nazywanie go „sirem" i bezustanne całowanie mu stóp.

Zwróćcie uwagę, że Blair to i tak nic w porównaniu ze zwykłymi ludźmi. Każdego dnia banda zacierających ręce uszczęśliwiaczy na siłę udaje się do pałacu z jakąś oficjalną wizytą, i żaden z nich, nieważne jak bogaty by nie był, nie może oprzeć się chęci zwędzenia czegoś.

Zresztą tak samo było ze mną. Przez całe lata odwiedzałem setki domów i ani razu nie poczułem potrzeby, żeby podprowadzić łyżeczkę czy kałamarz. Ale pijąc herbatę w pałacowym pokoju muzycznym, doznałem powalającego ataku kleptomanii.

W oko wpadła mi harfa, ale w zasadzie uszło by wszystko. Filiżanka. Spodeczek. Ostatecznie nawet dzbanuszek do mleka.

Powiedziano mi, że obsługa bacznie pilnuje gości, ale co można powiedzieć widząc, jak wiodący rotarianin wpycha sobie do kieszeni królewski dzbanek do herbaty? Jak do licha dyplomatycznie poprosić o jego zwrot?

Przecież wie, że wiecie, że dzbanek nie wpadł mu do kieszeni sam z siebie.

Co więcej, kiedy Denise Van Outen[2] przechwalała się, że podczas wycieczki do pałacu gwizdnęła popielniczkę, Królowa nie za bardzo mogła wyciągnąć jakieś konsekwencje. Wyglądało by to na skąpstwo. Tak samo jest ze staruszkami, którzy zrywają królewskie kwiaty podczas przyjęć w ogrodzie. Nawet książę Filip nigdy nie wrzasnął: „Ethel, natychmiast zostaw tego storczyka w spokoju!".

Najwyraźniej najwięcej ludzi podkrada królewski żwirek. Całymi garściami. A mnie osobiście najtrudniej było powstrzymać się od zarzucenia samochodem na ręcznym na wysypanym nim pałacowym dziedzińcu.

Jednak najgorszą rzeczą związaną z mieszkaniem w pałacu jest jego wystrój. Królowa jest jedyną osobą na świecie, która oglądając jak Michael Jackson robi zakupy w Las Vegas, mogłaby pomyśleć: „Mam jedną z tych waz".

Wszystko w pałacu jest symfonią ponurych obrazów przodków bez cienia uśmiechu w ramach z pretensjonalnymi złoceniami. W głównym korytarzu różowe i złote sofy w stylu Eltona Johna gryzą się z jasnoczerwonymi dywanami.

Jest to piekło Nibylandii w stylu Derry'ego Irvine'a[3]. A w przeciwieństwie do innych, Królowa nie może po obejrzeniu odcinka programu Homefront[4] zadecydować:

---

[2] Angielska aktorka i prezenterka telewizyjna.

[3] Przewodniczący Izby Lordów, który za pół miliona funtów publicznych pieniędzy zmienił wystrój swojej siedziby w Pałacu Westminsterskim (same ręcznie malowane tapety kosztowały 60 000 funtów).

[4] Program telewizyjny BBC o urządzaniu wnętrz.

„Tu się przebiję, dobiorę jakąś podłogę z naturalnego drewna, jakieś niedbale rozrzucone poduszki w stylu marokańskim, no i zrobię przecierany sufit". Tkwi w tym wszystkim po uszy.

Podobnie jeśli chodzi o jej zajęcia, sprowadzające się do ciągłego machania do poddanych i proszenia o podanie dzbanka z herbatą. Oczywiście, teoretycznie nadal ma władzę wystarczającą by rozpętać wojnę, ale w dzisiejszych czasach Jego Blairowskość może zrobić to samo, no i Królowa wciąż może rozwiązać Parlament.

To właśnie doprowadza mnie do puenty. Wyobraźcie sobie, że macie możliwość pozbycia się tej bandy nierobów z Pałacu Westminsterskiego, a nie korzystacie z niej. Nawet dla odrobiny rozrywki podczas przyjęcia. Różne rzeczy można myśleć o Królowej, jednak z pewnością ma silną wolę.

Możecie twierdzić, że wszystkie cierpienia związane z panowaniem są łagodzone przez jej wielką fortunę. Możliwe, że właśnie tak jest. Ale na co biedaczka może ją wydać? Na jacht wyścigowy? Na Lamborghini? Przecież nie jest Victorią Beckham.

Pewnego dnia trzeba będzie jej instytucję zastąpić przez prezydenta. Ale kto, za 82 pensy rocznie od jednego obywatela, zechce mieszkać w miejscu, które przypomina garderobę Liberace'a[5], i spędzać całe dnie na konwersacjach z jąkającymi się, spoconymi i mizernymi politykami Trzeciego Świata, których świta myśli, jakby tu zwędzić któryś z dywanów?

---

[5] Charyzmatyczny, ubierający się z przesadą, nieżyjący już amerykański artysta estradowy polskiego pochodzenia.

Żeby dobrowolnie się na to zgodzić, trzeba być szaleńcem. Choć z drugiej strony, prezydenci na ogół właśnie nimi są.

Niedziela, 16 marca 2003 r.

Po co wyjeżdżać za granicę, skoro można spędzić wakacje w Hythe?

Co za tydzień. Drzewa obsypały się kwieciem, słońce zawisło wysoko na niebie, a Brytyjczycy wygodnie się rozsiedli i zaczęli zrywać boki oglądając migawki o wczasowiczach we Włoszech, całych zziębniętych i trzęsących się pod swoimi parasolami.

W tym całym sielankowym obrazie jest jednak pewien zgrzyt. Zwykle, gdy nadchodzą słoneczne dni, prezenter prognozy pogody wyskakuje z zaleceniami, mówiącymi jak długo możemy przesiadywać na zewnątrz, nie narażając się na raka.

W tym tygodniu Ministerstwo Udręki wymyśliło coś nowego. W środę podało do wiadomości, że ładna pogoda spowoduje w południowo-wschodniej części kraju smog, który może wywołać trudności w oddychaniu.

Na miłość boską! Kim u licha jest ta opuszczona przez przyjaciół osoba, która, jak tylko nadchodzą tak piękne dni, jak te w tym tygodniu, odsłania na chwilę zasłony i myśli sobie: „O, nie!"? Słuchaj no, koleś, kimkolwiek jesteś. To, że spędziłeś cały weekend siedząc w najciemniejszym zakamarku strychu swojej mamusi i ściągałeś z Internetu zdjęcia gołych bab nie oznacza, że wszyscy musimy robić to samo. Wracaj więc do swojego komputera i zostaw nas w spokoju.

Na coś takiego nie ma miejsca we Włoszech czy Francji. Nawet w Ameryce, kraju słynącym z troski o zdrowie i bezpieczeństwo obywateli, nie ma w radiu komunikatów zalecających pozostanie w domu jak tylko przestaje padać. Amerykanom serwują za to coś takiego: „W Zatoce Tampa na Florydzie mamy piękny poranek. Czeka nas prawdziwy odlot. A teraz – J Geils Band[1]".

A to, co nam serwują, brzmi tak: „W południowo--wschodniej części kraju mamy piękny poranek. Spodziewamy się, że tysiące ludzi zaduszą się na śmierć. Pozostańcie w domach. Cali bladzi. A teraz – Morrissey[2]".

Pomimo nieustannych wysiłków osób, które są gotowe zepsuć nam każdą frajdę, wspaniała pogoda rzeczywiście dała mi do myślenia. Czy to w porządku wyśmiewać milion osiemset tysięcy ludzi, którzy wyjechali na Wielkanoc? Czy tu, w kraju, też można mieć udany wypoczynek?

Ci z was, którzy spędzili Wielki Czwartek w samochodzie w korku myślą pewnie: „Nie. Nie można". Jednak, tak naprawdę, dwie godziny spędzone na słuchaniu radia w samochodzie w godzinach szczytu są o wiele lepsze niż dwie godziny spędzone przy odprawie na lotnisku. W korku na przykład nikt nie zagląda ci do butów.

Utknięcie w korku ma jednak kilka wad. Gdziekolwiek byś nie utknął w Anglii, zawsze znajdzie się jakiś pajac, który w swoim dwusuwowym szybowcu motorowym będzie przez cały dzień krążył 30 metrów nad twoją głową, beznadziejnie i głośno walcząc z wiejącym z naprzeciwka wiatrem o prędkości 7 kilometrów na godzinę.

---

[1] Amerykański zespół glamrockowy, pierwszą płytę wydał w 1970 roku.

[2] Muzyk angielski, piosenkarz, lider grupy rockowej The Smiths.

Nie zapominajmy jednak, że wydawnictwo Lonely Planet[3] ogłosiło Wielką Brytanię najpiękniejszą wyspą na świecie.

Wielka Brytania jest też bardzo urozmaicona. Czytelnicy „The Sun" mogą wyjechać do Blackpool lub Scarborough. Czytelnik „The Independent" może udać się do Walii, a ci którzy kupują magazyn „Taxi" – do Margate. Czytelnicy „Observera", wszyscy jak jeden mąż, mogą wsiąść do swoich Saabów i wyjechać do któregoś z tych drewnianych domków rybackich na przylądku Dungeness[4]. Tam mogą spędzić tydzień udając, że są Derkiem Jarmanem[5] i zamartwiać się bliskim sąsiedztwem elektrowni atomowej.

A co z czytelnikami „Daily Mail"? Cóż, oni z kolei mogą zejść do swoich piwnic, by uniknąć spadających cen domów, morderców i wszystkich innych plag, które mogą pozbawić ich życia w tym tygodniu.

A wy, czytelnicy „Sunday Timesa"? Wam oczywiście pozostają miasta Norfolk i Rock, ale gdybyście chcieli zrobić coś innego – coś o wiele bardziej niekonwencjonalnego – to czy mógłbym zasugerować wam Hotel Imperial w Hythe?

Byłem tam ostatnio i tak jak to zwykle bywa w brytyjskich hotelach na południowym wybrzeżu, kaloryfery grzały pełną parą i było o wiele za ciepło, dywany były zbyt wzorzyste, a pomysły szefa kuchni znacząco przerastały jego możliwości.

---

[3] Wydawnictwo turystyczne.

[4] Przylądek, na którym znajdują się dwie elektrownie atomowe.

[5] Zmarły na AIDS brytyjski reżyser, scenograf, poeta i pisarz.Po diagnozie stwierdzającej chorobę przeprowadził się na przylądek Dungeness.

Nie łudźcie się jednak, że jest to kolejny hotel z rodzaju tych, które w 1960 roku, gdy w Anglii pojawiły się tanie wczasy zorganizowane, wyposażyły pokoje w ręczniki. Nie. W tym hotelu spędziłem jedną z najbardziej urzekających nocy w swoim życiu.

W jadalni na przykład znajdował się ołtarz, a ścianę w głębi pokoju zakrywały jakieś zasłony, za którymi – jak podejrzewam – znajdował się piec. Tak więc jeśli tylko ktoś ze starszych gości, tak licznych tu, na południowym wybrzeżu, padłby trupem uderzając głową w talerz zupy, mógłby zostać na miejscu poddany kremacji. „Ty meldujesz się w hotelu. My cię z niego wymeldowujemy." Może tak właśnie brzmi motto Hotelu Imperial.

Muszę również wspomnieć o naszej kelnerce. Była piękną, małą kobietką, która śmiała się, przepraszam, dosłownie ryczała ze śmiechu za każdym razem, gdy ktoś się do niej odezwał.

Po obiedzie zabrała mnie do schowka na miotły i poczułem, że za chwilę znajdę się w sytuacji Borisa Beckera[6]. Niestety, nic z tego. Powiedziała tylko, że pragnie mi wyjaśnić, że jej nieustanna radość wynika z przebywania na co dzień z Jezusem Chrystusem Naszym Zbawicielem. Jak ja mu zazdroszczę!

W hotelowym barze roiło się od zmarłych emerytów, była też grupa ludzi, którzy twierdzili, że są ze służb specjalnych, a naprawdę byli agentami „same zera", oraz niemieccy terroryści ze *Szklanej pułapki*, którzy przybyli do hotelu lądując helikopterem na trawniku.

---

[6] Pijany Boris Becker w 1999 roku w kredensie londyńskiej restauracji uprawiał seks z kelnerką.

Wyszedłem więc do hallu i wiecie, co zobaczyłem? Gdybym zobaczył rzymską orgię albo zlot Ku-Klux-Klanu, byłbym mniej zaskoczony. A zobaczyłem tam pięćdziesięciu żołnierzy chińskiej armii. A tego na pewno nie można zobaczyć w Sienie.

Czy w takim razie zdecyduję się spędzić wakacje w Imperialu? Raczej nie. Wydawnictwo Lonely Planet na pewno ma rację twierdząc, że Wielka Brytania to najpiękniejsza wyspa na świecie. Z tym, że jeśli chodzi o mieszkanie na niej.

Do spędzania wakacji najpiękniejszą i najlepszą wyspą na świecie jest Korsyka.

Niedziela, 20 kwietnia 2003 r.

Mamy galerie, a co ze sztuką?

Wydaje się, że otwarcie nowej galerii Charlesa Saatchi w Londynie zwróciło uwagę na pewien problem. Teraz, gdy cała Wielka Brytania jest wprost usiana galeriami, zbiory sztuki przestały wystarczać, by wszędzie można było organizować wystawy.

Po raz pierwszy mogliśmy się o tym przekonać na przykładzie Muzeum Guggenheima w Bilbao – jest jak kapelusz ze szczerego złota założony na zapuszczoną głowę przemysłowego miasta w północnej Hiszpanii, na które w przeciwnym przypadku nikt nie zwróciłby uwagi. Muzeum Guggenheima to zdumiewająca budowla. To dobrze, bo wystawy wewnątrz wcale już nie są takie zdumiewające.

Gdy byłem tam kilka lat temu, wystawiany był trójkąt, bardzo mały labirynt i sukienka. Dalsze poszukiwania zaowocowały odkryciem najpopularniejszej w całej historii muzeum wystawy, na której prezentowano tuningowane motocykle.

Ostatnio przypadłość ta zatacza coraz szersze kręgi. Wszystkie manufaktury z okresu rewolucji przemysłowej w Wielkiej Brytanii, które, gdy rozpadło się Imperium, popadły w ruinę, są obecnie przekształcane w galerie sztuki. Na pierwszy rzut oka to niezły pomysł. Z drugiej strony, jak obszerne zbiory zgromadziła galeria Gateshead? Albo Walsall?

Jasne, wiejskie domy kultury zachęcają nas do wspierania lokalnych artystów. Głaszczemy ich po głowie, mówimy, że ich dzieła są wprost wyjątkowe, pytamy ich, skąd im przyszedł do głowy pomysł malowania z zamkniętymi oczami, po czym szybko uciekamy co tchu.

A prawda jest taka, że większość brytyjskich zbiorów sztuki spoczywa w skarbcach japońskich banków.

Reszta znajduje się w galeriach Tate i Narodowej. Przekształcenie dawnej fabryki ścierek w Glossop w lśniącą kombinację halogenowego oświetlenia i podłogi z drewna ostrokrzewu to naprawdę szlachetny pomysł, problem jednak w tym, że trudno znaleźć coś, co można by zawiesić na gołych ścianach.

Kustosz galerii mógłby się zwrócić do nowojorskiego artysty Maurizio Cattelana. Wśród jego ostatnich prac znajduje się naturalnych rozmiarów rzeźba przedstawiająca Papieża przygniecionego meteorytem, który najprawdopodobniej wpadł do środka niszcząc dach galerii. Mamy jeszcze replikę waszyngtońskiego pomnika wojny w Wietnamie, na której zamiast nazwisk poległych żołnierzy, wypisane są porażki, jakich doznała angielska drużyna piłkarska.

Z pracami Cattelana jest jednak pewien problem. W przyszłym miesiącu ktoś ma zapłacić ponad dwieście tysięcy funtów za dwu i pół metrową rzeźbę królika zawieszonego na uszach. Gdyby rzeźbę taką chciała kupić Rada Miejska miasta Walsall, na pewno spotkałoby się to z ostrym sprzeciwem elektoratu.

Tak jak ciągle powtarzam, w dzisiejszych czasach miarą każdego wydatku jest liczba inkubatorów dla niemowląt, które można za daną kwotę kupić, i nauczycieli, którzy mogą być za nią opłaceni. I właśnie z tego powodu Rada Miejska, która wydałaby dwieście tysięcy funtów na dyndającego królika, z pewnością od razu znalazłaby się w gazetach.

Nawet Saatchi nie ma łatwo. Pewnie miał trudności ze zdobyciem miłego dla oka obrazu dzwonków kwitnących na łące autorstwa lokalnego artysty i dlatego wypełnił swoją nową galerię różnymi dziwnymi rzeczami, które dla niewprawnego oka przedstawiają jedzenie, pościel, śmieci i pornografię.

Na przyjęciu otwierającym wystawę, Saatchi polecił 200 osobom leżeć nago przed drzwiami wejściowymi. Niezwykłość tego przedsięwzięcia była tak ogromna, że Helen Baxendale, aktorka, powiedziała, że rozmawiając z Tracey Emin[1] czuła wielki niepokój, obawiając się, że „Tracey mogłaby na mnie nasikać lub coś w tym stylu".

Wewnątrz goście mogli sycić oczy widokiem marynowanego rekina, pokojem wypełnionym do połowy zużytym olejem i odciętą głową krowy pełną robactwa i much.

Ścisły związek tej wystawy z naturą stanowi pewną nadzieję dla właścicieli galerii na prowincji – musieliby tylko rozglądnąć się za lokalnymi rzeźnikami i handlarzami ryb, i już zapewniliby sobie eksponaty wypełniające połowę galerii. Dla nas – dla was i dla mnie – byłoby to jednak zjawisko niekorzystne.

Problem polega na tym, że dzięki Galerii Saatchi, jak również w pewnym stopniu dzięki Laurence Llewelyn--Bowenowi[2], panuje przekonanie, że można udekorować

---

[1] Kontrowersyjna artystka współczesna.

[2] Ekstrawagancki brytyjski projektant wnętrz.

wnętrze domu czymkolwiek i będzie piękne. Nie, wcale nie będzie.

Ja, na przykład, mam w jadalni mały, ładny obrazek. Przedstawia kilka krów stojących nad brzegiem rzeki w mglisty poranek. Wiem, że tak jest, bo obraz został namalowany przez kogoś, kogo zręczność w posługiwaniu się pędzlem sprawiła, że był w stanie oddać kształty krów, mgłę i rzekę.

Niestety, to od razu sprawia wrażenie, że nie idę z duchem czasu. Tak naprawdę powinienem złapać któregoś z moich psów i przybić go do ściany. A może lepiej oprawić w ramki pieczeń i zawiesić na ścianie właśnie coś takiego?

Trudno się zdecydować. Mógłbym na przykład kupić obraz Myry Hindley[3] namalowany odchodami owcy. Tyle, że prawie na pewno musiałbym za niego zapłacić 150 tysięcy funtów.

Chcąc przyozdobić moje mieszkanie w Londynie, wybrałem się na poszukiwania czegoś klinicznie czystego i minimalistycznego. W mieszkaniu mam puste podłogi i ściany w jednym z tych modnych kolorów, który wygląda prawie jak „róż Barbie", choć nie do końca. Gdyby zdjęcia tego mieszkania umieścić w magazynie o wystroju wnętrz, to prezentowałoby się fantastycznie, a ludzie za samo przyjście i pooglądanie płaciliby po 5 funtów od osoby.

Jednak za każdym razem gdy wchodzę do środka, myślę sobie: „Boże, przydałyby się tu jakieś meble". A ludzie mieszkający pode mną myślą pewnie, że przydałyby się jakieś dywany.

---

[3] Dzieciobójczyni, patrz przypis 1, str. 170.

Jest też kolejny problem. Świetnie, że urządzamy mieszkanie zgodnie z obowiązującymi trendami, ale wkrótce przyjdą inne i będziemy zmuszeni zerwać drewniane podłogi i zacząć wszystko od początku.

Jeśli spodnie wyjdą z mody, to nie ma problemu, bo para kosztuje tylko 50 funtów. Ale gdy zachodzi konieczność kupienia całego nowego domu, nie jest już tak wesoło. I z tego właśnie powodu pozostawiam na ścianie moje krowy we mgle. Prawdziwa sztuka, tak jak prawdziwe jeansy, nigdy nie wyjdzie z mody. Nigdy nie usłyszymy, jak ktoś mówi: „Ta Mona Lisa nie zmieniła się już od tygodnia!".

Niedziela, 27 kwietnia 2003 r.

Myślicie, że wirus SARS jest groźny? Są gorsze!

W porównaniu z innymi wirusami, SARS jest po prostu żałosny. Trudno się nim zarazić. Nie jest też wyjątkowo groźny.

Mimo przerażających doniesień, 90% zarażonych SARS jest na dobrej drodze do całkowitego wyzdrowienia. W świetle powyższego to chyba faktycznie rozsądne, by szkoły w Anglii pozostały otwarte, a samoloty wciąż okrążały ziemski glob.

Ale co by było, gdyby był to wirus Ebola? Pierwsze rozpoznanie tego filowirusa dokonane w 1976 roku wyglądało na jakiś żart. Wyniki badań z tamtych lat stwierdzały, że Ebola rozpuszcza tłuszcz i wiele chirurgicznie podrasowanych kobiet, takich jak Liz Hurley czy Victoria Beckham myślało, że Ebola będzie znakomitą alternatywą dla liposukcji. Ja wcale nie jestem lepszy. Przy każdej wizycie u lekarza żartuję, że złapałem Ebola.

Tak naprawdę, to nie ma się z czego śmiać. Ebola atakuje system odpornościowy. Jednak w przeciwieństwie do HIV, który tylko ułatwia innym chorobom dostęp do organizmu i jego zabicie, wirus Ebola załatwia wszystko sam, niszcząc organizm ofiary z tępym uporem rekina i bezwzględnością Terminatora.

Najpierw krzepnie krew, tworząc zatory w wątrobie, nerkach, płucach, mózgu – we wszystkim. Później przychodzi czas na kolagen – rodzaj kleju, który spaja nasze ciała. Skóra zaczyna się odklejać, oczy nabrzmiewają krwią, a organy wewnętrzne rozpuszczają się, po czym wyciekają nosem. Oprócz żołądka. Ten wydostaje się w wyniku wymiotów.

Bez przesady można stwierdzić, że Ebola pożera ofiarę żywcem. Żeby jednak jej śmierć nie poszła na marne, następuje przerażający atak padaczki, podczas którego pięć litrów zakażonej krwi rozbryzguje się na każdego w zasięgu kilku metrów.

Nikt zakażony wirusem Ebola nie umiera z godnością. Poprawa stanu zdrowia dotyczy tylko nielicznych przypadków. W przeciwieństwie do SARS, najagresywniejsza odmiana Ebola, Zair, zabija 90% zarażonych.

Pewnie pomyślicie: no i co z tego? Światu nie zagraża Ebola. A jednak. Pomimo dwudziestoletnich poszukiwań, które pochłonęły wiele milionów dolarów, nie wykryto siedliska tego wirusa. Jedni twierdzą się, że nosicielami są nietoperze, inni, że pająki albo kosmici. Wszystko, co wiemy, to to, że od czasu do czasu ktoś wychodzi z dżungli z krwawiącymi oczami, niosąc żołądek w reklamówce.

Badania wykazały, że wirus Ebola jest nieskomplikowany i pochodzi z odległej przeszłości. Prawdopodobnie istniał już w czasach, gdy Rio de Janeiro było ściśle połączone z Kamerunem. Można z dużą doza prawdopodobieństwa założyć, że przez te wszystkie lata zabił tysiące osób. Jednak ze względu na to, że wirus zabija szybko, trudno mu było się rozprzestrzeniać. Lecz teraz, gdy Zair połączyła z resztą świata sieć dróg lotniczych, zarażona osoba może dotrzeć do Londynu lub

Nowego Jorku zanim zdąży się zorientować, że jest chora.

Przerabialiśmy to przy okazji AIDS. Nie wiemy, od ilu lat to choróbsko istniało w dżungli i towarzyszyło zabawom małp. Gdy powstała szosa Kinszasa, przecinająca Afrykę ze wschodu na zachód i gdy zaroiła się od ciężarówek, plaga AIDS rozprzestrzeniła się na cały świat. W ciągu kolejnych 25 lat na AIDS zmarło 22 miliony osób.

Może się okazać, że w następnych latach, gdy AIDS zdąży już uśmiercić więcej ludzi niż pierwsza i druga wojna światowa razem wzięte, historycy ocenią budowę szosy Kinszasa jako najważniejsze wydarzenie dwudziestego wieku.

Pamiętajmy jednak, że HIV to kolejny żałosny wirus. W powietrzu może przetrwać tylko 20 sekund, pomiędzy ludźmi przenosi się tylko przy uprawianiu namiętnego seksu i potrzeba mu aż dziesięciu lat, by zrobił z ofiarą to, na co wirusowi Ebola wystarcza dziesięć dni.

SARS już pokazał, jak zabójczym nośnikiem epidemii może być transport lotniczy. Pewien lekarz poczuł się źle w hotelu w Hongkongu i w ciągu tygodnia epidemia wybuchła na całym świecie. Nawet Kanada miała swoje pięć minut w wiadomościach.

Zarówno HIV, jak i SARS to wirusy, którymi dość trudno się zarazić. W przeciwieństwie do wirusa Ebola. W 1990 roku amerykańscy naukowcy po przeciwnych stronach sali ustawili dwie klatki. W jednej umieścili małpę zarażoną Ebola, w drugiej zdrową. Dwa tygodnie później zdrowa małpa zdechła.

Sugerując się rozmachem hollywoodzkich widowisk, większość ludzi sądzi, że największe zagrożenie dla rasy ludzkiej to gigantyczny meteoryt lub wojna atomowa o podłożu religijnym. Ale jeśli Ebola dostanie się na pokład samolotu, to, jak twierdzą eksperci, w ciągu sześciu miesięcy wytrzebi 90% naszej populacji. Amerykanie, którzy przodują w wymyślaniu dziwacznych określeń, nazwali wirusa Ebola „czyścicielem".

To właśnie dlatego jestem lekko zaniepokojony reakcją świata na SARS. Wygodnie jest myśleć, że władze mają plany awaryjne na wypadek każdej katastrofy, jaką sobie można tylko wyobrazić. Lecz osobiście odnoszę wrażenie, że na przestrzeni ostatnich tygodni ludzie ci siedzieli bezczynnie w salach narad, mówiąc „och!", „o rety!" i „nie możemy tego zrobić – co powiedzą na to udziałowcy?"

To, czego nam trzeba, to plan, który w sytuacji awaryjnej pozwoli naukowcom i ekspertom medycznym bezzwłocznie zatrzymać ruch lotniczy i wprowadzić godzinę policyjną. Kto mógłby jednak podjąć takie kroki? Światowa Organizacja Zdrowia ze swoimi wpływami nie może nawet dać sobie rady z takim kolosem politycznym jak Kanada.

Amerykanie? Obawiam się, że nie. Każda choroba, która z lubością pożera żołądki, uderzy w pierwszej kolejności w Amerykę. Poza tym, Amerykanie mają kłopoty z odnalezieniem Saddama i Osamy, jakie więc mają szanse na odszukanie czegoś milion razy mniejszego od kropki na końcu tego zdania?

Pozostaje więc ONZ. Ale to już przerabialiśmy.

Niedziela, 4 maja 2003 r.

Mandela po prostu nie zasługuje na to, by stawiać go na piedestale

Wydawało się, że jest to z góry przesądzone. Rada miasta zwróciła się do zespołu artystów z bożej łaski z pytaniem, czy na Trafalgar Square, przy portalach ambasady Republiki Południowej Afryki, można wybudować pomnik Nelsona Mandeli.

O dziwo, w tym tygodniu padła odpowiedź że nie, nie można. Zaraz potem grupa parlamentarzystów z Partii Pracy oraz Ken Livingstone napisali do „Guardiana" by wyrazić swój wielki niepokój.

Osobiście jestem dość zadowolony. Jeśli mielibyśmy już mieć na Trafalgar Square pomnik jakiegoś Nelsona, to chętniej widziałbym tam brązową statuę niedoszłego Elvisa – Ricky'ego Nelsona[1], albo starego kombinatora podatkowego, Williego Nelsona[2]. A tak naprawdę – i polecam to waszej uwadze – marzy mi się uwiecznienie w kamiennym posągu Nelsona Nelsonów – brazylijskiego kierowcy rajdowego Nelsona Picqueta.

Widzicie więc, że moje zastrzeżenia do pomnika Mandeli nie są oparte na jakichś szowinistycznych przesłankach. W Londynie jest trzydzieści tysięcy pomników,

---

[1] Jeden z pierwszych amerykańskich młodzieżowych idoli, w sprzedaży płyt zajmował drugie miejsce zaraz po Elvisie Presleyu.

[2] Amerykański wykonawca i kompozytor muzyki country, w 1990 roku musiał spłacić zaległe podatki w wysokości 16,7 miliona dolarów, wynikające z rozrzutnego trybu życia.

wśród których jest zarówno Ghandi na Tavistock Square, jak i Abraham Lincoln na Parliament Square. Wydaje mi się, że gdzieś widziałem też brązową podobiznę Oscara Wilde'a.

Poza tym, nie mam najmniejszych oporów, by zaakceptować powstanie wyrazistego symbolu równości rasowej na samym środku placu, który niegdyś stanowił centrum Imperium.

Ale jeśli właśnie taki cel przyświeca temu przedsięwzięciu, to myślę, że lepszym rozwiązaniem byłby pomnik Paula McCartneya i Steviego Wondera. Z pomnika mogłyby nawet płynąć dźwięki przeboju tego duetu z 1982 roku, *Ebony and Ivory*[3].

Będę szczery. Chodzi mi o Mandelę. Wiem, że stał się symbolem tryumfu demokracji nad siłami zła i bohaterem ofiar ucisku na całym świecie i jestem pewien, że Livingstone i Spółka mają rację mówiąc, że miliony osób chciałyby ujrzeć tego „wielkiego męża stanu" uwiecznionego w pomniku stojącym w samym środku Londynu.

Jednak Mandela to nie Gandhi. Może się wam podobać to, co reprezentuje – mnie osobiście też. Lecz gdy przyjrzycie się uważnie, kogo dokładnie to całe światło poprawności politycznej oblewa złocistym blaskiem bóstwa, to okaże się, że Mandela jako człowiek jest odrobinę podejrzany.

We wczesnych latach sześćdziesiątych to właśnie on pchnął do konfliktu zbrojnego Afrykański Kongres Narodowy[4]. W tamtych czasach nazywano go „Czarnym Pim-

---

[3] „Heban i kość słoniowa" – przebój McCarthneya i Wondera z przesłaniem dotyczącym równości rasowej.

[4] Partia centrolewicowa rządząca obecnie w Republice Południowej

pernelem"[5]. Jego drugą żoną była Winnie, która obecnie jest już skazana za defraudacje i kradzieże. Jak dowiedzieliśmy się z prasy, szczególnie upodobała sobie naszyjniki Pirelli.

Co więcej, od chwili wypuszczenia z więzienia i wyboru na prezydenta, Mandela miał okazję wygłosić kilka zdumiewających komentarzy na temat spraw na świecie.

Na przykład: Mandela jest głęboko zaniepokojony ciężką sytuacją, w jakiej znalazł się jeden z zamachowców odpowiedzialnych za katastrofę lotniczą nad Lockerbie[6]. Wyraził też poparcie zarówno dla Kadaffiego, jak i dla Castro.

W rzeczy samej, wyróżnił Kubę, z uznaniem wypowiadając się o panujących tam prawach człowieka i wolności. Przepraszam – jakie prawa człowieka? Jaka wolność? Może Mandela powinien wybrać się do nocnego klubu „Cohiba" i zapytać, na kogo oddali głos rodzice jednej z dwunastoletnich prostytutek?

Afryki. Uznała, że pokojowe metody oporu stosowane przez Gandhiego przeciw Imperium Brytyjskiemu nie zdadzą egzaminu w przypadku walki z apartheidem.

[5] Od fikcyjnego przywódcy tajnej organizacji o pseudonimie Scarlet Pimpernel, opisanej w powieści o tym samym tytule autorstwa baronowej Orczy (pimpernel – kurzyślad polny – był znakiem, którym Scarlet Pimpernel podpisywał swoje listy). Organizacja ta, złożona z angielskich arystokratów, w czasie trwania Rewolucji Francuskiej zajmowała się ratowaniem od gilotyny notabli we Francji. Sam Scarlet Pimpernel z powodzeniem ukrywał się przed usiłującymi go schwytać rewolucjonistami.

[6] W 1988 roku w wyniku zdetonowania ładunków wybuchowych na pokładzie Boeinga 747-100 Pan-Am 103 przelatującego nad szkockim miastem Lockerby, zginęło 270 osób z 21 krajów, w tym 11 osób na ziemi. Zamach był odwetem za amerykańskie bombardowanie Trypolisu i Bengazi (1986) i za omyłkowe zestrzelenie pasażerskiego samolotu irańskich linii lotniczych (290 ofiar śmiertelnych) przez amerykański okręt wojenny (1988).

Kiedyś, stając w obronie trzech portorykańskich terrorystów, Mandela powiedział, że popiera każdego, kto walczy o swoje samostanowienie. Czyli także IRA, Czeczenów i Świetlisty Szlak? A co, gdybym tak dał początek ruchowi walczącemu o niepodległość Chipping Norton? Czy gdybym wysadził budynki urzędowe w Oksfordzie i zabił kilku policjantów, mógłbym liczyć na poparcie Mandeli?

A co z ludźmi, którzy porwali samoloty 11 września? Na pewno jednym z ich motywów była autonomia Palestyny. Czy w takim razie Mandela uważa, że działania tych terrorystów są usprawiedliwione? Wcale tak nie uważa – i to jest najdziwniejsze!

Za żadne skarby nie mogę zrozumieć, dlaczego Akademia przyznała Mandeli pokojową Nagrodę Nobla ani dlaczego Charlie Dimmock i Alan Tichmarsh[7] urządzili mu nowy ogród. I nie wiem też, z jakiego powodu powinien zostać uhonorowany pomnikiem na Trafalgar Square. Jeśli poszukujemy kogoś, kto staje w obronie uciśnionych, to może wybierzmy Jezusa? Jestem przekonany, że Jezus nigdy nie wysadził w powietrze żadnego pociągu.

Chciałbym jednak, by powstało coś, co upamiętniłoby Franka Whittle'a. To człowiek, którego wynalazek – silnik odrzutowy – sprawił, że świat stał się globalną wioską. Kto wie, ilu konfliktów uniknęliśmy, zbliżając się w ten sposób do siebie?

Co więcej, ciekawe, jak potoczyłaby się druga wojna światowa, gdyby Brytyjskie Ministerstwo Sił Powietrznych postąpiło inaczej? Przez całe lata Ministerstwo igno-

---

[7] Prezenterzy programów telewizyjnych o tematyce ogrodniczej, patrz również przypis 5, str. 234.

rowało wynalazek Whittle'a. Odmówiło nawet pięciofuntowej opłaty za przedłużenie ważności jego patentu.

Oczywiście, w późniejszym okresie wojny, gdy Ministerstwo zobaczyło odrzutowce zestrzeliwujące rakiety V-2, dokonało zwrotu o 180 stopni. Whittle został uhonorowany tytułami Komandora Orderu Imperium Brytyjskiego, Rycerza-Komandora Orderu Imperium Brytyjskiego i dostał 100 000 funtów. Mianowano go też pułkownikiem lotnictwa. On jednak wiedział, że Anglia mogła mieć odrzutowce jeszcze przed wybuchem wojny, i że dzięki temu można było ocalić miliony istnień ludzkich. Rozczarowany przeniósł się do Ameryki, gdzie zmarł siedem lat później.

Coventry, miasto Lady Godivy, upamiętniło swojego najbardziej znanego syna stawiając mu pomnik. Podobno w klubie Królewskich Sił Powietrznych przy Piccadilly znajduje się popiersie Whittle'a, ale to wszystko za mało. Jego pomnik powinien stać na Trafalgar Square. Nie kosztowałby dużo. Whittle miał tylko metr pięćdziesiąt wzrostu.

Niedziela, 11 maja 2003 r.

W poszukiwaniu straconego czasu, jednego podbródka i życia

Kiedy byłem dzieckiem, czas mijał wolno jak leniwa w swej zmysłowości partia saksofonu. Codziennie słońce wędrowało po bezchmurnym niebie, jakby popychane najdelikatniejszą letnią bryzą. A potem, w zimie, spadał bielutki, skrzypiący śnieg i pozostawał nie topiąc się – jak mi się wtedy wydawało – przez czterdzieści lat.

Pamiętam, jak w moich szkolnych latach spędzałem długie, ciepłe wieczory słuchając długich, ciepłych utworów z albumu *Dark Side of the Moon*.

Wydawało mi się, że jeden z nich sugerował, że czas mija szybko i że jeśli nie wstanę z fotela, nie zdejmę słuchawek Akai i nie zrobię czegoś z moim życiem, kolejne dziesięć lat minie jak z bicza strzelił, a ja wciąż będę „szarpał się na kawałku ziemi w swym rodzinnym mieście, czekając na coś lub na kogoś, kto wskaże mi drogę"[1].

Co za bzdury, myślałem wtedy. W tamtych czasach w szkołach nie było jeszcze pogadanek o szkodliwości narkotyków, ale my ich nie potrzebowaliśmy. Pink Floyd był dla nas żywym i naocznym przykładem tego, czym może skończyć się okazjonalne zażywanie prochów. Każdy nastolatek przecież dobrze wie, że dziesięć lat to całe wieki.

---

[1] Koniec pierwszej zwrotki utworu *Time* z albumu *Dark Side of the Moon* zespołu Pink Floyd wg przekładu Tomasza Beksińskiego.

Niedługo później stuknęły mi 23 lata, a czas wciąż „przeciągał się jak dziwka"[2], unosząc się jak torebka z nasionami, która wpadła do spienionego nurtu górskiego potoku. Będąc dwudziestolatkiem miałem nawet więcej czasu niż w dzieciństwie, głównie dlatego, że bardzo mało go traciłem na sen.

W wieku 33 lat wszystko się jednak zmienia. Czas zakłada na plecy stelaż z silnikami odrzutowymi, włącza dopalacze i rusza z kopyta z prędkością trzech machów. Słońce przelatuje przez niebo tak, jakby Bóg trzymał palec na przycisku szybkiego przewijania. Mrugniesz okiem i możesz stracić cały miesiąc.

Rozmawialiśmy o tym aż do znudzenia w czwartkowy wieczór, kiedy to spotkałem się z paczką kumpli na pizzy w naszej ulubionej knajpce w Wandsworth. Chodziliśmy tam często na początku lat osiemdziesiątych, co – jak wszyscy się zgodzili – wydaje się, jakby było wczoraj.

Dziwne, prawda? Żaden dwudziestolatek nie powie: „Rany, mam wrażenie, że jeszcze wczoraj miałem dziesięć lat". Mój Boże! Od momentu, w którym pozbywasz się marzeń i zdajesz sobie sprawę z tego, że nie zostaniesz już pilotem myśliwca, do chwili, w której twoje ciało zaczyna puchnąć i rozkładać się, czas biegnie z szybkością i energią piosenki Kylie.

Gdy miałem 20 lat, chodziłem z kumplami do pubu. Gdy miałem 30 lat, wciąż chodziłem z kumplami do pubu. W tym czasie nic się nie wydarzyło. Nic się nie zmieniło. Ale potem... potem zaczęło się piekło.

Jeden z nas przeprowadził się do Francji, inny umarł, jeszcze inny się rozwiódł. Ktoś zaczął grać w golfa, ktoś

---

[2] Tłumaczenie fragmentu piosenki Davida Bowie *Time*.

(ja) zapuścił sześć nowych podbródków, komuś wycięto płuco i amputowano wszystko od pasa w dół, a ktoś toczy niekończącą się batalię ze swoją żoną, najwyraźniej dotkniętą jakąś psychiczną przypadłością, o przyznanie opieki nad dzieckiem. Dwóch kumpli opieka społeczna przeniosła z ich luksusowego apartamentu do bezpiecznego miejsca w Uxbridge... bez najmniejszego powodu.

Dziesięć lat temu z restauracji wychodziliśmy tylko wtedy, gdy kończyły się nam pieniądze, lub – jeszcze częściej – gdy w piwnicy nie było już wina. W czwartek wyszliśmy o jedenastej, ponieważ byliśmy już zmęczeni.

Nazajutrz obudziłem się o ósmej rano i stwierdziłem, że mam trzy kolejne podbródki i strasznego kaca. W tym czasie kolejne trzydzieści lat śmignęło mi przed nosem.

Nie mogę uwierzyć, jak szybko mija teraz czas. Wychodzę ze studia *Top Gear*, piszę to, witam się z dziećmi i znów jestem w studiu. Wygląda to tak, jakby Bóg zwolnił z odliczania czasu Oscara Petersona[3] i przekazał to zadanie szalonemu perkusiście Cozy'emu Powellowi[4].

To zdumiewające. W sobotnie popołudnia graliśmy w Ryzyko tylko po to, by zabić czas pozostały do kolejnego otwarcia pubu. Zawsze znajdowałem chwilę, by przeczytać książkę i nie tylko posłuchać utworów Floydów, ale i zrozumieć, o co w nich chodzi. Jeździłem szybko, ale tylko dla własnej przyjemności. Teraz jeżdżę szybko, by zdążyć na czas.

Czytam ze smutkiem o ludziach, którzy rezygnują z życia w Londynie, bo myślą, że skoro są daleko od metra

---

[3] Kanadyjski kompozytor i pianista jazzowy, urodzony w 1925 roku.

[4] Brytyjski perkusista rockowy, występował z wieloma zespołami i wykonawcami.

i nie prześladuje ich wyczekujące mruganie komputerowego kursora, mogą całymi dniami swobodnie unosić się jak nasionka dmuchawca. Nic z tego. Dziś nie jest problemem „gdzie jesteś". Dziś liczy się „kiedy jesteś".

Dawnymi czasy żeniłeś się będąc nastolatkiem, dzieci miałeś będąc dwudziestolatkiem, zarabiałeś trochę funciaków w wieku lat trzydziestu, mając czterdziestkę i pięćdziesiątkę dobrze się za nie bawiłeś, a potem, jako sześćdziesięciolatek przechodziłeś na emeryturę.

Dzisiaj, będąc nastolatkiem, nie robisz nic, będąc dwudziestolatkiem też, a mając czterdzieści lat, nie liczysz się już na rynku pracy, bo jesteś skończonym człowiekiem o siedmiu podbródkach, wyjałowionym umyśle i męskich piersiach. A to oznacza, że musisz upchnąć całe swoje życie w czas, gdy jesteś trzydziestolatkiem.

To dlatego czas zasuwa wtedy z prędkością 3000 kilometrów na godzinę.

Cóż, obecnie mam 43 lata i chcę z powrotem mój saksofon. Chciałbym leżeć na plecach, ze źdźbłem trawy w ustach i nie myśleć o niczym innym oprócz tego, jakie będą moje ostatnie słowa.

Mój ojciec właśnie tak zrobił i gdy umierał, powiedział mi: „Synu, jestem z ciebie dumny". A Adam Faith[5] wciąż spłacał długi, przez co zakończył swoje życie słowami: „Kanał Piąty jest do d**y, nieprawdaż?".

Jestem winny przeprosiny. W zeszłym tygodniu napisałem, że pod koniec drugiej wojny światowej używano samolotów odrzutowych do strącania rakiet V-2.

---

[5] Brytyjski aktor i piosenkarz, później dziennikarz i doradca finansowy. Stworzył stację telewizyjną Money Channel, która okazała się fiaskiem i wpędziła go w długi.

Wiele osób zwróciło mi potem uwagę, że chodziło o rakiety V-1. Powinienem był to sprawdzić, ale nie miałem czasu. Przepraszam.

Niedziela, 18 maja 2003 r.

W poszukiwaniu prawdziwego ogrodu na wystawie w Chelsea

Co tydzień wsiadam do przerażająco mocnego samochodu i pędzę jak szalony po torze wyścigowym w kłębach dymu ścieranych opon i przy ryku silnika. Ta nieustanna walka z prawami fizyki to naprawdę niebezpieczna gra. Pewnego dnia nieuchronnie skończy się płaczem.

Tak czy owak, program, który w ten właśnie sposób powstaje, potrafi czasem przyciągnąć nawet 3,7 miliona widzów, co sprawia, że jest drugim pod względem oglądalności telewizyjnym show stacji BBC2.

Co ciekawe, i zarazem irytujące, przegrywamy ze *Światem Ogrodnika*, w którym to programie człowiek o nazwisku Monty Don przenosi ziemię z jednego miejsca w drugie i strasznie się podnieca, mówiąc o swojej nowej pryzmie kompostowej. Co więcej, jeśli dobrze rozumiem, mówi głównie po łacinie.

Podobnie wygląda sprawa z imprezami organizowanymi dla szerokiej publiczności. Tętniąca niegdyś życiem wystawa samochodów w Londynie, urozmaicana przez ślicznotki w bikini, już od kilku lat krztusiła się plując krwią, by w końcu umrzeć na wieki. Tymczasem wystawa kwiatów w Chelsea wciąż stanowi wielką atrakcję. W tym roku przyciągnęła nawet i mnie.

Potrzebowałem jakiejś fontanny i może jakiegoś posążku do mojego ogródka, w którym niedawno wybrukowałem alejki.

Lubię brukować. Bruk nie wymaga koszenia i w przeciwieństwie do trawy, która zawsze wydaje się pałać chęcią zemsty, bruk nie jest złośliwy i nie wywołuje u mnie kataru siennego.

Niestety, fontanną, która wywarła największe wrażenie na uczestnikach tegorocznej wystawy w Chelsea, było niebo. Zmusiło ono wszystkich zwiedzających do wejścia do namiotu z kwiatami. A kwiaty mnie nudzą.

Przez pięćdziesiąt tygodni w roku nic się z nimi nie dzieje, a przez pozostałe dwa też nic się z nimi nie dzieje, bo okazuje się, że posadziłeś je w miejscu, gdzie było zbyt gorąco lub zbyt ciemno, za wysoko lub za nisko w stosunku do poziomu morza. No i ziemia była nie taka, jak trzeba. Nie mówiąc już o wietrze.

Na szczęście ludzie sprawiają, że nie można się nudzić. Na wystawie samochodów stoisz w kolejce z facetami o imionach Ron i Derek po plastikowy kubek ciemnego piwa. Na wystawie w Chelsea za każdym razem, gdy przystajesz, częstują cię szampanem i możesz też w końcu zobaczyć na własne oczy Cherie Blair[1].

Ze zdziwieniem stwierdziłem, że cała ta impreza jest bardzo elegancka. Jest sponsorowana przez bankierów. Przypuszczam, że wychodzą z założenia, że skoro ludzi interesują krzaki w cenie trzydziestu tysięcy funtów za sztukę, to mogą mieć sporo płynnej gotówki, której dobrze zrobiłby pobyt w banku.

---

[1] Żona premiera Tony'ego Blaira.

Przez to, że wystawa jest elegancka i wszyscy są w garniturach, trudno było zauważyć jakichś bankierów. Czy to nie Rowan Atkinson? Czy to nie książę Andrzej? Do diaska, przecież to gość z Merrill Lynch[2], reklamujący nowy rodzaj konta bankowego ze szwajcarskim systemem oprocentowania.

Wyrwałem się stamtąd, by zobaczyć ogród zrobiony przez więźniów. Czegoś tu nie rozumiem. Od zawsze wmawiano nam, że więźniów wypuszcza się z cel tylko po to, by pod prysznicem użyli sobie przez chwilę męskiej miłości, a tymczasem co roku na wystawie Chelsea pojawia się model Ogrodów Babilonu w skali jeden do jednego, wykonany przez więźniów z tego czy z owego mamra.

Jak to możliwe, skoro nie są wypuszczani na zewnątrz? Skąd biorą ziemię? Bez żartów, gdybym był jednym z więziennych strażników, zaraz zerknąłbym pod podłogę i założę się, że zobaczyłbym tam Charlesa Bronsona z *Wielkiej ucieczki*[3], kopiącego tunel „Harry".

W końcu przestało padać i wyszedłem na zewnątrz, by przyjrzeć się posągom. Dlaczego wszystkie przedstawiają Wenus? Dlaczego każdy rzeźbiarz, który siada przed kamiennym blokiem myśli: „Już wiem. Wyrzeźbię tę panienkę bez rąk". Dlaczego nikt nie wpadnie na to, by stworzyć podobiznę Stalina? Albo Keitha Moona[4]?

A jeśli już zdecydują się na jakieś zwierzę, jest nim zawsze wydra. Ludzie! Przecież jesteście artystami! Wysilcie trochę wyobraźnię. Wydra – proszę bardzo, ale niech bę-

---

[2] Kompania bankiersko-maklerska.
[3] Patrz przypis 3, str. 186.
[4] Perkusista grupy *The Who*, patrz str. 175.

dzie to Mij z filmu *Wydra pana Grahama*, z łopatą wbitą w tył głowy. Albo jeszcze lepiej: można by zrobić rzeźbę przedstawiającą Hitlera tłukącego wydrę łopatą na śmierć. I to jest coś, co chętnie bym kupił.

Potem podszedłem do ekspozycji z fontannami. O raju! Niektóre były naprawdę wyjątkowo pomysłowe. Srebrne i fioletowe kaskady wody, które spływały dwojąc się i trojąc były wspaniałe i z pewnością wyglądałyby dobrze tam, gdzie najlepiej pasują: w hallu hotelu dla biznesmenów na lotnisku we Frankfurcie.

Problem w tym, że potrzebuję fontanny, która huczy, a nie tylko pluska. Chcę mieć w ogrodzie wodospad Niagara zasilany Viagrą! Niestety, pomimo intensywnych poszukiwań, nie udało mi się znaleźć czegoś takiego na wystawie w Chelsea.

W rzeczy samej, nie widziałem niczego, co mogłoby mieć choć trochę wspólnego z moimi wyobrażeniami o ogrodzie. Na chwilę zatrzymałem się przy klombie kwiatów, który był wysypany tłuczonym, niebieskim szkłem. Wyglądał wspaniale i stanowił radosną alternatywę do posępnego, brunatnego koloru ziemi czy kory.

Już wyciągałem rękę, by zanurzyć ją w tym szklanym błękicie, kiedy dosłownie znikąd wyrósł przede mną jakiś mężczyzna. „Na pana miejscu nie robiłbym tego" – ostrzegł, pokazując mi swoje ręce, które wyglądały tak, jakby zostały przepuszczone przez krajalnicę do bekonu. Po co więc używać szkła jako substytutu ziemi? Chyba nie po to, żeby twój pies mógł sobie poobcinać nogi?!

Tego wieczoru wracałem do domu odrobinę sfrustrowany. Kiedy dotarłem na miejsce, mój nastrój jeszcze się pogorszył. Dwa lata temu zasadziłem żywopłot by oddzielić moją zagrodę od drogi. Już zaczynał się powoli rozwijać. Małe, nagie gałązki stały się minidrzewkami.

Ale oto jakiś palant w nieubezpieczonym Fordzie Sierra stracił na zakręcie panowanie nad kierownicą i połamał wszystko w drobny mak. Przeklęci amatorzy ulicznych wyścigów. Po stokroć przeklęci!

Z pewnością wystawcy z Chelsea mogliby doradzić mi, jak powinien wyglądać mój nowy żywopłot. Pewnie byłyby to drzewka bonsai, wymagające podlewania winem chablis co piętnaście minut i rosnące najlepiej w zacienionej w kratkę grządce wysypanej nieoszlifowanymi diamentami.

Niedziela, 25 maja 2003 r.

Sięgać tam, gdzie dotąd nikt nie sięgał: najgłupsze rekordy świata

Wygląda na to, że Australia utrzymuje nowoczesną marynarkę wojenną tylko po to, by ratować nieszczęsnych brytyjskich odkrywców z ich małych, przewróconych do góry dnem łódek.

W zeszłym tygodniu australijska fregata przepłynęła tysiące mil na ratunek dwóm kolesiom, którzy wiosłując próbowali przepłynąć cały Ocean Indyjski. Nie, ja też nie wiem co się stało, ale z tego, co słyszałem, jeden z nich nabawił się bólu głowy od uderzenia wysokiej fali i postanowił zrobić sobie wolne.

Któż mógłby zapomnieć epicką opowieść Tony'ego Bullimore'a, który zaczął zjadać siebie samego po tym, jak jego jacht wywrócił się do góry dnem na Oceanie Południowym. Na szczęście zdążył obgryźć tylko połowę jednej ręki, gdy na horyzoncie pojawił się okręt HMAS „Adelaide".

Wszystko to wygląda, jak coś w bardzo męskim stylu, ale australijscy podatnicy zaczynają być odrobinę rozzłoszczeni, a ja muszę przyznać, że ich rozumiem. Australijska marynarka wojenna została wciągnięta w niedawne przepychanki na Bliskim Wschodzie i przeżyła gorący okres patrolując wody północnego wybrzeża Australii w niekończącym się poszukiwaniu zdesperowanych Indonezyjczyków, dryfujących przez czternaście lat na tekturowych łodziach z zapasami jedzenia zgromadzonymi wyłącznie pod paznokciami.

A teraz co piętnaście minut australijska marynarka musi rzucać swoje zajęcia, przepływać w podłych warunkach pogodowych 1500 mil i trwonić niebagatelne sumy, by ocalić jakiegoś Anglika z upiorną brodą, któremu pozostała tylko kamizelka ratunkowa.

Problem w tym, że ludzie wspięli się już na wszystkie najwyższe góry i przepłynęli już samotnie przez wszystkie najniebezpieczniejsze połacie oceanów pozbawione żywej duszy. Jednak pomimo tego, że wszystkie rekordy zostały już ustanowione, świat jest wciąż pełen Chichesterów[1], Hillarych[2] i Amundsenów[3].

Tacy ludzie muszą więc wymyślać coraz głupsze rzeczy, by zaspokoić swoją potrzebę uszczknięcia choćby małej części minionej chwały. Dopisują więc kilka nowych wymagań do wytycznych, przy których ustanowiono stary rekord i wyruszają z Margate by zostać Pierwszą w Historii Osobą, Która na Kiju na Sprężynie Obskoczyła Świat Dookoła Tyłem do Przodu.

Oglądaliście może w zeszłym tygodniu program o bazie wypadowej w Himalajach? To istny szwedzki stół pełen dopaminy i szaleństwa, dookoła którego kreci się mnóstwo dziwacznie ubranych ludzi z czterech stron świata.

---

[1] Sir Francis Chichester jako druga osoba w historii opłynął samotnie kulę ziemską. Wyruszył w 1966 roku, rejs zakończył po 9 miesiącach i jednym dniu, pobijając dotychczasowy rekord. Jako pierwsza osoba płynął z zachodu na wschód.

[2] Sir Edmund Percival Hillary w 1953 roku jako pierwszy zdobył Mount Everest.

[3] Roald Amundsen, norweski badacz polarny, w 1911 roku jako pierwszy dotarł na Biegun Południowy.

„Tak, próbuję zostać pierwszym Chińczykiem, który wejdzie na Mount Everest w spódniczce baletowej".

„Doprawdy? Ja będę co prawda drugim Peruwiańczykiem, który wyjdzie na górę w kombinezonie nurka, ale mam nadzieję, że pierwszym, który nie wróci na dół".

Weźmy kolesia o nazwisku Pen Hadow. Wyraźnie widać, jak w jego oczach połyskują sople lodu. Jego biologiczne uwarunkowania sprawiają, że musi wyruszyć w Arktykę. Ale jaki rekord pozostał jeszcze do pobicia? Mamy już osobę, która jako pierwsza dojechała do Bieguna Północnego, mamy też osobę, która jako pierwsza dotarła tam pieszo, bez żadnego wsparcia, oraz prawdopodobnie pierwszą osobę, z Rosji, która jako pierwsza pobiegła truchtem na Biegun w kilcie[4]. Ale Pen nie zamierzał zostać pokonany zanim w ogóle wyruszy.

Poślęczał trochę nad księgami rekordów i trafił na coś dla siebie. Eureka! Postanowił zostać Pierwszą w Historii Osobą, Która bez Wsparcia Zdobędzie Geograficzny Biegun Północny Wyruszając z Kanady.

Wymagało to jazdy na nartach, wspinaczki i pływania po otwartych wodach z ważącymi 130 kilogramów sankami na plecach. Ale udało mu się, co zostało poświadczone przez turystów, którzy z ciepłych wnętrz swoich helikopterów i statków wycieczkowych obserwowali, jak Pen dociera do celu podróży.

Niestety, Pen nie był w stanie wrócić o własnych siłach. Dlatego jakiś biedny kanadyjski pilot, który właśnie siedział z rodzinką pałaszując smakowite kanapki z łososiem, musiał przeprowadzić śmiałą i widowiskową akcję ratunkową z powietrza.

---

[4] Szkocka spódnica.

I to jest mój największy zarzut, jaki stawiam współczesnym odkrywcom. Gdy łódź Shackletona rozbiła się o lód, nie pomyślał: „O żesz, na zewnątrz jest ciutkę zimno. Wezwijmy Argentyńczyków przez telefon satelitarny, niech przypłyną tu jakimś niszczycielem". Nie. Shackleton zjadł swoje psy, zanucił kilka piosenek i co żywo powiosłował, wychodząc cało z opresji i zapisując się w naszej pamięci jako bohater narodowy.

Porównajmy tę historię z przypadkiem niejakiego Simona Chalka. W zeszłym roku trzeba go było ratować po tym, jak jego łódź wiosłowa miała stłuczkę z wielorybem. A teraz chce wyruszyć znowu, by zostać Najmłodszą Osobą w Historii, Która Samotnie Wiosłując Przepłynęła z Australii na Wyspę, o Której Nikt Nie Słyszał.

Słyszałem już o kimś, kto wiosłując przepłynął Ocean Spokojny, więc nie rozumiem, dlaczego mamy się podniecać jakimś gościem, który przepłynie o wiele krótszy dystans w stylu, o którym wszędzie dziwnie głośno. Według BBC: „Osiemdziesiątego piątego dnia skończą się mu napoje, potem będzie musiał przetrwać pijąc czystą wodę".

Przepraszam. Jakie napoje? Czy po ciężkim dniu zmagań Simon przygotowuje sobie dżin z francuskim wermutem?

A teraz przedstawię rekord, który chciałbym pobić osobiście: Najbardziej Luksusowa Przeprawa przez Najmniejszy, Najcieplejszy Ocean Świata, Na Diecie Zawierającej Jedynie Przepiórcze Jaja i Sól z Selera.

W międzyczasie chciałbym zasugerować coś tym wszystkim, którzy są szczęśliwi tylko wtedy, gdy chorują na gangrenę, i gdy czują, że żyją tylko wtedy, gdy są cal od śmierci. Przestańcie się wygłupiać z tymi waszymi

powywracanymi do góry dnem łódkami na wodach południowych oceanów. Jeśli chcecie bawić się w próby
wytrzymałościowe na morzu, róbcie to u wybrzeży
Ameryki.

Gdyby coś poszło nie tak, na ratunek przybędzie Marynarka Stanów Zjednoczonych.

A jeśli do wyławiania pana Scotta-Shakeltona, który
próbował przepłynąć pod wodą z San Francisco do Tokio,
oddelegują amerykański okręt wojenny, nie będzie on
w stanie wystrzelić gradu pocisków w kierunku jakiegoś
nieszczęsnego kraju, o którego istnieniu dowiedział się
w tym tygodniu George W. Bush.

To sprawi, że pan Tempelman-Ffiennies tak czy owak
odniesie zwycięstwo. Jeśli się mu powiedzie, zostanie
Pierwszą w Historii Osobą, Która Przebyła Pacyfik na
Rowerze. A jeśli nie, to ocali świat.

Niedziela, 8 czerwiec 2003 r.

Beckham już próbował, a teraz moja kolej, by przemówić kibicom do rozsądku

Jeśli jeszcze raz dojdzie do walk na trybunach, angielska reprezentacja piłkarska nie zostanie dopuszczona do udziału w Olimpijskich Rozgrywkach Pucharu Świata 2004[1].

Było to dla mnie pewną niespodzianką, bo myślałem, że rozróby kibiców to już przeszłość. Myślałem, że trybuny stadionów pełne są rodzin, które wymieniają się komentarzami w stylu: „O, popatrzcie na ten wspaniały drybling Michaela!" lub „Rany, widzieliście tę nową opaskę na głowie Davida?!".

Jednak najwidoczniej tak nie jest. Sprawy chyba musiały zajść już za daleko, bo ostatnio sam Prezydent Beckham wygłosił przemówienie do narodu. Naprawdę, nie żartuję, dokładnie to wyczytałem w gazetach: Beckham „wygłosił przemówienie do narodu", apelując o spokój przed zbliżającymi się jakimiś tam mistrzostwami, nieważne jakimi, które możemy zaprzepaścić.

To dobry moment by przystanąć na chwilę i zastanowić się nieco nad tym, dlaczego ludzie walczą ze sobą i co może ich przed tym powstrzymać.

Pewnego dnia zatrzymałem się w jednym z północnych miast Wielkiej Brytanii. Nie zdradzę w którym, bo

---

[1] Clarkson przez użycie niepoprawnej nazwy celowo demonstruje swoją ignorancję w kwestii futbolu.

lokalna prasa piętnowałaby mnie przez sześć kolejnych miesięcy. Nazwijmy je więc Rotherhullcastlepool.

W każdym razie, naprzeciw hotelu znajdował się klub nocny, a przed nim stała długaśna kolejka ludzi, których ubrania skłaniały do wniosku, że chłód wcale im nie przeszkadza.

Stanie w kolejce do wejścia o jedenastej w nocy, gdy wiadomo, że klub jest już pełny, wydało mi się dziwne. Tym bardziej, że nic nie wskazywało na to, by jakieś miejsca miały się zwolnić. Nikt nie wychodzi z klubu przed jedenastą, a już na pewno nie wtedy, gdy najbliższy znajduje się w oddalonym o 40 mil mieście Donfieldgow-on--Trent.

Myliłem się. Z klubu co pięć minut wylatywało po dwóch okładających się pięściami gości w poszarpanych koszulkach. Po przywołaniu ich do porządku kilkoma kopniakami, bramkarze wpuszczali do środka dwie następne osoby z kolejki.

Przyglądając się temu wszystkiemu przez chwilę, zacząłem się zastanawiać, co może powodować tak dużą liczbę bójek w tym klubie. Alkohol? Kobiety? Narkotyki? Gangsterzy? Nie sądzę. Myślę, że u podstaw tego problemu leży brak inteligencji.

Gdzieś słyszałem, że gdyby wszystkie zwierzęta były tej samej wielkości, to najmniejszy mózg miałby homar. Wszystko, co umie homar, to jeść i chwycić kleszczami każdego, kto rozleje jego piwo.

Cóż, to jest dokładnie to, z czym można spotkać się w klubach na północy kraju. Ktoś popatrzy na twoją dziewczynę, ty walisz go z pięści. Ktoś popatrzy na ciebie, też walisz go z pięści.

Gdy się ma do czynienia z naprawdę ograniczonymi osobnikami, każda interakcja prowokuje „odpowiedź homara".

Moje starsze dzieci mają umysł na poziomie ośmio- i siedmiolatka. To dlatego, że mają odpowiednio osiem i siedem lat. Ciągle się biją. Gdy mój syn nie chce dać swojej wielkiej siostrze chipsów Pringles, zarabia od niej mocnego kuksańca. Dzieci nie mają jeszcze wystarczająco bogatego słownika, by wdawać się w mądre polemiki.

To samo dzieje się w Ameryce. Ponieważ Stany to stosunkowo młode państwo pełne stosunkowo głupich mieszkańców, do sformułowania rozsądnej riposty brakuje im inteligencji i życiowego doświadczenia. Tak więc jeśli ktoś ich szturchnie, od razu wysyłają do ataku mnóstwo eskadr swoich odrzutowców i lotniskowców.

Osobiście nigdy nikogo nie uderzyłem. Może i nie mam umysłu Johna Humphrysa[2] ani wyczucia Stephena Frya[3], ale nawet ja, zdobywca sześciu trój na świadectwie maturalnym, wiem, że jeśli kogoś uderzę, mogę od razu spodziewać się bolesnego odwetu. Najlepiej więc w takiej podbramkowej sytuacji uciekać, gdzie pieprz rośnie.

Tylko raz nie miałem takiej możliwości. Kiedyś moją dziewczynę przypał do ściany jakiś umięśniony, wytatuowany zbir, którego bełkot wskazywał na spożycie alkoholu i pochodzenie z Glasgow. Nalegał na całusa.

Cóż miałem robić? Rozsądek podpowiadał: „nic", ale z drugiej strony obawiałem się przerażającej awantury po powrocie do domu. Po tym trwającym chwilę rachunku

---

[2] Prezenter telewizji BBC, znany jako ostry krytyk mało ambitnych programów telewizyjnych.

[3] Brytyjski aktor komediowy, pisarz i reżyser.

zysków i strat, delikatnie klepnąłem pijanego Szkota w ramię i powiedziałem, jak tylko najuprzejmiej potrafię: „Przepraszam bardzo...".

Gwałtownie się odwrócił, w jego oczach pojawił się ogień, a dłonie błyskawicznie zwinął w pięści z hartowanej stali. Uderzenie jednak nie nastąpiło. „Jezu, ale wielki sukinsyn!" – krzyknął i zwiał. Nigdy już nie byłem tak dumny z siebie, jak wtedy.

Uderzono mnie tylko raz. Był to mocny, prosty, doskonale obliczony cios pięścią w policzek. W ten sposób uderzył mnie jakiś Grek, w obecności dwóch policjantów, którzy potem aresztowali mnie za to, że zostałem pobity. Czyli wszystko się zgadza. Całkiem sporo Greków jest głupich jak but z lewej nogi. Ale czy ten Grek uderzyłby mnie, gdyby nikt nie patrzył?

Czy do bójek dochodzi w świetle sączącym się z twojej lodówki? Czy bójki trwają długo, gdy w pobliżu nie ma żywej duszy? Czy może właśnie potrzebna jest publiczność, która rozinieci ogień walki, a potem rozdzieli walczących, gdy sprawy przybiorą naprawdę zły obrót i gdy zacznie lać się krew?

Kiedyś rozmawiałem z budowlańcami, którzy znają się na takich rzeczach. Najwyraźniej w ciągu całego swojego życia nie słyszeli o czymś takim jak walka jeden na jednego. Nie ma czegoś takiego jak dwóch gości, którzy zdejmują marynarki i udają się spokojnie na tyły pubu, by coś między sobą załatwić.

Tak więc, jeśli reprezentacja Anglii chce uniknąć kłopotów, musi grać bez publiczności, i to zarówno tej na trybunach, jak i tej przed telewizorami. A najlepiej będzie, jeśli Prezydent Beckham, niezależnie od tego, jak przyzwoity i zdrowy tryb życia prowadzi i jak bardzo jest pełen dobrych intencji, przestanie wygłaszać przemówienia do narodu.

Tak naprawdę, najlepiej by było, gdyby Beckham całkowicie zostawił naród w spokoju, zanim ktoś wpakuje but w jego drugie oko[4].

Niedziela, 15 lipca 2003 r.

---

[4] W lutym 2003 roku Davida Beckhama uderzył w szatni butem w oko wściekły trener Ferguson, po tym jak jego drużyna przegrała 2:0 z Arsenal London.

Najbardziej nieszczęśliwi ludzie na Ziemi? Nigdy nie zgadniecie

W ostatnich badaniach opinii publicznej, które miały na celu znalezienie najszczęśliwszych ludzi na świecie, na samej górze uplasowali się wiecznie zadowoleni z siebie Szwajcarzy. Zaledwie 3,6% tamtejszej populacji zdało sobie sprawę, że punktualne autobusy i cudze zęby nie są w życiu najważniejsze, i stwierdziło, że nie są zadowoleni ze swego losu.

Zresztą nieważne. Najbardziej interesująca jest sama końcówka listy: kraj najbardziej nieszczęśliwych obywateli.

Stawiałbym na Niger. Byłem tam kiedyś, odwiedzając małe miasteczko na pustkowiu, zwane Agadez, i było ono cholerne bliskie wizji piekła na Ziemi autorstwa samego Lucyfera. Smak beznadziei był wręcz wyczuwalny, a w powietrzu unosiła się woń rozpaczy. Nie było tam zboża, które można by było uprawiać, ani fabryk, gdzie można by było pracować.

Był tam prysznic, wokół którego, jak sądzę, wybudowano miasteczko, i stół do gry w piłkarzyki, który, mimo tego, że piłka już dawno się gdzieś zgubiła, najwyraźniej wciąż zajmował tamtejsze dzieci.

To było koszmarne miejsce, ale sądząc z sondaży, gdzieś indziej jest jeszcze gorzej. Może w Finlandii? Brzmi to całkiem sensownie. Finowie należą niby do Pierwszego

Świata, mają te swoje telefony komórkowe i piękne córki, ale spędzają całą zimę zamarzając na śmierć, a przez całe lato zjadają ich żywcem komary o rozmiarach traktorów.

Nie mogę sobie też wyobrazić, że mógłbym być niezmiernie szczęśliwym żyjąc w Afganistanie, chociaż ośmielam się twierdzić, że na pewno odczuwa się satysfakcję, gdy wieczorem można położyć się do łóżka myśląc: „Uff, przynajmniej mnie dzisiaj nie zastrzelili".

Gdy się nad tym dobrze zastanowić, okazuje się, że lista krajów, gdzie ma się pretekst do bycia nieszczęśliwym, jest niezwykle długa. Nie byłem nigdy w tych bezpłciowych, księżycowych okolicach, które dzisiaj nazywane są Jakimśstanem, ale jakoś nie mogę sobie wyobrazić, że życie tam to beczka śmiechu. Nie jestem też przekonany, czy spodobałoby mi się w Brazylii, gdzie musiałbym chodzić w stringach żeby udowodnić, że nie mam przy sobie nic wartego kradzieży.

No i wreszcie jest ten pas beznadziei, ciągnący się wzdłuż szosy Kinszasa w środkowej Afryce. Kraina much, śmierci głodowej i wirusa HIV. Kraina, która podważa wyobrażenie brytyjskiego pracownika opieki społecznej na temat nędzy. A jednak, ankieta wykazała, że ludzie najbardziej niezadowoleni ze swego życia to... ta-dam! ... Włosi.

Och, teraz, gdy już to wiemy, staje się to oczywiste. Te długie, gorące, letnie wieczory na wzgórzach Toskanii przy serze i paru butelkach Vernaccia di San Giminiano dla zabicia czasu. *La dolce vita*? To po włosku „niewdzięczne bękarty".

Nawet jeśli pomyszkujemy po włoskich zakazanych rewirach, nie znajdziemy zbyt wiele powodów do narzekania. Mafia od dziesięciu lat słabnie. A któż mógłby być niezadowolony z domniemanej korupcji Silvio Berlusconiego, jeśli sam potrzebuje łapówki, by wstać rano z łóżka?

Poza tym, nasz premier jest o wiele gorszy. Najpierw wszystko sknocił, a teraz zaczął atakować transwestytów, wyrzucając z pracy za noszenie rajstop w Izbie Lordów. Pomimo tego, pomimo mżawki i okropnego jedzenia w pubach, jedynie 8,5% Brytyjczyków uważa się za nieszczęśliwych.

Ponadto, podczas gdy w Wielkiej Brytanii narasta ekstremizm, we Włoszech okazał się on kompletnym niewypałem. W kraju, gdzie imigranci stanowią zaledwie 2,2% populacji, skrajna prawica nie jest w stanie uzyskać dużej przewagi, i mimo że tu i ówdzie można napotkać jakiegoś komunistę, są to w większości jacyś niedorobieni bolszewicy. Z pewnością już od wielu lat nie było we włoskim parlamencie porządnej bijatyki.

Młodzi Włosi uskarżają się, że muszą mieszkać z rodzicami do 72 roku życia, ale to dlatego, że wszystkie pieniądze zamiast na spłatę kredytów mieszkaniowych wydają na garnitury, kawę i Alfa Romeo.

Oczywiście dostrzegam, pewne wady mieszkania we Włoszech. Musi być niewygodnie jeździć do Szwajcarii i stamtąd wysyłać listy, jeśli chce się, by miały jakąkolwiek szansę dotrzeć do adresata. Na pewno szybko by mi się znudziło codzienne zaglądanie śmierci w oczy na autostradzie.

Następnie pojawia się kwestia żony. Ze stuprocentową pewnością wiadomo, że pewnego dnia wrócisz z pracy i stwierdzisz, że ta powalająca piękność, z którą wziąłeś ślub i której rano powiedziałeś „Do widzenia", toczy się po ulicy w rozciągniętej jak wór czarnej sukni, z piersiami jak sześć worów ziemniaków.

Inna sprawa: myślimy, że Niemcy nie mają poczucia humoru, ale Hansa przynajmniej śmieszą pewne rzeczy – na przykład ludzie przewracający się na skórce od banana czy Benny Hill.

Natomiast Luigi nie śmieje się nawet z cudzych tyłków. W kraju, w którym styl przedkłada się nad wszystko, a *la bella figura* dyktuje, co należy jeść, co wypada nosić i ile pić, nie ma już miejsca na rozbrajającą wesołość. Dlatego we Włoszech nie istnieje Eduardo Izzardio[1] czy *Torre di Fawlty*[2].

Mimo to, nie wydaje mi się, żeby to wszystko mogło być wystarczającym wytłumaczeniem. Zamartwianie się balonami żony i nieumiejętność śmiania się z niesolidności poczty to nie koniec świata, a premier-aferzysta to zupełna normalka.

Z OSTATNIEJ CHWILI: Właśnie poznałem wyniki innych badań, które wykazały, że Anglicy są jednym z najbardziej nieuczciwych narodów. Tak więc gdy 91,5% z nas powiedziało, że są szczęśliwi, to z pewnością kłamało.

Niedziela, 22 czerwca 2003 r.

---

[1] Aluzja do Eddie'go Izzarda, angielskiego artysty komediowego.

[2] Aluzja do *Fawlty Towers* (w wersji polskiej *Hotel Zacisze*), znanego angielskiego sitcomu.

Witajcie w Oafsville: to jakiekolwiek miasteczko w okolicy

Ostatnio w wieczornych wiadomościach wystąpił gość z Kampanii na Rzecz Ochrony Rustykalnej Anglii i stwierdził, że domostwa w Ledbury są dokładnie takie same, jak wszędzie indziej, i że tracą wszelkie cechy lokalnego charakteru.

Spójrzcie – powiedział, wskazując na luksusowe domy za swoimi plecami – moglibyśmy być gdziekolwiek od Welwyn Garden City do Milton Keynes.

Phi, zadrwiłem sięgając po pilota. „Czego on chce? Żeby wszystkie domy w Somerset były zbudowane z miodu pitnego i podpierane przez lokalnych idiotów świeżo na gazie? A wszystkie domy w Cheshire ze złota i onyksu?".

Zgadzam się, że Bryant i Barrat[1] przetaczają się przez kraj, siejąc destrukcję i zamęt, i z chęcią powitam każde posunięcie, które zepchnie ich działalność na granicę opłacalności. Jeśli będą zmuszeni budować domy w Barnsley z węgla, będę bardzo zadowolony.

Ale po tygodniu spędzonym na wielkiej wycieczce dookoła Anglii mogę was zapewnić, że istnieją o wiele poważniejsze zmartwienia. Posunę się aż do stwierdzenia, że dzisiejsza brytyjska prowincja jest prawdopodobnie jednym z najbardziej przygnębiających miejsc na Ziemi.

---

[1] Patrz przypis 1, str. 53.

Oczywiście, istnieją gorsze miejsca. Miejsca, gdzie można umrzeć z głodu albo zostać zjedzonym przez muchy. Ale Anglia to bogaty kraj, którego obywatele kupują sporo zestawów telewizji szerokoekranowej, i właśnie to jest najbardziej przygnębiające: poczucie, że to wszystko mogłoby wyglądać o wiele lepiej.

To nie wioski czy krajobraz są tu winne. To miasteczka, ze swoimi strefami dla pieszych i niekończącą się paradą agencji nieruchomości i sklepów z odzieżą używaną.

W nocy chłopaki w workowatych spodniach i wielkich buciorach wydzierają się wniebogłosy siedząc w swoich podrasowanych Oplach Corsa. W takich miasteczkach nie ma nic wartego zobaczenia. Nic, czym można by się zająć.

Brnąc po kolana w morzu zużytych tacek styropianowych upaćkanych resztkami wczorajszych końburgerów, docierasz do przegrzanego, tandetnego hoteliku, gdzie za 75 funtów oferują ci pokój, w którym nie możesz zasnąć z powodu ciągłych odgłosów spółkowania dochodzących zza ściany lub facetów wymiotujących na ulicy.

Wygląda na to, że wszystkie rady miejskie w kraju są tak pochłonięte prowadzeniem wojny z samochodami, że poświęcają cały swój czas i pieniądze na instalację progów zwalniających i doniczek z pelargoniami, mających utrudnić ruch kołowy. Chyba zupełnie zapomnieli, że miasto służy do robienia zakupów, gawędzenia ze znajomymi i dźwigania tobołów.

Są wyjątki, które stanowią zwykle miejscowości posiadające uniwersytet, takie jak Oksford, ale w przeważającej części miejska Anglia jest całkowicie pozbawiona jakichkolwiek cech pozytywnych.

A jeszcze nie doszliśmy do ludzi. Kim są ci o twarzach jak ciasto i nogach przypominających kawałki wołowiny? I co do diabła powiedzieli fryzjerowi, że ich tak beznadziejnie ostrzygł?

Przybywają znikąd, żyją życiem rozświetlanym jedynie przez dwie w roku wizyty u fryzjera, który robi ich w konia, i umierają tak spokojnie, że nie przypomina o nich nawet tabliczka na parkowej ławce.

Nie żartuję. W krajach Trzeciego Świata spotyka się ludzi z rozpaczą wypisaną na twarzy, ale na brytyjskiej prowincji jej miejsce zajmuje tępota.

W gazetach i w naszych domach dyskutujemy o euro i Iraku. Ale odnosi się wrażenie, że w brytyjskich miasteczkach nikomu na niczym nie zależy. Ludzie piją, jedzą, współżyją, wreszcie umierają. Równie dobrze mogli by być pająkami.

Browar Scottish Courage ma dostać wyróżnienie za wyprodukowanie nowego typu napoju uśmierzającego ból istnienia. Jest to butelka Kronenbourga sprzedawana z dodatkiem absyntu, jasnozielonego halucynogenu o zawartości 50% alkoholu.

Zakazany w wielu krajach cywilizowanego świata, chociaż nie w Wielkiej Brytanii i Czechach, absynt był ulubionym trunkiem wszystkich najbardziej szalonych artystów. Podobno van Gogh napił się go, zanim obciął sobie ucho. Oscar Wilde powiedział: „Po pierwszej szklaneczce widzisz rzeczy takimi, jakimi chciałbyś, żeby były. Po drugiej, widzisz je takimi, jakimi nie są".

W takim razie jest to doskonałe rozwiązanie dla mieszkańców współczesnej brytyjskiej prowincji. Pierwsza szklaneczka i wyobrażasz sobie, że wcale nie znajdujesz się w Hastings. Po drugiej wyobrażasz sobie, że tak naprawdę jesteś w St. Tropez a ta ograniczona dziewczyna o nastroszonych włosach, którą właśnie wyrwałeś, nie zrobi ci nic takiego, za co mógłbyś ją popamiętać. Po trzeciej, twoje włosy zaczynają wyglądać normalnie.

Specjaliści twierdzą, że mieszanie piwa z absyntem to jak popijanie środka na przeziębienie Night Nurse rozpuszczalną czekoladą z witaminami Ovaltine i że jedynym tego celem jest upicie się. No i co z tego? Nie widzę w tym nic złego.

Wszędzie w północnej Europie ludzie piją, żeby się upić, ale w Reykjaviku, mieście najbardziej pijącym ze wszystkich, nie wychodzą z klubów aby zwymiotować i pobić się.

Centrum Sztokholmu nie jest co rano pogrzebane pod górą styropianu.

Nie rozumiem, dlaczego tutaj musi być inaczej. Może gdzieś tam głęboko w nas tkwi przekonanie, że Wielka Brytania wypełniła swoje zobowiązania wobec świata w okolicach roku 1890, i że teraz jesteśmy narodem wypalonych zapałek, trawiącym życie w branży telekomunikacyjnej albo na zmienianiu obmierzłych prześcieradeł w przegrzanym miejscowym hoteliku.

Tak czy owak, nie widzę żadnego rozwiązania. Ale budowanie progów zwalniających na pewno nie pomoże. Podobnie jak zamartwianie się wyglądem ścian szczytowych domów w Ledbury.

Niedziela, 29 czerwca 2003 r.

Gdyby mój ogród był tak bujny jak włosy w moich uszach!

Jest wiele symptomów wieku średniego: włosy wyrastające w uszach, obwód w pasie zwiększający się niezależnie od tego, co się je i wielka konsternacja, gdy trafiasz na hałas emitowany przez Radio 1[1].

Przełomowy moment, nie pozostawiający już żadnych wątpliwości co do zbliżającej się starości, następuje wtedy, gdy wyglądasz rano przez okno sypialni i mówisz: „Świetnie! Pada!". Oznacza to, że bardziej obchodzi cię stan roślin w ogródku niż twoja opalenizna i twój wygląd.

Przez 43 lata mego życia miałem dosłownie przekichane, kiedy to każdego angielskiego lata musiałem na przemian pociągać z butelek Piriton i obżerać się Zyrtekiem[2]. Lecz katar sienny nigdy nie osłabił mojego entuzjazmu dla letnich dni wypełnionych leniuchowaniem w ogrodzie, z warkotem przejeżdżających motorów w tle.

Wynika to głównie z faktu, że nigdy nie miałem ogrodu w pełnym tego słowa znaczeniu. Zbyt dużo słońca czy mało urodzajna gleba zupełnie nie robią wrażenia na chwastach, ani tym bardziej na gruzowisku. Teraz jednak, gdy w uszach wyrósł mi już prawdziwy las, zapragnąłem w końcu zadbać o mój ogródek, sadząc to i owo: a to jakieś ziółka, a to gruszę wierzbolistną. To z kolei sprawiło,

---

[1] Stacja radiowa z muzyką młodzieżową.
[2] Środki przeciwalergiczne.

że zainteresowałem się zagadnieniem drzew oliwkowych w południowych Włoszech. Podczas wojny tak wiele z nich zostało zużytych na opał, że rząd wydał dekret, zakazujący ścinania oliwek bez zgody samego Mussoliniego.

Po zakończeniu wojny zakaz ten nigdy nie został zniesiony, więc drzewa rosły, stając się coraz starsze.

Zrobiły się grube, a z ich sęków zaczęły wyrastać kępy włosów. Co więcej, ich owoce były coraz gorszej jakości, aż wreszcie zaczęły nadawać się wyłącznie do wyrobu oleju do lamp naftowych.

I wtedy pojawiła się Charlie Dimmock[3]. Nagle każdy w północnej Europie zapragnął mieć w ogródku stuletnie drzewko oliwkowe. Gwałtownie rozwinął się czarny rynek, a bawarscy bankierzy płacili nawet 3 500 funtów za „modnie sękate" drzewo mogące upiększyć ich taras w Monachium.

Jak było do przewidzenia, miłośnicy drzew się wściekli, a ja wraz z nimi. Po co wydawać 3 500 funtów na coś, co z pewnością nie przeżyje więcej niż pół roku?

Bo właśnie tego nauczyłem się podczas mojej krótkiej przygody z ogrodnictwem: wszystko umiera. Dwa tygodnie temu wydałem 500 funtów na komplet roślin do mojej oranżerii. Miały zastąpić poprzednie, które zabiła plaga szkodników. W niedzielę wyskoczyłem na dzień do Londynu. Gdy wróciłem wieczorem, oranżeria wyglądała jakby przeleciały przez nią Amerykańskie Siły Lotnicze, zrzucając napalm i czynnik pomarańczowy. „Zostawiaj otwarte okna!" – twierdzą eksperci. Zostawiasz więc okna

---

[3] Patrz przypis 5, str. 234.

otwarte na oścież, wierząc, że tylko wtedy rośliny przeżyją. Niestety, w tej sytuacji nie przeżyją za to ani magnetowid, ani PlayStation.

Bo zawsze znajdzie się w okolicy jakiś dresiarz z łysym łbem, w spodniach z luźnym krokiem, który wtargnie do środka i weźmie, co uzna za stosowne.

Na świeżym powietrzu wcale nie jest lepiej. Spragniony natychmiastowych wyników, pokryłem ziemię darnią i odtąd całe moje życie sprowadza się do pytania, gdzie ustawić zraszacz. „Boże – zawodziłem – oszczędź mi kolejnego słonecznego dnia, miej miłosierdzie". Lecz nie było miłosierdzia, nie było deszczu, i teraz moja nowa darń wygląda jak wzór: „plecionka z włókna agawy karaibskiej" z katalogu płytek podłogowych.

W ogrodzie czas spędzamy w zasadzie tylko podczas słonecznych dni. Jednak świadomość, że słońce to nic innego jak bomba atomowa o sile 5 bilionów ton i że zanim w końcu zajdzie, wszystko oprócz ostu będzie wyschnięte na wiór, nie pozwala się w pełni odprężyć.

Kiedyś kupiłem jakieś rośliny o czerwonych kwiatach, które były tak sztywne i naprężone, jakby świeżo podlano je roztworem Viagry. Po jednym dniu w pełnym słońcu zupełnie oklapły i w żaden sposób nie mogę ich zmusić, aby znowu wstały. Próbowałem je podlewać, nie podlewać, czytałem im wiersze, puszczałem przeboje Whitney Houston i pokazywałem zdjęcia księcia Walii. Wszystko na nic.

Wczoraj natomiast wezwałem specjalistę od drzewostanu, aby zbadał stare drzewa rosnące tu i ówdzie w moim ogródku. Nie uwierzycie, ale muszę utrzymywać je w odpowiednim stanie, na wypadek gdyby jakieś dzieciaki z okolicy zechciały się na nie wspinać i złamały gałąź. Niestety to prawda.

Raport specjalisty mnie zszokował. Lipa umiera w dość szybkim tempie. Topole właściwie już są martwe, a jawor z pniem o ponad trzymetrowej średnicy jest zaatakowany przez jakąś nieuleczalną chorobę gnilną. Przez kolejne 10 lat będzie więc zrzucał konary na przejeżdżających motocyklistów, którzy następnie pozwą mnie do sądu za zaniedbania.

Specjalista ogołocił to drzewo z gałęzi tak, że teraz wygląda jak nudysta. Ale nawet taki podniecający striptiz drzewa nie był w stanie postawić do pionu moich zwiędłych roślin o czerwonym kwiatach. Dąb? Ten radził sobie dość dobrze. Myślę, że przez ostatnie 7 lat urósł o jakąś milionową część centymetra. Nie jestem jednak całkowicie pewny, bo ostatnio nadgryzła go krowa. To jeszcze nic. Wiciokrzew zadusił drzewo czereśniowe. Powojnik zagłuszył zupełnie buk czerwonolistny, a bluszcz udusił jedną z brzóz srebrnych. Zupełnie jak w filmie *Pola śmierci*[4].

A co z moim ostatnim zakupem? Sześć tygodni temu opisywałem, jak bez powodzenia szukałem na wystawie kwiatów w Chelsea figurki Hitlera zabijającego wydrę morską. Kupiłem za to kawał kanadyjskiego drzewa wyrzuconego na brzeg przez morze. Zapewniono mnie, że drzewo jest martwe już od 400 lat.

Znając moje szczęście, to dziadostwo pewnego dnia znowu ożyje.

Niedziela, 6 lipca 2003 r.

---

[4] Film o amerykańskich dziennikarzach, świadkach czystek etnicznych dokonywanych przez Czerwonych Khmerów w Kambodży.

Czerwone nocne niebo – to płonie satelita Michaela Fisha

W zeszłym tygodniu zadzwoniłem do Biura Meteorologicznego aby zadać pytanie, jakie przez minione 149 lat ich działalności nie zostało nigdy postawione. „Jak to możliwe – zacząłem – że ostatnio wasze prognozy pogody tak dobrze się sprawdzają?".

Jasne, w ostatnich miesiącach były skargi z sektora turystyki, że synoptycy „uatrakcyjniają" biuletyny meteorologiczne, prześlizgując się nad kwestią bezchmurnego nieba przewidywanego w Anglii, Szkocji i Walii. Zamiast tego skupiają się na katastrofach pogodowych, jakie z wielkim ożywieniem prognozują w okolicach Rockall.

Całkiem możliwe, ale pozostaje faktem, że w przeszłości prognozy pogody nadawały się tylko do śmieci. Były czystą fikcja literacką, którą równie dobrze mógłby stworzyć Alistair MacLean. Teraz jest inaczej.

Zapowiedziano, że fala gorąca ustąpi w ostatni wtorek, i rzeczywiście tak było. Powiedziano nam, że środa będzie deszczowa i pełna piekielnych grzmotów, co też się sprawdziło. Kiedy obudziłem się w czwartek, nie odsłaniając okna wiedziałem, że muszę założyć ciepłą koszulę, ponieważ już od kilku dni trąbiono, że czwartek będzie wilgotny, wietrzny i zimny.

Nie były to bynajmniej prognozy 24-godzinne. W dzisiejszych czasach informują nas z przerażającą dokładnością, jaka będzie pogoda za dwa a nawet trzy dni. Jak goście w nowej siedzibie Biura Meteorologicznego w Exeter umieją to robić?

Człowiek, który odebrał telefon wydawał się nieco zaskoczony przyjemnym wydźwiękiem mojego pytania. Ale jak tylko z powrotem usiadł na krześle i pozbył się ze swego głosu tonu niedowierzania, rozpoczął długą i skomplikowaną opowieść o współczesnych metodach przewidywania pogody.

Przynajmniej, myślę, że o to mu chodziło. Było tak trudno za nim nadążyć, że jak babcię kocham, mógł być to przepis jego matki na lody zapiekane w cieście.

W skrócie rzecz biorąc, wygląda na to, że co godzinę meteorolodzy dostają raporty ze stacji obserwacyjnych na całym świecie. Dodatkowo uwzględniają wyniki z satelity, który okrąża Ziemię w 107 minut, na wysokości 800 mil i mierzy wysokość fal.

Po tym, jak inne satelity badające warunki w troposferze i stratosferze dorzucą swoje dane, dodaje się cukru, soku z cytryny i mleka i cały ten kram wrzuca się do superkomputera Cray, który potrafi wykonać około jedenaście miliardów operacji na sekundę.

Ten system, który zresztą ma być wkrótce uzupełniony jeszcze lepszym komputerem, działał już od połowy lat dziewięćdziesiątych, co wywołuje pytanie: „Po co w ogóle prognozowano pogodę wcześniej?". Wszyscy byliśmy nieziemsko wściekli na Michaela Fisha, kiedy w 1987 roku przeoczył nadciągającą burzę[1]. Okazuje się jednak, że

---

[1] Znany angielski prezenter pogody Michael Fish w październiku 1987 zignorował informację o nadciągającej burzy, która w parę godzin po nadaniu jego prognozy pogody zabiła 19 osób.

w tym czasie nie miał pod ręką ani satelitów, ani super-komputerów, a jedynie marynarkę w kratę.

Marynarki w kratę nie sprawdzają się, jeśli chodzi o przewidywanie pogody. Podobnie jak ci goście o wielkich małżowinach usznych, którzy włóczą się po Somerset z jakimiś rozgałęzionymi witkami w rękach. Na wiosnę pewien sękaty starzec z Cotswold powiedział mi, że kształt much i obłość krowich placków wskazują, że w lipcu będziemy mieć parszywą pogodę. Mój błyszczący, czerwony nos świadczy o tym, że się mylił.

Istnieją też ludzie, którzy twierdzą, że zaraz będzie padać, ponieważ krowy się położyły. A jednak nie. Według mojego nowego przyjaciela z Biura Meteo, krowy kładą się wtedy, gdy są zmęczone.

Są oczywiście pewne zwiastuny pogody. Jaskółki latają inaczej niż zwykle, jeśli zbiera się na burzę, a gdy ma zacząć padać, wysokie chmury przesuwają się na północny zachód.

Ponadto, czerwone niebo w nocy wróży nadejście gorącego, wilgotnego powietrza, a czerwone niebo nad ranem obwieszcza jego odejście.

Jednak te naturalne oznaki są na ogół nieprzydatne do prognozowania pogody. Pokazują jedynie, jaka pogoda panuje obecnie, co i tak wiadomo, albo jaka będzie za minutę. Szyszki, wrony, a szczególnie wydry nie mają pojęcia, jakie układy ciśnienia przeważają nad Atlantykiem, ani w którą stronę się przemieszczają.

Zapytałem również pana z Meteo, co się dzieje, jeśli obszar niskiego ciśnienia nagle skieruje się bez żadnego powodu na północ. Musi przecież być tak, że czasem komputer coś źle przewidzi. Najwidoczniej rzeczywiście mu się to zdarza, ale w Biurze Meteorologicznym jest sześciu starszych synoptyków, którzy decydują, czy mu wierzyć, czy nie.

W takim razie musi to być jeden z najfajniejszych zawodów w Anglii. Najmocniejszy komputer mówi ci, że dwa plus dwa to pięć. A ty musisz powiedzieć: „A właśnie, że nie".

Jest jednak pewien niepokojący szczegół, wpływający na efektywność tej współpracy człowieka z komputerem.

Brytyjczycy są w całym świecie znani z narzekania na pogodę. Jest to jedna z naszych cech narodowych. Jednak to nie różnorodność pogody jest tym, co nam przeszkadza. To akurat jest dobre. Nie znosimy jednak nieprzewidywalności. To strasznie denerwujące, kiedy pojawiasz się na królewskich wyścigach konnych w kaloszach, a przez cały dzień świeci piękne słońce. Albo gdy na zawodach wioślarskich Henley twoja kompletnie przemoczona letnia sukienka staje się całkiem przeźroczysta.

Co będzie, gdy z tego równania usuniemy nieprzewidywalność? Jeśli będziesz wiedział, jaka pogoda będzie we wtorek, będziesz mógł zorganizować grilla. Wszyscy będą wiedzieli, że będzie słonecznie. To w takim razie o czym będziecie rozmawiali?

Zupełnie nierozważnie ci komputerowi maniacy pozbawiają nas samej esencji tego, co sprawia, że jesteśmy Brytyjczykami.

Niedziela, 20 lipca 2003 r.

Szkoda, że zamiast zwykłego życia nie wybrałem marihuany i innych prochów

No dobra. Od dzisiaj musicie mnie traktować poważnie, bo nie jestem już zwykłym dziennikarzem motoryzacyjnym z sieczką w głowie. Jestem doktorem. Mam dyplom.

Tak. Uniwersytet Brunela przyznał mi honorowy stopień doktora, lub – tak jak my, ludzie nauki, zwykliśmy to nazywać – tytuł doktora *honoris causa*. Tak więc od tej chwili jestem doktorem. Mogę zoperować wam nogę i przyprawić nowy nos. Jestem upoważniony do oglądania waszych żon nago. Dzięki moim kwalifikacjom mogę zaprojektować nowy model waszej lodówki z zamrażarką. Myślę, że mogę nawet dodać sobie jakieś literki przed nazwiskiem.

Niestety, doktoratów nie można odbierać za pośrednictwem poczty. Dlatego w zeszły poniedziałek musiałem się udać do historycznego Centrum Konferencyjnego Wembley, blisko północnej obwodnicy centrum Londynu. Tam ubrano mnie w togę i kapelusz z oklapniętym rondem, co sprawiło, że wyglądałem jak pedzio.

Cała impreza była zaplanowana z zegarmistrzowską precyzją. Na kilka tygodni wcześniej poinformowano mnie o każdym najdrobniejszym szczególiku, między innymi o tym, ile kroków jest od wejścia do podium.

Oczywiście zdawałem sobie sprawę, dlaczego. Ponieważ miałem wejść tam jako zwykły człowiek, by nie powiedzieć tuman, trzeba mi było jasno wytłumaczyć, że muszę przejść 21 kroków, bo inaczej mógłbym się zatrzymać w połowie drogi, myśląc, że doszedłem już na miejsce.

Jeśli zaś chodzi o wyjście, to jako pełnoprawny doktor nauk wszelkich nie potrzebowałem już żadnych wskazówek. Rzeczywiście, w instrukcji napisali tylko: „orszak wychodzi".

W czasie pomiędzy wejściem a wyjściem człowiek ubrany w togę czytał listę, na której było z pół miliona nazwisk, które brzmiały tak, jakby powstały przez rozsypanie klocków do gry w Scrabble. Studenci, ustawieni w niekończącej się procesji promieniejących śniadych i żółtych twarzy, podchodzili do rektora, odbierali swoje stopnie naukowe i wyruszali w świat.

Byłem bardzo, ale to bardzo zazdrosny. Z zazdrości na szyję wystąpiły mi czerwone plamy. Do licha, pomyślałem, siedząc tam, wbity w jakiś habit i z kapeluszem à la Elton na głowie. Dlaczego nie zdecydowałem się na studia?

Nigdy nie należy żałować swoich doświadczeń życiowych, ale na Boga, można chyba żałować tego, czego się nie zrobiło. A tak właśnie stało się 25 lat temu, kiedy to doszedłem do wniosku, że w szkole można robić ciekawsze rzeczy, niż tylko czytać Miltona[1].

Jego książki wykorzystywałem w zastępstwie papieru toaletowego, w wyniku czego utraciłem swoją szansę, by dostać się do raju: na uniwersytet.

Nie powiem, od tamtego czasu wiele rzeczy mi się udało – dali mi nawet doktorat *honoris causa* za moje

---

[1] John Milton, siedemnastowieczny poeta angielski, autor słynnego poematu *Raj utracony*.

występy przy moście wiszącym Brunela[2]. W tym wszystkim jest jednak małe ziarnko goryczy. Przez to, że nie studiowałem na uniwersytecie, czuję się gorszy.

Jestem przekonany, że uniwersyteckie wykształcenie nie miałoby najmniejszego wpływu na moja karierę zawodową. Z tego co wiem, studenci spędzają te trzy lata po szkole wyjeżdżając na jedną z australijskich wysp, gdzie udają badaczy gigantycznych małż lub zabawiają się jeżdżąc na łóżku wzdłuż jednej z głównych ulic miasta. Albo po prostu piją.

Moje trzy lata spędzone w „Rotherham Advertiser" na pewno nauczyły mnie więcej, niż umieją niektórzy studenci, którym w zeszły poniedziałek wręczano w sali Wembley dyplomy.

Odnotowałem na przykład, że któryś z nich badał konsekwencje uprawiania seksu w więzieniu, a jakaś studentka analizowała podobieństwa życia w azjatyckim Królestwie Bhutan i w angielskim mieście Southall.

Lecz nie dam się nabrać. Przynajmniej już nie teraz. Wiem, że najgłupsze nawet studia dają więcej frajdy niż wiązanie krawata każdego ranka i zarabianie na życie.

Kiedy miałem dziewiętnaście lat, przemierzałem przedmieścia Rotherham w poszukiwaniu tematów na artykuły, wysłuchując ględzenia grubych kobiet o tym, że ich bachory mają wszy i że rada miejska powinna coś z tym zrobić.

---

[2] Isambard Kingdom Brunel – dziewiętnastowieczny inżynier brytyjski, znany konstruktor linii kolejowych, statków parowych i mostów. Clarkson poświęcił mu jeden ze swoich programów, co wpłynęło na decyzję Uniwersytetu Brunela o przyznaniu Clarksonowi tytułu doktora *honoris causa*.

Jasne, płacono mi siedemnaście funtów na tydzień. Wystarczało to na benzynę i krawaty, ale świadomość, że połowa moich zarobków była mi zabierana i szła na studentów, którzy wydawali je na marihuanę i inne narkotyki, była nieznośna. Podczas gdy rozsiadaliście się wygodnie i kłóciliście w waszych klubach dyskusyjnych, ja ślęczałem nad swoim słownikiem angielsko-southyorkshireskim, rozpaczliwie usiłując zrozumieć, co radny Duker miał na myśli.

Podczas gdy zbieraliście opieprz za osiemnasty z rzędu opuszczony wykład, mnie mieszano z błotem za to, że źle odtworzyłem zawartość moich usianych skrótami notatek, w wyniku czego mój artykuł o przebiegu dochodzenia drastycznie rozminął się z prawdą. W waszym przypadku wystarczyło się przespać z opiekunem naukowym i wszystko było załatwione. Ja nie mogłem rozwiązać swojego problemu śpiąc ze zniesławionym przeze mnie sędzią.

Gdybyście studiowali na uniwersytecie życia, na szczyt dotarlibyście kompletnie wyczerpani.

Prawdziwy uniwersytet daje wam wsparcie, które sprawia, że wszystko staje się mniej męczące.

Jest jeszcze sprawa przyjaciół. Znam ludzi, którzy studiowali ze Stephenem Fryem[3], Richardem Curtisem[4] i Borisem Johnsonem[5]. Nie zapominajmy, że Eric Idle, John Cleese i Graham Chapman[6] byli razem na Uniwersytecie

---

[3] Brytyjski aktor komediowy.

[4] Scenarzysta i reżyser komediowy.

[5] Ekscentryczny brytyjski polityk, dziennikarz i pisarz.

[6] Eric Idle, John Cleese, Graham Chapman – członkowie grupy Monthy Pythona.

w Cambridge. Ciekawe, jak wyglądał wieczór spędzany w takim towarzychu? Z pewnością ubaw był większy niż w przypadku wyjścia do knajpy z kumplami, których poznałeś przy wykładaniu towarów na półki w Tesco.

Specjalnie dla was spróbuję to ująć w bardziej intelektualny sposób. Na rozpoczęciu uroczystości w sali Wembley, rektor Uniwersytetu Brunela wygłosił przemówienie, w którym powiedział, że w Europie istnieje pięćdziesiąt instytucji, które powstały ponad tysiąc lat temu.

Należy do nich Kościół Katolicki, parlamenty Wielkiej Brytanii, Islandii i Wyspy Man, jak również kilka *quasi-rządowych* organizacji we Włoszech.

A reszta to uniwersytety. I wciąż działają. A ja nie skorzystałem. I do moich ostatnich dni będę tego żałował.

Niedziela, 27 lipca 2003 r.

Byłem w raju... To straszliwa męka!

„Nie". Tak brzmiała moja odpowiedź, gdy producenci programu o silniku odrzutowym spytali, czy nie zechciałbym polecieć w pięciodniową podróż dookoła świata.

„Tak". Tak brzmiała moja odpowiedź, gdy zwrócili moją uwagę na fakt, że ekipa zrobi sobie jednodniową przerwę w podróży na plaży w miejscu zwanym Moorea. Jest to mała, tropikalna wyspa położona pięć minut od Tahiti.

Teoretycznie, Polinezja Francuska wydaje się być jednym z najbardziej egzotycznych, sielankowych miejsc na Ziemi. Tworzy ją zbiór mniej więcej 120 wysp Oceanu Spokojnego, rozrzuconych na powierzchni o rozmiarach Europy. W rzeczywistości, podróż tam trwa 24 godziny i nie jest warta zachodu.

Na lotnisku dosłownie każdy, od celnika aż po kierowcę autobusu, zakładał mi naszyjnik z kwiatów. Gdy przybyłem do hotelu i centrum konferencyjnego, wyglądałem jak chodzący ogród z kręgosłupem wygiętym na kształt zakola rzeki.

Na miejscu, gdy zawiesili na mojej szyi jeszcze jeden czy dwa naszyjniki, zapytali o śniadanie: nie o to, co chciałbym zjeść, tylko czy życzę sobie, by dostarczono mi je do pokoju czółnem.

Tu właśnie jest sedno problemu, jeśli chodzi o te szpiczaste kupki pozostałości wulkanicznych, które, zanim nadeszła era silnika odrzutowego, były nam zupełnie nieznane. Nieważne, czy macie na myśli Mauritius czy Malediwy, Tahiti czy Seszele. Wszystkie te wyspy są jednakowe: przesadzone w każdym calu.

Wszystkie reklamują się w ulotkach zdjęciem – przysięgam! – dokładnie tej samej palmy. Na pewno ją widzieliście: taka pionowa, z delikatnie poruszającymi się liśćmi, a wszędzie dookoła turkusowe morze i biały piasek plaż.

No i hotele, i te ich coraz bardziej idiotyczne sposoby pokazywania, jak wygląda życie na wyspie w tropikach.

Sprowadzają się one do pięćdziesięciu kilo płatków kwiatów pływających w wannie, papieru toaletowego, który co ranka formowany jest na kształt róży i haftowanego katamaranu Hobie Cat przycumowanego do osobistego służącego. Czy tak żył Robinson Crusoe? A jeśli nie, to czy można tego spróbować? Nie, bo jak już tam się znajdziecie, to zaręczam, że nie wytkniecie swojego nosa poza obszar hotelu.

Aby dać wyczerpujący obraz, powiem jeszcze, że personel hotelu jest odziany w absurdalnie śmieszne kopie tego czegoś, co kiedyś prawdopodobnie było tamtejszym strojem ludowym. Na Tahiti nawet faceci muszą chodzić w spódniczkach. Aby ich upokorzenie było pełne, są zmuszani do przechadzania się boso tam i z powrotem po rozgrzanym do czerwoności piasku.

Chyba, że właśnie muszą podać do czyjegoś pokoju górę bekonu i jajek, płynąc w kanoe po wzburzonym morzu i koncentrując się na tym, by jedzenia nie porwał wiatr, by nie wystygło i nie wpadło do wody.

Nic dziwnego, że tubylcy zachowywali się tak, jakby każda czynność sprawiała im wielki problem. Na litość boską, dajcie tym gościom jakieś buty! I spodnie!

Czy wspominałem już o delfinie? W celu podniesienia atrakcyjności miejsca, chłopcy z Tahiti złapali wielką szarą bestię, która cały dzień spędziła leżąc na plecach w lagunie, gdzie była obmacywana przez otyłą Amerykankę z groteskowym sztucznym biustem, w nierozsądnie dobranych stringach. „Może chciałbyś zobaczyć, jak wygląda penis delfina?" – zapytał mnie mężczyzna w spódnicy, gdy wszedłem do wody.

Nie. To co chciałem zrobić, to przebić tego gościa na wylot i pozwolić tej biednej istocie znów zasmakować wolności. Zamiast tego, połaskotałem delfina w brzuch i szepnąłem mu do ucha: „To coś nazywasz penisem?"

Jeśli myślisz, że tego typu rzeczy sprawią, że poczujesz smak życia na tropikalnej wyspie, to tak, jakbyś myślał, że smak wołowiny można poczuć liżąc krowę. Na prawdziwej wyspie w tropikach, takiej, jak w filmie *Castaway* z Tomem Hanksem, może cię spotkać wiele przykrych rzeczy. Są tam na przykład owady, wyglądające jak wielkie, przegubowe potwory z głową i górną częścią tułowia jak u komara, a tyłem jak u wilka.

W którymś z hoteli, nie pamiętam już w którym, takie właśnie owady zmusiły tubylców do założenia na plecy silników z Volkswagena Garbusa i opryskiwania przez cały dzień kwietników środkiem owadobójczym.

Od czasu do czasu jeden z opryskujących albo zagazowywał się na śmierć, albo jego spódnica wplątywała się w opryskiwacz i było już po nim. Lecz zaraz na jego miejscu wyrastał następny. Pytam: po co to wszystko? Czyżby chcieli zdezynfekować raj? I tak nic z tego nie wyszło. Wydawało mi się nawet, że po opryskiwaniu owady stawały się trochę większe.

Nie dajcie się też nabrać na słońce. Na zdjęciach słońce wygląda wspaniale, pluskając się w wodzie po całym ciężkim dniu ogrzewania Układu Słonecznego. W rzeczywistości upał sprawi, że przez cały dzień będziesz siedział w cieniu, aż do momentu, kiedy zaczniesz przypominać łodygę rabarbaru. Słońce rozpuści klej w grzbiecie twojej książki, a wiatr rozwieje ostatnie dziesięć kartek na chwilę przed tym, jak do nich dotrzesz.

Noc również nie niesie ze sobą wytchnienia. Z włączoną klimatyzacją nie można zasnąć. Jest zbyt głośna. Bez klimatyzacji też nie da się spać. Po jej wyłączeniu jedyne co słychać, to jęki pary spędzającej miesiąc miodowy w domku obok.

Tylko raz widziałem tropikalną plażę, na której panował niezmącony spokój. W Wietnamie. To było wspaniałe. Pomijając fakt, że po dwudziestu minutach zacząłem rozglądać się za dziewczyną w kusej sukience *ao dai*, która mogłaby mi podać puszkę zimnej coli.

Na tym właśnie polega nasz problem. Marzymy o tropikach. A jesteśmy stworzeni do życia w Dewsbury.

Niedziela, 31 sierpnia 2003 r.

Eureka! Odkryłem lekarstwo na naukę

Zeszłotygodniowy raport zamieszczony w jednej z gazet donosił o wciąż malejącej liczbie naukowców na świecie, co jest związane z tym, że uczniowie wolą wybierać „łatwe" studia, takie jak dziennikarstwo, niż badać wpływ fluorokarbonu na metonyloglutaminolar ginyltyrosylglutamylserylleuculfenylolanylalanylgluglut aminylleucyllysylglutamylarginyllyylglutamylglycylalan ylfenylanylvalyprolylfenylalanylwvalyltreonylleucylglyc ylaspartylprolylglycilisoleucylutamylglutaminylserylleucyllysylisoleucylaspartyltreonylleucyl...

Niestety, w tym miejscu muszę przerwać wypisywanie pełnej nazwy tej zmyślnej, małej proteinki, bo płacą mi od słowa. I nie chcę zakończyć felietonu na tym jednym. Ilustruje ono jednak w bardzo trafny sposób to, co chcę powiedzieć. Co wolelibyście robić? Siedzieć w Soho sącząc kawkę z mlekiem w towarzystwie Grahama Nortona[1], czy wyjechać, dajmy na to, do Durham i spędzić tam całe życie, ucząc atom wodoru ludzkiej mowy?

To nie jest takie głupie. Pod raportem o deficycie kadry naukowej znajdował się kolejny, mówiący o tym, że profesor akustyki z Uniwersytetu Salford wykazał, że wbrew powszechnemu przekonaniu, kwakanie kaczki odbija się echem.

Pomyślcie choć odrobinę.

---

[1] Irlandzki aktor, satyryk i prezenter telewizyjny, zdeklarowany gej.

Kogo to obchodzi? Wygląda na to, że profesor, o którym mówię, usiłował rozwiązać problem pogłosu urządzeń nagłaśniających kościoły i stadiony. Ale co ma do tego kaczka – nie mam pojęcia. O co chodzi temu profesorowi? Może chce zastąpić pastora kaczką krzyżówką?

Gdzieś indziej na świecie, grupa naukowców monitoruje 25 miejsc na terenie Parku Narodowego Basin w Ameryce. Stwierdzili, że pika, mała i bezużyteczna krewna królika, radzi sobie z globalnym ociepleniem gorzej, niż się spodziewano. Mój Boże.

Z kolei nasi krajowi naukowcy odkryli, że dzieci, które piją litrami napoje gazowane, reagują na bodźce z szybkością charakterystyczną dla siedemdziesięciolatków. Tylko wtedy, jak mniemam, gdy omawiany napój gazowany to szampan.

O, tu mam coś niezłego. Dwa zespoły medyczne złożone z brytyjskich naukowców stworzyły ludzką komórkę. Brzmi to przerażająco. Ale czy powinniśmy zacząć się bać? Nie sądzę. Mówią co prawda, że ich odkrycie to pierwszy krok na drodze do hodowli zapasowych wątrób, ale to stwierdzenie wygląda na lekko naciągane, bo nie ma sposobu, by zmusić tę komórkę, aby rozwijała się w pożądany sposób. Można mieć nadzieję, że powstanie z niej wątroba, a tymczasem skończy jako ucho. Tylko Bóg może o tym zdecydować, a dzięki nauce wszyscy jego przedstawiciele na Ziemi zostaną zastąpieni kaczkami.

Zdaję sobie sprawę z tego, jak frustrujące musi być wtrącanie się Greenpeace'u do waszych ważnych i ciekawych odkryć, takich jak genetycznie modyfikowana żywność. Po co jednak spędziliście tyle czasu, by przekonać się, że kobiety zażywające środki przeciwbólowe w okresie poczęcia dziecka są bardziej narażone na poronienie? Przecież chyba nawet i wy, w tych waszych ziejących chłodem laboratoriach, wiecie, że aby w ogóle poczęcie mogło dojść do skutku, trzeba zażyć coś, co złagodzi ból głowy.

Jest jeszcze gorzej. Amerykańscy naukowcy roztrwonili 1.2 miliona dolarów (750 000 funtów) państwowych pieniędzy na badania, które miały wykazać, że konserwatyści są stuknięci. W Kanadzie naukowcy przebadali 2 000 urodzonych pod znakiem Ryb i stwierdzili, że wśród wciąż płaczących po filmie *Elza z afrykańskiego buszu* są nie tylko same mięczaki. W Holandii trwają badania prehistorycznego ślimaka, nie posiadającego ani mózgu, ani organów płciowych. Naukowcy chcą sprawdzić, czy nie jest czymś w rodzaju brakującego ogniwa ewolucji. Nie sądzę – skoro nie ma ani penisa, ani macicy...

Na litość boską, ludzie! Kiedy zaprezentujecie nam nowy model Concorde'a? Gdzie tabletka, która miała zastąpić jedzenie? Co z psem w kombinezonie kosmicznym, którego obiecała nam Valerie Singelton[2]? Odstawcie kaczki na bok i zajmijcie się czymś pożytecznym!

Z głową pełną takich myśli odwiedziłem w zeszłym tygodniu profesora Kevina Warwicka z Wydziału Cybernetyki na Uniwersytecie w Reading. Skonstruował on coś, co przypomina zdalnie sterowany model samochodu, ale tak naprawdę jest to robot, który – jak twierdzi Warwick – posiada inteligencję na poziomie osy. Jeśli spadnie mu poziom naładowania baterii, będzie – zupełnie jak osa poszukująca pożywienia – rozglądał się za źródłem zasilania. Może być też zaprogramowany tak, że będzie przez cały dzień bzyczał ci dokoła głowy – też tak jak osa.

---

[2] Prezenterka telewizyjna programów dla dzieci.

Warwick ma taką obsesję na punkcie sztucznej inteligencji, że ostatnio chirurgicznie wszczepił sobie implant w swój układ nerwowy. Potem podłączył się do komputera. Teraz, gdy podnosi rękę będąc w Nowym Jorku, ręka jego robota w Reading też się podnosi.

No dobrze, ale co chce w ten sposób osiągnąć? Cóż, nie miałem o tym zielonego pojęcia, dopóki nie powiedział, że do Internetu podłączony jest również układ nerwowy jego żony. No nie... To... to nie mieści mi się w głowie!

Możliwość odczuwania tego, co czuje twoja żona, i na odwrót, będzie jednym z najbardziej intrygujących przełomowych momentów wszechczasów. Wyobraźcie sobie, co byłoby, gdyby jeszcze zintegrować to wszystko z komputerem. Jednoczesna praca nad punktem G i opracowywanie systemu zapobiegającego wydarzeniom GG[3].

Mój entuzjazm trochę osłabł, gdy Warwick wyjaśnił mi, że takiej hybrydzie złożonej z człowieka i maszyny, mógłby się nie spodobać gubernator Kalifornii i mogłaby, na przykład, dokonać spustoszenia na skalę całego świata. Zasugerowałem, że maszyn nie trzeba się obawiać, bo zawsze można je wyłączyć. Warwick uśmiechnął się w charakterystyczny dla geniuszy sposób i zapytał: „Tak? A jak wyłączysz Internet?".

Jeśli faktycznie ma rację, to może niedostatek naukowców prognozowany na najbliższe lata nie jest wcale taki zły. Bo wystarczyłoby wyśmiać jednego z nich z powodu jego kaczki, a świat przestałby istnieć.

Niedziela, 14 września 2003 r.

---

[3] GG, gee-gees – ang. *global geophysical events* – globalne zdarzenia geofizyczne – olbrzymie katastrofy spowodowane przez czynniki naturalne.

Dlaczego finaliści nagrody Bookera zawsze gubią wątek?

Kilka miesięcy temu pisałem tu o książkach. W tym czasie odbywał się Festiwal Książki w Hay, który przypomina nieco festiwal w Glastonbury[1], oprócz tego, że jest spokojniejszy, nieco bardziej archaiczny, no i nie występuje tam Rolf Harris[2].

Jilly Cooper[3] ostro skrytykowała intelektualny snobizm tej całej imprezy. „Istnieją dwie kategorie pisarzy – powiedziała kiedyś. – Pierwsza to Jeffrey Archer[4] i ja. Z utęsknieniem czekamy na choćby jedno życzliwe słowo na łamach «The Guardian». Druga to cała reszta, która w «The Guardian» otrzymuje same życzliwe słowa i marzy, by pisać tak, jak pisze Jeffrey i ja".

Mądre słowa. Chyba jednak nie wystarczająco mądre, by przekonać członków komisji sędziowskiej typującej finalistów nagrody Bookera.

Jedną z dwóch faworytek jest książka pod tytułem *Brick Lane* napisana przez Monicę Ali. Książka osnuta

---

[1] Festiwal w Glastonbury jest poświęcony sztuce uprawianej pod gołym niebem; dużą cześć festiwalu zajmują koncerty znanych muzyków i zespołów (w 2005 roku wystąpili tam m.in. The White Stripes, Coldplay, Basement Jaxx).

[2] Australijsko-brytyjski muzyk, kompozytor, malarz i gospodarz programów telewizyjnych.

[3] Znana brytyjska pisarka.

[4] Brytyjski pisarz i polityk, patrz przypis 3, str. 57.

jest wokół korespondencji pomiędzy dwiema siostrami, z których jedna mieszka w Bangladeszu, a druga przybyła do Londynu by wziąć ślub z wybranym dla niej mężczyzną.

Co prawda nie przeczytałem tej książki i nigdy jej nie przeczytam, ale możemy być prawie pewni, że żadna z sióstr nie będzie miała namiętnego romansu z nieodpowiednim dla obu łajdakiem o imieniu Rupert[5].

A druga faworytka do nagrody? Wyszła spod pióra Margaret Atwood, którą – jak mniemam – doprowadziła do szewskiej pasji korporacja Monsanto i jej badania nad żywnością modyfikowaną genetycznie. Bo jej książka, *Oryks i Derkacz*, nie wygląda mi na komedię.

Warto wspomnieć też o *Dobrym lekarzu* Damona Glanuta, książce opowiadającej o perypetiach młodego medyka, który zostaje wysłany do bantustanu w Republice Południowej Afryki. Czy zostanie zbombardowany przez myśliwce F-15? Czy lotniskowiec „Nimitz" zatonie? Nie wstrzymujcie zbyt długo oddechu.

Właśnie skończyłem czytać książkę Philipa Rotha, jednego z najbardziej szanowanych przez intelektualistów pisarzy. Książka była zdumiewająca. Opowiadała o właścicielu fabryki rękawiczek z New Jersey, którego córka odrobinę się wykoleiła.

Przewracałem kartkę za kartką tej bezsprzecznie pięknej prozy, umierając z ciekawości, czy ojcu uda się odzyskać córkę. W miarę czytania pojawiały się jednak coraz to większe konflikty, aż po prostu książka się skończyła.

Wyglądało to tak, jakby Roth zadzwonił do wydawcy i zapytał: „Ile stron ma mieć moja nowa powieść?". A kie-

---

[5] Patrz przypis 1, str. 226.

dy mu odpowiedzieli, że 250, powiedział: „To dobrze, w takim razie właśnie skończyłem".

Wcześniej czytałem *Gułag* Anny Applebaum. Książka ta była jak list skierowany do innych pisarzy, którzy już wcześniej pisali o obozach sowieckich. List ten mówił, że wszyscy ci ludzie się mylili. Mylili się, słyszycie?!

Ale najgorsza ze wszystkiego była książka *Głupi biały człowiek* napisana przez samego Głupiego Białego Człowieka, Michaela Moora.

Po pierwszym rozdziale, zawierającym ciekawy opis jak George Bush ukradł swoją prezydenturę, książka przerodziła się w gówniarską pyskówkę, rodem ze studenckiej kawalerki z roku 1982. Thatcher, Thatcher, Thatcher. Wielkie korporacje. Thatcher. Lasy równikowe.

Rządy wolą kupić kolejny bombowiec, zamiast zainwestować w edukację. Poza tym, niepotrzebnie boimy się czarnoskórych, bo za wszystkimi cierpieniami, jakich doznajemy w życiu, kryje się człowiek z kaukaskimi rysami twarzy.

Moore ględził tak i ględził, a ja nie mogłem go brać na serio, bo już we wstępie, zanim na kolejnych stronach zaczął chlapać swoim ekologicznym bełkotem w stylu: „oddajcie władzę w ręce ludu", skrytykował Wielką Brytanię za prywatyzację „dobrze działających przedsiębiorstw publicznych", takich jak koleje.

Co? Brytyjskie koleje? Dobrze działające? Ty głupi, tłusty, czterooki, rechoczący, brodaty imbecylu! Moore przyznał nawet, że wyleciał z uczelni, bo nie mógł znaleźć miejsca na parkingu. Powinieneś był jeździć pociągami, skoro tak je uwielbiasz!

Mógłbym tak pomiatać Moorem w nieskończoność, aż do zamarznięcia piekła, wróćmy jednak do sedna sprawy. Dobra książka wymaga czegoś więcej niż pięknej konstrukcji zdań, lewicowego posmaku i bystrej, ironicznej obserwacji. Wymaga przede wszystkim fabuły. Fabuła sprawia, że budzi się w tobie najsilniejsze z uczuć: nadzieja.

Masz nadzieję, że Clintonowi Thrustowi uda się zjechać po linie ze śmigłowca Apache i w ostatniej chwili unikniemy trzeciej wojny światowej. Masz nadzieję, że o północy na moście główna bohaterka spotka głównego bohatera i że będą żyli długo i szczęśliwie. Masz nadzieję, że marzenie, by mieszkać w Prowansji, wreszcie się ziści.

Jasne, Philip Roth dał mi bardzo dużo nadziei. Przez cały czas miałem nadzieję, że producent rękawiczek odzyska córkę, jednak cała ta nadzieja prysła, gdy znienacka pojawił się numer ISBN.

W przypadku *Głupiego białego człowieka* miałem nadzieję, że autor wypadnie przez okno, ale to też się nie spełniło.

Moja żona czyta książki rozmiarami zbliżone do piekarnika, opowiadające o kobietach w kapeluszach pszczelarzy, które spędziły 50 lat w Peru poszukując zaginionej bransoletki. Książki w typie kandydatek do nagrody Bookera.

Czasami wyrywam żonie książkę z rąk i pytam: „Na co masz teraz nadzieję? Co powinno się wydarzyć?". Odpowiada mi zawsze tak samo: „W sumie to nic".

Czytanie jakiejś książki może jej zająć cały rok. Ja natomiast przepadam za książkami, które w moim życiu stają się ważniejsze niż życie jako takie.

Gdy byłem w połowie *Red Storm Raising* Toma Clancy'ego – książki, której nie wytypowano do nagrody Bookera – można było wyciąć mi wątrobę i nakarmić nią psa. Nawet bym nie zauważył.

To z kolei przywodzi mi na myśl książkę *Yellow Dog* Martina Amisa. Z tego co mówią, musi być okropna. Gdy ją czytasz – pisze Tibor Fischer, powieściopisarz, który recenzował tę pozycję na łamach „Daily Telegraph" – czujesz się tak, jakbyś przyłapał swojego wujka masturbującego się na środku szkolnego boiska.

Jego pogląd podzielają członkowie kapituły nagrody Bookera, którzy nie wzięli tej książki pod uwagę, gdy układali listę sześciu finalistek. Założę się, że jest świetna.

Niedziela, 28 września 2003 r.

Zajrzyj do sklepu z pamiątkami a zapłaczesz nad Anglią

Wyobraźcie sobie taką scenę. Jesteśmy we Francji, jemy lunch w Klubie 55 na plaży w St. Tropez, a ja tłumaczę dzieciom, jak dobre są francuskie sery i wina.

To stało się właśnie wtedy. Moja dziewięcioletnia córka po tym, jak skosztowała serka Brie i przyznała, że jest wspaniały, zadała pytanie, które spadło na mnie jak grom z jasnego nieba. „Tatusiu – zapytała – a w czym są dobrzy Anglicy?"

Już od pewnego czasu spodziewałem się, że zapyta: „Wiem, że wzięłam się z brzuszka mamusi, ale jak się tam najpierw dostałam?". Na takie pytanie byłem przygotowany. W przeciwieństwie do tego: „W czym są dobrzy Anglicy?". Byłem tak zaskoczony, że w pierwszej chwili chciałem zatkać jej buzię rybią głową.

„Cóż… – wyjąkałem – my… khm, khm… my jesteśmy dobrzy w…". Z jakiegoś niewyjaśnionego powodu do głowy przyszło mi nazwisko Harolda Shipmana[1]. „Jesteśmy dobrzy w mordowaniu ludzi" – powiedziałem. No bo jesteśmy. Nawet zaczęliśmy już eksportować naszych morderców. Myślę jednak, że pierwsze miejsce w światowej lidze morderców wciąż zajmuje posępna Belgia.

Szybko przewertowałem kilka dziedzin, które zwykle w takich sytuacjach przychodzą na myśl: piłka nożna,

---

[1] Patrz przypis 1, str. 32.

krykiet, tenis, wyścigi samochodowe... i nic! Zacząłem więc myśleć o czymś ze świata innowacji, ale znów trafiłem kulą w płot. Nasze wielkie, polietylenowe balony drą się. Nasz myśliwiec Eurofighter nie działa, gdy jest chłodno. Nasze pociągi nie są tak szybkie, jak przed drugą wojną światową, kiedy to nadawano im nazwy związane z kaczkami. Na przykład „Kaczka Krzyżówka"[2].

Jeśli chodzi o bycie Anglikiem, to obecnie przeżywam kryzys. W zeszłym tygodniu byłem w Berlinie, dzień po wizycie Pana Blaira, który przyjechał tu by omawiać ze Schroederem i Chirakiem kwestię Iraku, i czułem się dość dziwnie, spacerując po Vaterlandzie i przepraszając wszystkich za nasze przywództwo w wojnie.

Tak a propos wojny: czy wiecie, że lotniskowiec HMS „Invincible" po rejsie dookoła świata z trudem zawinął do portu? Korzystał tylko z jednego silnika, bo Marynarki Królewskiej nie było stać na paliwo do dwóch. Czy to nie przerażające?

Te przykłady ukazują poważny problem. Wbrew pozorom, wszystko w kraju jest w stanie postępującego rozkładu. Na przykład, czy nie zdarzyło się wam kiedyś wejść przez pomyłkę drzwiami tylko dla personelu i dostać się na tylną klatkę schodową jakiejś państwowej instytucji? To, co tam widać, po prostu nie mieści się w głowie. Kilometry państwowej farby, która całymi płatami odpada od ścian. Wielkie kałuże na podłodze. Niektóre śmierdzące starą deszczówką, pozostałe czymś innym. Żarówki w lampach bez kloszy, czarne od stopionych ciem z lat

---

[2] Ang. *mallard* (kaczka krzyżówka) – chodzi tu o aerodynamiczny parowóz 4468 Mallard, który jest oficjalnym rekordzistą prędkości wśród parowozów. W 1938 osiągnął prędkość 203 km/h.

czterdziestych ubiegłego wieku. Pourywane zawiasy. Tablice ogłoszeń z informacjami o imprezach z okazji odejścia na emeryturę. Wpisz się na listę, jeśli chcesz wziąć udział. Wpisów brak.

W czwartkowy wieczór obejrzałem znakomity program o budowie londyńskich kanałów ściekowych. Powstały w 1856 roku i od tego czasu praktycznie nie były naprawiane. W Wielkiej Brytanii, z tego co wiem, mamy 300 000 kilometrów kanałów ściekowych. W 2002 roku wymieniono bądź naprawiono ich tylko 388 kilometry.

Właścicielem linii lotniczych British Airways jest Australijczyk, a menedżerem angielskiej reprezentacji piłkarskiej jest Szwed. Vodafone, Lloyds TSB i brytyjska komisja przetargowa odpowiedzialna za organizację Olimpiady są zarządzane przez Jankesów. Według moich znajomych z londyńskiego City, dzielnica ta jest już prawie w całości amerykańska.

By na własnej skórze przekonać się o skali problemu, to, gdy następnym razem będziecie przechodzić przez Terminal 1 na lotnisku Heathrow, wstąpcie do sklepu z pamiątkami, gdzie turyści mają ostatnią szansę, by kupić coś, co w domu przypomni im atmosferę pobytu w Anglii.

Takie sklepy są na każdym lotnisku. W Detroit Ford, General Motors i Motown[3] prowadzą swoje sklepy z upominkami. Można w nich kupić modele samochodów i plakaty z Marthą Reeves[4]. Będąc w Islandii, kupicie świetny sweter albo album o wodospadach. Na Barbados oferują zestaw ostrych sosów. W Kanadzie sprzedadzą ci

---

[3] Wytwórnia płyt z Detroit.

[4] Flagowa piosenkarka wytwórni płytowej Motown.

śliczną martwą fokę z instrukcją: „Wciśnij jej brzuch, a z jednej z ran na głowie tryśnie krew".

W Nowym Jorku kupiłem plastikową figurkę z limitowanej serii, przedstawiającą strażaka niosącego na rękach jakiegoś gościa, z którego wystawało coś, co przypominało frytkę z keczupem, ale tak naprawdę miało wyobrażać fragment World Trade Center. Figurka nosiła nazwę „Czerwone Hełmy Męstwa".

Na Heathrow można poczuć tylko namiastkę tylko tego, czym Anglia była kiedyś. Dziś brytyjski policjant nosi kamizelkę kuloodporną i nie odważy się wyjść na patrol bez pasa z gazem musztardowym. A na lotnisku oferują ci tylko pluszowego misia ubranego jak Dixon z Dock Green[5].

Czy można sobie wyobrazić sklep z pamiątkami na lotnisku Charlesa de Gaulle'a, w którym sprzedają lalki w beretach i z zawieszonymi na szyjach wieńcami z cebuli? A w Australii – misie w ubraniach skazańców z łańcuchami na nogach?

Tu, w Anglii, można się za to spodziewać Winstona Churchilla ubranego w strój strażnika z Tower i gadającej lalki Sir Walter Raleigha[6]: „Fszysztko f poszątku. Papiełofka? O do diafka!".

Czas na królową. Pokażcie mi jakieś państwo, które sprzedaje turystom naczynia stołowe z wizerunkiem głowy państwa? Salaterka z Berlusconim? Talerz z Putinem? To ja może podziękuję.

Angielskie sklepy z pamiątkami koniecznie pragną

---

[5] Policjant, bohater serialu TV BBC emitowanego w latach 1958–1976.

[6] Żyjący w XVI wieku brytyjski podróżnik, pisarz i poeta. Jego pomnik w East Budleigh był współfinansowany przez British American Tobacco.

wypełnić czymś swoje półki. Czymkolwiek. Mogą ci nawet sprzedać plastikową flagę brytyjską. Naprawdę posuwają się już do ostateczności. Przecież nawet Luksemburg nie musi się uciekać do sprzedawania flag.

Jeśli jednak sklepy z upominkami chciałyby swoim asortymentem odzwierciedlać współczesną Anglię, mam dla nich niezłą propozycję. Każdy powracający do domu turysta powinien mieć w swoim bagażu kubek z podobizną Harolda Shipmana.

Niedziela, 5 października 2003 r.

Eton jest gorsze nawet od państwowej szkoły średniej w podłej dzielnicy

W zeszłym tygodniu Oliver Letwin[1] obwieścił, że wolałby żebrać na ulicach, niż wysłać swoje dzieci do państwowej szkoły w śródmieściu. Jest absolwentem Eton.

Łatwo się domyślić, że jak dzielnica Haringey[2] długa i szeroka, wszyscy lamentujący, bezkształtni socjaliści o cienkich ustach i nalanych twarzach, pojawili się w radiu biadoląc, jęcząc i siejąc zamęt. „To niesprawiedliwe!" – zawodzili. I mieli cholerną rację. To niesprawiedliwe – tak samo jak posiadanie twarzy o wyrazie spranego spaniela. Ale takie jest życie, frajerzy. I lepiej, żebyście się z tym pogodzili.

Zresztą nie uważam, by „Oliver z Eton" przesadził. Trzymanie dzieci z daleka od śródmiejskiej szkoły państwowej to nie żadna przesada. W tym celu wynająłbym nawet mój samochód firmie taksówkarskiej, udostępniłbym mój tyłek do ściągania z Internetu, a w moim wolnym pokoju mogłaby zamieszkać rodzina z Azerbejdżanu.

Nic, naprawdę nic nie złości mnie bardziej, niż ludzie poświęcający swoje dzieci na ołtarzu idei politycznych. Pomysł, że można wysłać swoje dzieci do przesiąkniętej narkotykami i wypełnionej świstem kul szkoły, gdzie będzie ich uczył jakiś żul w skórzanej kurtce ponieważ „no

---

[1] Parlamentarzysta brytyjski, członek Partii Konserwatywnej.

[2] Zróżnicowana etnicznie dzielnica Londynu.

cóż, jakoś nie wierzę w prywatną edukację", doprowadza moją krew do stanu wrzenia.

Nie jestem w tym osamotniony. Każdego dnia autostrada M40 pęka w szwach od przemieszczających się nią rodzin, które z całym swoim dobytkiem, przytwierdzonym do dachów samochodów, uciekają przed koszmarem państwowej edukacji w Londynie. Tak się zdarzyło, że jedna z takich rodzin przebywa obecnie u mnie w domu.

Ta pani na razie nie szuka domu tu, w Cotswolds. Wszystko w swoim czasie. Na razie rozgląda się za szkołą, gdzie jej syn mógłby nauczyć się dodawać i odejmować w staromodny sposób, to znaczy przy pomocy ciastek i słodyczy, zamiast rozwiązywać zadania typu: „Jeśli dźgniesz Johnny'ego i straci dwa litry krwi, to ile mu jej zostanie?".

Problem polega na tym, że debata nad edukacją nie może być traktowana poważnie, jeśli zapoczątkował ją ktoś taki jak absolwent Eton – Letwin. Czy widzieliście, jak wyglądał na zeszłotygodniowym kongresie? Iain Duncan Smith[3] usiłował dojrzeć z mównicy swój teleprompter, jakiś głupek w o trzy rozmiary za dużej marynarce próbował skłonić publiczność, cierpiącą na osteoporozę, do stawania co 15 sekund na chore nogi, a tu proszę, w pierwszym rzędzie nasz, wyedukowany w Eton, Letwin wyglądał tak, jakby usiadł na kablu wysokiego napięcia ze zdjętą izolacją.

Jego twarz przybrała dziwnie fioletowy odcień, a głowa trzęsła mu się na boki tak mocno, że w pewnej chwili pomyślałem, że zaraz odpadnie.

---

[3] Brytyjski polityk, wówczas lider Partii Konserwatywnej.

Letwin to naprawdę śmieszny gość. Kiedyś siedziałem obok niego podczas jakiejś kolacji i uznałem, że jest czarującym, zabawnym facetem o wzroście mniej więcej 20 centymetrów. Ponadto jest tak inteligentny, że przez cały czas ma się wrażenie, jakby za moment miał zacząć płynnie mówić po łacinie.

Dzięki jego przedwyborczemu wystąpieniu w *Newsnight*[4] przekonaliśmy się, że ma słabość do chodzenia w todze.

To wszystko nie ma jednak większego znaczenia. Letwin mógłby zwrócić się do Państwowego Stowarzyszenia Działkowców po aramejsku. Mógłby przez cały tydzień skakać wszędzie na jednej nodze. Ale wszystko, co robi, zawsze pozostaje w cieniu tego, gdzie chodził do szkoły. Już dziś wiadomo, jak będzie wyglądał jego nekrolog:

„Dzisiaj eksplodował Pan Oliver Letwin, absolwent Eton. Świadkowie opisują, że jego głowa była już tak wypełniona wiedzą, że jego twarz stała się fioletowa a czaszka pękła.

Stephen Fry podzielił się z nim mało znanym faktem dotyczącym Homera i to przelało czarę. W jego mózgu nie było już miejsca na jakąkolwiek nową informację – stwierdził później lekarz, również absolwent Eton.

Pan Boris Johnson, także absolwent Eton, był wstrząśnięty. «Ego sum»[5] zrozpaczony" – powiedział".

Gdy tylko powiecie o kimś, że chodził do Eton, wszyscy od razu uznają, iż mają do czynienia z szydercą w przylizanej fryzurze, którego starszy brat służy w wojsku.

---

[4] Odpowiednik polskiego *Monitora Wiadomości*.
[5] Łac. „jestem".

Podczas gdy my przerabialiśmy w szkole Johna Donne'a[6], chłopcy w Eton z pewnością uczyli się, jak rządzić klasą robotniczą, i że jeśli mówi się bardzo głośno, to nie trzeba znać francuskiego.

Istnieje pewne słynne wypracowanie napisane przez ucznia Eton na temat biedy: „Ojciec był ubogi. Matka była uboga. Dzieci były ubogie. Kamerdyner był ubogi. Kucharz był ubogi. Służący zajmujący się salą kinową był ubogi. Szofer był ubogi". Prawdziwe życie kończy się tuż za Windsorem i zaczyna znowu w Slough[7].

Ten karykaturalny obraz nie do końca jest prawdziwy. Nie można znaleźć się w Eton tylko dlatego, że ma się nazwisko dłuższe od przeciętnej nazwy związku chemicznego.

Trzeba być bardzo, bardzo inteligentnym. Co więcej, dwóch moich najlepszych przyjaciół chodziło do Eton w latach siedemdziesiątych. I raczej im to nie zaszkodziło.

Ale piętno jest wciąż żywe.

Nikt nie powie, że program *Newsnight* jest prowadzony przez Jeremy'ego Paxmana, który ukończył Malvern. Nigdy też prezenter nie zapowie: „A teraz Jonathan Ross, który chodził do jakiejś wiejskiej szkółki w Leytonstone".

Moja żona zapisała mojego syna do Eton, ale zacznie on tam chodzić po moim trupie, bezczeszcząc moje ciało, które zaprzedałem, aby trzymać go z daleka od państwowych szkół w Lambeth. Wiem, że przez pięć lat zostałby

---

[6] Angielski poeta tworzący we wczesnym baroku.

[7] Eton leży pomiędzy Windsorem a Slough.

tam świetnie wyedukowany, ale przez kolejnych pięćdziesiąt musiałby być absolwentem Eton.

Koniec końców, lepiej by wyszedł uczęszczając do państwowej szkoły średniej. Wtedy byłoby zupełnie odwrotnie: przez pięć lat musiałby znosić ataki nożem, za to przez następne pięćdziesiąt nie uroniłby łzy, wyciągając sobie z oka strzałkę do gry w rzutki.

Niedziela, 12 października 2003 r.

Wielki skok wstecz dla ludzkości

Tak jak większość osób w średnim wieku, nie wiem, gdzie znajdowałem się w chwili, kiedy strzelano do Johna F. Kennedy'ego. Ale wiem, gdzie byłem, gdy Concorde Francuskich Linii Lotniczych spadł na podparyski hotel. Wiem też, gdzie będę w przyszły piątek: na pokładzie jedynego na świecie pasażerskiego samolotu naddźwiękowego, który po raz ostatni w swojej historii będzie leciał z Nowego Jorku do Londynu.

Gdy będę z niego wysiadał, na pewno podkusi mnie, by powiedzieć: „To był mały krok człowieka, ale wielki skok wstecz ludzkości".

Trudno jest podać jakiekolwiek przykłady z przeszłości, kiedy to ludzkość miała możliwość rozwinięcia jakiejś technologii, a nie wykorzystała tego. Może było tak w roku 410 n.e., gdy Rzymianie wycofali się z Brytanii. Później nie zdarzyło się już nic podobnego. Gasić płomień – to sprzeczne z naturą człowieka.

Byliśmy już na Księżycu, a teraz Beagle 2 zmierza na Marsa. Wynaleźliśmy maszynę parową i niemal od razu zastąpiliśmy ją silnikiem spalinowym. Lot do Ameryki trwał trzy godziny… a teraz zostaliśmy pozbawieni takiej możliwości. Bez sensu.

Gdy w 1962 roku rządy Wielkiej Brytanii i Francji postanowiły złożyć zamówienie na naddźwiękowy samolot pasażerski, inżynierowie w ogóle nie wiedzieli, jak się za to zabrać. Oczywiście, że istniały już wtedy odrzutowe myśliwce przemierzające stratosferę dwukrotnie szybciej niż dźwięk. Latali nimi jednak młodzi ludzie z trójkątnymi torsami, ubrani w kombinezony zabezpieczające przed przeciążeniami. A politykom chodziło o to, by w podobną podróż wysłać biznesmenów z nadwagą, w ich tradycyjnych kombinezonach – garniturach wizytowych.

Moi znajomi z NASA powiedzieli mi, że technologiczne wyzwanie, przed którym stanęli inżynierowie projektujący pasażerski samolot naddźwiękowy, było trudniejsze niż wysłanie człowieka na Księżyc. Gdy ci chłopcy rakietowcy mówią o swoich ukochanych statkach Apollo, łzy wzruszenia pojawiają się w ich oczach. Ale gdy wspomnisz o samolocie Concorde, ich wilgotne oczy wysychają. Zaczynają powoli i z nabożeństwem kiwać głowami.

A to dlatego, że warunki panujące przy prędkościach naddźwiękowych, przekraczających 1200 km/h, stają się dla życia niezwykle nieprzyjazne. Dodatkowo występuje tarcie, które wytwarza tyle ciepła, że każdy zwykły samolot doszczętnie by się stopił.

Na desce rozdzielczej Concorde'a jest jedno miejsce tak gorące, że można by na nim usmażyć jajecznicę. Wreszcie pojawia się fala uderzeniowa, niszczycielskie zjawisko prowadzące do unieruchomienia hydrauliki i utraty sterowności.

Pod koniec drugiej wojny światowej piloci, którzy wprowadzali swoje myśliwce Spitfire w lot pikujący, często tracili nad nimi kontrolę i nie mogli się ponownie wznieść. Wtedy nie było jeszcze wiadomo, że źródłem tych problemów była naddźwiękowa fala uderzeniowa, nam objawiająca się jako donośny huk. Fala ta powstawała na tylnych krawędziach skrzydeł i nie pozwalała na ruch lotek. Aby samolot mógł latać z prędkością naddźwiękową, falę uderzeniową trzeba było jakoś poskromić.

Oczywiście, nie można było też pozwolić, by ten brutalny, naddźwiękowy pęd powietrza dostał się choćby w pobliże delikatnych silników Olympus. Zanim powietrze przedostanie się przez wloty silnika i przejdzie przez filigranowe łopatki turbiny, musi zostać spowolnione.

Żeby jeszcze bardziej skomplikować sprawę, wspomnę tylko o uciążliwym problemie zużycia paliwa i niezawodności.

Typowy odrzutowiec myśliwski z lat sześćdziesiątych, na przykład Lightning[1], zużywał całe paliwo w ciągu czterdziestu pięciu minut lotu. A po każdym podniebnym wypadzie czekał go czasami nawet i dwutygodniowy serwis.

Amerykanom nie udało się skonstruować pasażerskich samolotów naddźwiękowych, bo chcieli docelowo uzyskać 3 machy, a egzotyczne surowce, które mogłyby wytrzymać temperaturę przy takich prędkościach, nie były jeszcze wtedy łatwo dostępne. Rosjan cechował większy realizm, ale ich naddźwiękowy Tupolew nie spisał się, bo dysponował zasięgiem jedynie 2500 km.

Warto pamiętać, że Concorde'a konstruowano metodą prób i błędów. Faceci z włosami na żelu, ubrani w firmowe kurtki, bez końca puszczali w tunelu powietrznym Filton samolociki z papieru.

---

[1] Brytyjski naddźwiękowy samolot bojowy z okresu zimnej wojny.

Jednak nie dajcie się zwieść – Concorde to wyjątkowe osiągnięcie technologiczne. Prawie na pewno jedno z największych w historii.

I nie tylko pod względem technicznym, ale i politycznym. Francja i Anglia nie mogły się porozumieć, jak powinno się pisać nazwę samolotu. W końcu postanowiono, że z „e" na końcu, we francuskim stylu. Później jednak Macmillan[2] pokłócił się z de Gaulle'em i opuścił tę literę z końca wyrazu.

Zakończenie sporu zawdzięczamy Tony'emu Bennowi[3], który w tym czasie pełnił funkcję ministra przemysłu. Powiedział, że „e" na końcu będzie oznaczało: England, Europe i *entente cordiale*[4].

Benn ratował Concorde'a wiele razy. Musiał nawet zmierzyć się z Amerykanami, którzy, cierpiąc na syndrom kwaśnych winogron[5], usiłowali zakazać lądowań Concorde'a w swoim kraju w obawie przed niekorzystnym wpływem naddźwiękowej fali uderzeniowej na ich krowy.

Zrobili z tego taką aferę, że cały świat zaczął powoli tracić przekonanie do samolotu. Jedna po drugiej, szesnaście linii lotniczych zaczęło wycofywać swoje zamówienia na Concorde'a, aż pozostały tylko dwie: Air France i BOAC[6].

Mając świadomość, że Concorde będzie komercyjną klapą, Benn musiał przymilać się Ministerstwu Finan-

---

[2] Brytyjski premier w latach 1957–1963.

[3] Patrz przypis 3, str. 137.

[4] Przymierze Francji i Anglii z 1904 roku.

[5] Zachowanie polegające na deprecjonowaniu celu, którego samemu nie można osiągnąć.

[6] British Overseas Airways Corporation, w 1974 roku przekształcona w British Airways.

sów i Francuzom aż do chwili, kiedy to 21 stycznia 1976 roku rozpoczęły się regularne rejsy tego samolotu. Po raz pierwszy pasażerowie mogli latać tak szybko, że widzieli, jak na zachodzie wschodzi Słońce, a do Ameryki docierali wcześniej niż wyruszyli w podróż[7].

Koszt tego przedsięwzięcia był dla brytyjskiego podatnika astronomiczny: 1,34 miliarda funtów. Nawet dzisiaj za tę kwotę można by wybudować prawie dwie Kopuły Tysiąclecia.

Lecz, o dziwo, to kosztowne przedsięwzięcie rychło zamieniło się w gotówkową dojną krowę. Mimo że pojawienie się tego egzotycznego samolotu zbiegło się z tym, jak Freddie Laker[8] zaczął przewozić do Nowego Jorku klasę robotniczą za jedyne 59 funtów, Concorde latał regularnie z trzema czwartymi kompletu pasażerów i zarabiał dla British Airways 20 milionów funtów rocznie.

Z mojego punktu widzenia znajdującego się w mieszkaniu w Fulham[9], Concorde był niczym innym jak tylko urządzeniem, które uniemożliwiało mi wysłuchanie drugiego komunikatu w wiadomościach o szóstej i dziesiątej wieczorem. Dwa razy w nocy hałas uliczny centralnych dzielnic Londynu pogrążał się w huku jego potężnych silników. I dwa razy dziennie wszyscy przechodnie zadzierali głowy do góry. Przyzwyczajenie, które w przeciwieństwie do wielu innych, nigdy nie przeszło w obojętność.

---

[7] Concorde był jedynym samolotem pasażerskim, który był w stanie prześcignąć terminator – granicę pomiędzy oświetloną a nieoświetloną częścią Ziemi. Wylatując nocą z Paryża, można było dolecieć do Ameryki rankiem tego samego dnia – efekt szybkiego przemieszczania się przez strefy czasowe.

[8] Właściciel tanich linii lotniczych, m.in. Ryan Air.

[9] Dzielnica Londynu.

A potem... W momencie, gdy w York wysiadałem z helikoptera Królewskiej Marynarki Wojennej, zadzwonił mój telefon i dowiedziałem się, że Concorde rozbił się, spadając na hotel w Paryżu.

Moja reakcja była taka sama jak wszystkich w Wielkiej Brytanii. Doznałem szoku, który tylko w małym stopniu ustąpił na wieść, że samolot należał do Air France i wśród pasażerów nie było Brytyjczyków. W takich sytuacjach opłakujemy zazwyczaj ofiary katastrofy.

Tym razem było inaczej. Po raz pierwszy od czasów Titanica, opłakiwaliśmy samolot, utratę wielkiej, białej strzały, maszyny, która dwa razy dziennie przypominała Londyńczykom, jak wspaniali kiedyś byliśmy. Samolotu, który skonstruowano 40 lat temu, wykorzystując najnowsze zdobycze wszystkich dziedzin techniki. I który mimo to nie okazał się niezwyciężony.

Tak naprawdę to nigdy nim nie był. W czasie pewnego rejsu British Airways z Nowego Jorku do Londynu wlot powietrza jednego z silników odmówił posłuszeństwa, zwiększając opór samolotu i prowadząc do wzrostu zużycia paliwa. Kapitan zignorował rady inżyniera i drugiego pilota, sugerujących, by wylądować w Shannon w Irlandii i tam uzupełnić paliwo. Skierował samolot nad samo centrum Londynu i wylądował na Heathrow z zapasem paliwa, który wystarczyłby zaledwie na 90 sekund dalszego lotu i wyczerpał się, gdy samolot kołował na stanowisko. Joan Collins nawet nie zdawała sobie sprawy, jak niewiele dzieliło ją od pozostania trwałym elementem dekoracji ruin czegoś, co niegdyś było Harrodsem.

Po katastrofie w Paryżu i po 11 września, zaufanie opinii publicznej do Concorde'a wyczerpało się. Po raz pierwszy w życiu leciałem nim w zeszłym roku. Był tak pusty, że nie mogłem w to uwierzyć.

Tak naprawdę, było jeszcze dużo innych rzeczy, w które nie mogłem uwierzyć. Na przykład w to, jak małe były okna, i jak w takim malutkim kadłubie znaleźli miejsce na tak wyjątkowo dobrze zaopatrzony schowek z winami. I w to, jak głośno było z tyłu samolotu. Ale najbardziej nie mogłem uwierzyć w potężne przyspieszenie, bo gdy mijaliśmy Kornwalię, dopalacze rozpędziły nas do 1 600 kilometrów na godzinę.

Jeśli moje dzieci nie zostaną pilotami myśliwców, nigdy już nie poczują takiego przyspieszenia.

Nie ma obecnie na świecie żadnego przedsiębiorstwa ani rządu, który byłby zainteresowany podjęciem poważnych prac nad nowym naddźwiękowym samolotem pasażerskim. Mówi się tylko o firmie Glufstream, konstruującej prywatny odrzutowiec rozwijający 2 machy, krążą też plotki o samolocie Scramjet, który trasę Londyn–Sydney pokonywałby w dwie godziny[10].

We wczesnych latach dziewięćdziesiątych firmy British Aerospace i francuska Aerospatiale prowadziły tajne rozmowy na temat budowy 225-osobowego samolotu, który mógłby przemierzać Pacyfik z prędkością 2,5 macha. Jednak gdy przewidywany koszt inwestycji wyniósł 9 miliardów funtów, zamiast tego postanowiły poprzestać na dwupoziomowym autobusie[11].

---

[10] Chodzi o eksperymentalny samolot NASA X-43A, którego obecny rekord prędkości to 9,8 macha (12 000 km/h), a docelowo jego prędkość ma wynosić od 12 do 24 machów.

[11] Aluzja do dwupoziomowego Airbusa A380, który jest obecnie największym samolotem pasażerskim.

Czy myślicie, że Kolumb odkryłby Amerykę, gdyby chciał zrobić to jak najmniejszym kosztem? Czy Armstrong mógłby chodzić po Księżycu, a Hillary wspiąć się na Mount Everest? Czy Amundsenem kierowała chęć zysku, gdy wybierał się na Biegun Południowy? Albo Turningiem, gdy wymyślał komputer?

Złożoność problemu jest podobna jak w przypadku konsekwencji pierwszej wojny światowej, które są tak daleko idące, że będą na pewno wpływać na trzecią. Panuje przekonanie, że pieniądze najlepiej jest wydać na pomoc innym, by mogli nadrobić swoje zaległości. Nad każdym funtem wydanym na rozwój ludzkości płaczą tysiące nadwrażliwców, którzy twierdzą, że lepiej byłoby wydać go na głodujących w Afryce. I ja ich rozumiem.

Ale nie mogę zrozumieć, jak zapał ludzkości do ustawicznego rozwoju mogą gasić zwykli księgowi. Ponieważ nie ma pojedynczej korporacji czy kraju, który mógłby sobie pozwolić na stworzenie samolotu znacząco lepszego od Concorde'a, może należałoby wyodrębnić specjalny fundusz, którego zadaniem byłoby osiągnięcie takiego wyższego celu. Fundusz, którego prace, niezagrożone wpływem biznesu, doprowadziłyby do opracowania metod niszczenia zagrażających Ziemi asteroidów, do penetracji mórz w poszukiwaniu lekarstwa na raka i do zaspokojenia naszego ustawicznego dążenia, by poruszać się coraz szybciej i szybciej.

A może czasy fizycznej prędkości mamy już za sobą? Po co wybierać się do Ameryki z prędkością dźwięku, skoro za pośrednictwem Internetu i połączeń wideokonferencyjnych można znaleźć się tam z prędkością światła? Po co w ogóle się tam wybierać?

Może samoloty podążą śladem koni? Gdy pojawił się samochód, konie nie zniknęły. Po prostu przestały być narzędziem i stały się zabawką. Do skakania przez przeszkody. Do towarzystwa dla dwunastoletniej dziewczynki.

Jeśli można się natychmiast połączyć ze wszystkimi w dowolnym miejscu na świecie, jedynym powodem podróży staje się rozrywka. Wakacyjne wyjazdy. Ale stając przed wyborem, czy lecieć z prędkością 2 machów, czy lecieć za dwa funty, wiem, co bym wybrał.

Może w takim razie nie jest to skok wstecz. Może Concorde umarł nie dlatego, że był zbyt szybki, lecz dlatego, że w dobie elektroniki tak naprawdę okazał się zbyt wolny?

Niedziela, 19 października 2003 r.

Cóż za wspaniały lot w otchłań narodowej klapy

Niewiele rzeczy jest w stanie wyciągnąć mnie z łóżka o wpół do piątej nad ranem. W szczególności wtedy, gdy zawlokłem się do niego o wpół do czwartej. Ale gdy jest się posiadaczem jednego ze stu biletów na ostatni lot Concorde'a... Nawet się ogoliłem.

Moje miejsce znajdowało się tuż przed klozetem, znanym wam lepiej jako Piers Morgan[1], redaktor „Daily Mirror", oraz pomiędzy maklerem zajmującym się ubezpieczeniami a Amerykaninem, który zapłacił 60 000 dolarów za bilet na jakiejś charytatywnej aukcji eBay.

Jedna z lecących z nami panienek była strasznie rozczarowana listą pasażerów. „Nie ma nawet żadnych przedstawicieli prasy!" – powiedziała. „Cóż – odezwałem się, bo zrobiło mi się odrobinę przykro – ten przysadzisty gość jest z «Independent». A obok siedzą ludzie z «Mail», BBC, ABC, NBC, ITN, PA CNN, Sky, z «Suna», z «Guardiana» i z «Telegraph»".

„Ale gdzie jest ktoś z «Halo»?!". Aaa, to o to jej chodziło.

Krążyły plotki, że pojawi się Elton John i być może George Michael. Skończyło się jednak tylko na kobiecie,

---

[1] Clarkson jest zwaśniony z Piersem Morganem. Powodem są publikacje na temat Clarksona, jakie ukazały się na łamach prowadzonej przez Morgana gazety.

którą pamiętam z filmu *The Stud*[2]. Przybył jeszcze ktoś,
kto kiedyś był żoną Billy Joela[3].

A reszta? Cóż, byli tam właściciele wszystkich firm
zarejestrowanych na Giełdzie Papierów Wartościowych
w Londynie, wszyscy w lekko północnym typie, rumia-
ni i – może nie powinienem tego mówić – z pokaźnymi
brzuszkami.

Pomimo tego obciążenia, Concorde wzbił się w bez-
chmurne, poranne niebo nad Nowym Jorkiem o 7.38
i przechylając się ostro na bok – ale nie za ostro, by z naszych kieliszków nie wylał się szampan Pol Roger „Win-
ston Churchill" – wycelował swój nos we wschodzące
słońce i wyruszył w podróż do domu. W swoją ostatnią
podróż.

Muszę przyznać, że byłem w imprezowym nastroju,
ale trudno bawić się w czymś, co w gruncie rzeczy można
scharakteryzować jako rozwijający prędkość 2 machów
kontener do przewożenia zwierząt na ubój. Można niby
wstać z fotela, ale ciężko jest potem ustać na nogach, a i
tak należy zaraz usiąść z powrotem, bo właśnie trzeba
przepuścić wózek z drinkami.

Gdy przekroczyliśmy pierwszego macha, zapytałem in-
westora siedzącego obok, jak czuje się, gdy po raz pierwszy w jego życiu i po raz ostatni w życiu każdego z nas,
przekracza prędkość dźwięku. On jednak drzemał.

Amerykanin był głęboko pogrążony w dialogu z samym sobą. W Concordzie nie ma ekranów telewizyjnych – by zaoszczędzić na wadze – a ja zostawiłem swoją
książkę w bagażu.

---

[2] Chodzi o Joan Collins.

[3] Billy Joel, muzyk i kompozytor amerykański, był żonaty trzy razy.

Concorde nigdy nie był pomyślany jako miejsce zabaw. W przeciwieństwie do Boeinga 747, wyposażonego w bogate zapasy jedzenia i gry wideo, Concorde jest dzieckiem lat pięćdziesiątych ubiegłego stulecia, czasu, gdy rozrywkę trzeba było zapewnić sobie we własnym zakresie. I tak właśnie postąpiłem. Szerokim łukiem wylałem swojego drinka na Piersa Morgana.

Liniom British Airways bardzo zależało na tym, by ten ostatni lot nie był postrzegany jako czuwanie przy zwłokach, lecz jako świętowanie 27 niezwykłych lat.

I – szczerze mówiąc – zarówno w hali odlotów, jak i na płycie lotniska, gdzie piloci porannych lotów przekazywali nam pozdrowienia, atmosfera była bardzo radosna.

Jednak o 15.24 czasu lokalnego, gdy zwolniliśmy do 0,98 macha, nastrój diametralnie się zmienił. Kiedy zdaliśmy sobie sprawę z tego, że jesteśmy ostatnimi w historii ludźmi, którzy bez spadochronów na plecach poruszali się z prędkością większą niż dźwięk, poczuliśmy, jak kabinę okrył delikatny woal smutku.

Przelatując nad Londynem, nie mogliśmy nie zauważyć charakterystycznych wyznaczników nowoczesnej Wielkiej Brytanii. Kopuła Tysiąclecia. Most Tysiąclecia. Korki. Biura gazety „Mirror". A ponad tym wszystkim my, w samolocie, który jako jedyny przypominał nam, jak wielcy i twórczy byliśmy kiedyś. Myśleliśmy: cóż go teraz zastąpi?

Gdy koła dotknęły pasa startowego, rozległ się aplauz, ale przez kolejne 40 minut wygaszania silników, gdy zgromadzony tłum robił zdjęcia, czuliśmy się jak na pogrzebie. Wypiliśmy drinki, ale woal zdążył już przekształcić się w czarną chustę.

Nie żal mi biznesmenów, którzy będą teraz potrzebowali siedmiu godzin, by przelecieć Atlantyk. W końcu to przecież przede wszystkim ich skąpstwo doprowadziło do tego, że Concorde leciał dziś po raz ostatni.

Nie żal mi narodu. To nasza wina, że nie konstruujemy już więcej takich maszyn.

Nie żal mi też ludzi, których wysiłek sprawiał, że Concorde latał jeszcze przez te ostatnie lata: wszyscy oni dostaną nową pracę.

Tak naprawdę to jest mi żal samego samolotu. Będzie stał zamknięty w hangarze i zastanawiał się, co zrobił nie tak. Dlaczego nie poleciał wczoraj i dlaczego nie ma sensu, by leciał dziś? Dlaczego nikt nie przegląda już jego silników? Dlaczego nikt nie odkurza już jego dywanów?

I o co chodziło z tym ostatnim lotem? Dlaczego przyszło tak dużo ludzi, którzy robili zdjęcia, i dlaczego, po 27 latach, każdy z 30 000 pracowników lotniska Heathrow przybył, by oglądać samolot wykonujący najzwyklejsze zadanie, do którego był przeznaczony?

Lubię wierzyć w to, że maszyny mają serca i dusze. Lubię myśleć o nich tak, jak zwykli ludzie myślą o psach. Maszyny nie umieją czytać ani pisać, nie rozumieją też, co do nich mówimy. Rozumieją za to, czego od nich wymagamy.

Skręć w lewo. Skręć w prawo. Szybciej. Siad. Leżeć.

Puśćmy więc wodze fantazji. Wyobraźmy sobie, że Concorde to pies, który był z nami przez 27 lat. Pomyślmy o nim jak o kimś, kto nigdy nas nie zawiódł. Pomyślmy, jaki dreszcz emocji przechodził przez niego, gdy karmiliśmy go, głaskali i zabierali na spacer.

A teraz spróbujmy sobie wyobrazić, jak czułby się taki pies, gdyby pewnej nocy zamknąć go w ciemnym pomieszczeniu i już nigdy do niego nie wrócić?

Niedziela, 26 października 2003 r.

Zabawa w pokój w Iraku to *Jeux Sans Frontieres*[1]

Pewnie tak jak ja myśleliście, że Irak został podbity przez Amerykanów, którzy pozwolili Tony'emu Blairowi zatrzymać obszar o powierzchni odpowiadającej Bournemouth[2].

Innymi słowy, myśleliście, że Stany i Wielka Brytania stworzyły koalicję złożoną z dwóch państw.

Nic z tych rzeczy. Już w lutym prezydent George W. Bush ogłosił, że pomimo usilnych starań jedzących ser małp, które zawsze są gotowe się poddać[3], udało mu się stworzyć koalicję 30 podobnie myślących państw i że ta „siła czynienia dobra" wniesie do Iraku pokój, atmosferę życzliwości i Texaco.

Niestety, stworzona przez Busha lista 30 państw nie obejmuje Niemiec, Rosji czy Chin: państw z chwalebną wojenną historią i dużą liczbą łodzi podwodnych. Nie. Skończyło się na zdumiewającej kombinacji krajów, z Estonią włącznie. Estonia w 1993 roku rzeczywiście dysponowała armią. Tyle, że później ją straciła.

---

[1] Z francuskiego „Gra bez granic" – tytuł teleturnieju emitowanego w latach 1965–1999, w którym drużyny z wielu państw rywalizowały w absurdalnych i komicznych dyscyplinach.

[2] Nadmorski region w południowej Anglii o obszarze ok. 48 km².

[3] Obraźliwa fraza „cheese-eating surrender monkeys" używana w stosunku do Francuzów z powodu ich niechęci do wojny w Iraku.

Wcale nie żartuję. Armia Estonii miała rozkaz przejęcia rosyjskiego miasta wojskowego, ale jej żołnierze doszli do wniosku, że to dość nieprzyjemny sposób zarabiania na życie, więc opuścili szeregi i zaczęli na własną rękę walczyć ze zorganizowaną przestępczością.

Dziś w Estonii istnieje co prawda obowiązkowa służba wojskowa, ale większość młodych ludzi omija ten nakaz po prostu nie stawiając się przed komisją. Nie winię ich za to. Jaki sens ma trwająca rok zabawa w żołnierzy, jeśli najbardziej przerażającą rzeczą w arsenale całego państwa jest pies generała?

Kilka lat temu Niemcy, Finowie i Szwedzi zrobili zrzutkę i podarowali swojemu niewielkiemu sąsiadowi parę mundurów, kilka łodzi patrolowych i mały samolot śmigłowy, a jeśli chodzi o broń – cóż, Estończycy mają Uzi, który kupili od Izraelczyków.

W konflikcie z Irakiem, Estonia byłaby całkiem sympatycznym, ale praktycznie bezużytecznym sprzymierzeńcem. Podobnie jak Azerbejdżan, który dołączył do koalicji nawet pomimo tego, że również stracił wojsko czternaście miesięcy temu i jak dotąd nie pojawił się jeszcze w Iraku.

Prezydent Gäjdar Älijew usiłował uczynić życie swoich żołnierzy znośnym i założył nawet fundację charytatywną, która miała ich opłacać. Lecz gdy w zeszłym roku nadeszła zima, żołnierze opuścili koszary, twierdząc, że mają powyżej uszu niedogrzanych pomieszczeń i włączania bieżącej wody na godzinę dziennie.

Bush może wciąż jeszcze polegać na Hondurasie. Oczywiście, że liczba dorosłych obywateli Hondurasu nie przekracza liczby ludności Sheffield. Jasne, że większość ludzi mieszka tam w domach zrobionych z łodyg trzciny cukrowej. Mają tam jednak nowoczesną, dobrze uzbrojoną armię, więc jestem przekonany, że te specjalnie wyszkolone do walki w dżungli oddziały okażą się niezwykle przydatne na pustyni w Iraku.

Jak się jednak okazało, Honduras nie stawił się w Iraku. Nie stawili się też Japończycy, którzy planowali wysłać tam tysiąc żołnierzy sił pokojowych. W świetle zeszłotygodniowej eksplozji dużej bomby, Japończycy postanowili, że lepiej będzie pozostać w domu. Indie i Turcja poszły w ich ślady.

Korea Południowa również nie ma ochoty zgłosić swojego udziału, ale trudno jest przejmować się wydarzeniami odległymi o 10 000 mil, podczas gdy twój sąsiad przez twą skrzynkę pocztową celuje do ciebie z broni termojądrowej.

W wyniku tego wszystkiego, cała ta drużyna państw biorących udział w wojnie z Irakiem wygląda tak, jakby została wybrana przez ucznia podstawówki w ciągu sekundy. Francja wyszła cało z tego losowania i przyblokowała wszystkich wielkich, dobrych graczy, pozostawiając Wuja Sama z Ukraińcami, którzy na wojsko wydają 30 procent swojego PKB (czyli 47 pensów), Rumunami, którzy są obecnie zajęci szkoleniem nowych sił policyjnych Iraku, Nowozelandczykami, którzy wysłali jakieś bandaże, i Bułgarami, którzy najprawdopodobniej będą odpowiedzialni za parasole[4].

---

[4] Nawiązanie do morderstwa dwóch dysydentów bułgarskich, Markowa i Kostova, którym w 1978 wstrzyknięto rycynę ze specjalnie skonstruowanego przez bułgarskie KGB parasola. Gdy reżim komunistyczny w Bułgarii upadł, w ministerstwie spraw wewnętrznych odnaleziono cały skład takich śmiercionośnych parasoli.

Czechy wysłały 400 policjantów, ale każdy z nich dostał liścik od swojej matki i wróci do domu już za miesiąc. Podobnie jest z Włochami, którzy zawsze wykazują chęć walki. Dopóki walka się nie rozpocznie.

Myślę, że każdy rozsądnie myślący człowiek ma świadomość, że dla Amerykanów i ich porażającej machiny wojennej obalenie rządów partii Baas jest dziecinnie prostym zadaniem. Nawet bez pomocy honduraskich oddziałów do walk w dżungli i przechodzonej estońskiej łodzi patrolowej.

Wiemy też, że bardzo trudno będzie po tym wszystkim posprzątać. Jest prawie pewne, że zaraz jak Polacy czy Holendrzy odbudują rurociąg lub elektrownię, pół tuzina Talibów wpakuje w nie swoje Toyoty.

Trzeba było poświecić aż 80 lat by spacyfikować Irlandię Północną, a były tam tylko dwie walczące frakcje, podczas gdy w Iraku jest ich około stu dwudziestu. W dodatku każda z nich potrafi uzasadnić swoją wendetę cofając się aż do czasów ogrodu Eden.

Co gorsza, również wśród okupujących Irak sił brak jest spójności. Najpierw krzepki Australijczyk wchodzi do twojego domu i szuka pocisków jądrowych, a chwilę później wpada do niego Ukrainiec z pytaniem, czy nie chciałbyś służyć w policji. A na koniec strzela ci w twarz jakiś szyita, bo jakiś sunnita widział, jak rozmawiasz z norweskim sierżantem o tej bułgarskiej panience z sekcji łączności.

W międzyczasie 130 000 zasilanych nieprzerwanym strumieniem środków finansowych Amerykanów w helikopterach Apache grzęźnie w martwym punkcie usiłując zbadać, czy Saddam Hussein był w posiadaniu broni chemicznej bardziej niebezpiecznej od aspiryny znajdującej się w jego apteczce.

Wojna się skończyła, powiedział Bush. Może i skończyłeś się bawić, koleś, ale wierz mi: zostawiłeś po sobie 187 drużyn, które na jednym boisku grają w 187 różnych gier.

Niedziela, 16 listopada 2003 r.

Ławy przysięgłych są bardziej przerażające niż przestępcy

Pewnego dnia, wiele lat temu, gdy byłem praktykującym reporterem lokalnej gazety w Socjalistycznej Republice Południowego Yorkshire, jakaś kobieta zadzwoniła do redakcji i powiedziała, że jej dom „jest odrażający".

Wybrałem się tam, i tak jak podejrzewałem, zastałem bardzo brudny dom pełen równie brudnych dzieci, z których część należała do dzwoniącej do redakcji kobiety.

Nie była pewna, które dzieci są jej, była za to pewna czego innego: tego, że karaluchy drążą jej głowę, wchodzą do niej przez uszy i składają jaja za oczami.

Nie była wariatką. Była jednak gruba. Dość gruba, by pomyśleć, że jest dość szczupła, aby nosić minisukienkę. I na tyle tępa, by uwierzyć, że w jej głowie zalęgło się robactwo, podczas gdy tak naprawdę jej głowa ziała pustką.

Nie należała też do osób niezwykłych. Już wcześniej spotykałem ludzi, którzy umieli jedynie jeść, gdy byli głodni i atakować każdego, kogo podejrzewali, że się im przygląda. Innymi słowy: ludzi o zdolnościach logicznego myślenia plasujących ich poniżej zmywarki do naczyń.

I przez te lata wcale ich nie ubyło. Pewnego wieczoru oglądałem program policyjny. Został zatrzymany młody człowiek, który prowadził samochód jadąc zygzakiem. By nie powiedzieć tego dosadniej, nie był w stanie ani spójnie myśleć, ani spójnie się wypowiedzieć.

Kiedy policjant zapytał, czy samochód należy do niego, mężczyzna wyglądał tak, jakby go ktoś poprosił o wyjaśnienie atomowych własności litu. Jego IQ było na poziomie żonkila, umiejętność konwersacji jak u poduszki. Inteligencję odziedziczył chyba po matce, która w tym czasie stała przy samochodzie policyjnym, cały czas wydzierając się: „Świnie! Świnie!".

Ponieważ jednak człowiek ten nie był ani weteranem, ani pastorem, mógł zostać wytypowany do pełnienia obowiązków w ławie przysięgłych. Tak, zarówno ten mężczyzna, jak i kobieta z jajami karaluchów w głowie są uznawani za wystarczająco rozgarniętych, by zdecydować o finale procesu dotyczącego wielomilionowego oszustwa.

Może nie zwróciliście na to uwagi, ale pomiędzy końcem sesji ostatniego parlamentu a mową tronową Królowej, kiedy każdy koncentrował się na ważnych sprawach związanych z zakładaniem nowych szpitali i finansowaniem szkolnictwa wyższego, rząd usiłował przepchnąć swój nowy projekt ustawy o sądownictwie.

Ale tak naprawdę, jak przychodzi co do czego, masz gdzieś demokrację. Jeśli tylko można oczyścić ulice z kilku kolejnych włamywaczy, do diabła z uczciwością i przyzwoitością.

Trzeba nam systemu, który rzeczywiście by się sprawdzał. Wyrwani ze snu o świcie, z pewnością przyznamy, że przed rozpoczęciem procesu, sąd musi wiedzieć, czy oskarżony był już uprzednio karany.

Wiemy też, że sądownictwo oparte na ławach przysięgłych to farsa.

Jak można pozwolić na to, żeby kobieta, która myśli, że w głowie ma insekty, rozstrzygała, czy przepuszczenie funduszu emerytalnego przez Kajmany jest legalne? Podejrzewam, że w niektórych częściach hrabstwa Somerset, słowa *imbecile* i *embezzle*[1] brzmią dokładnie tak samo. I nie chodzi tylko o oszustwa finansowe. Dawno temu, kiedy mężczyznę oskarżano o kradzież gęsi, przesłuchiwano ludzi, którzy widzieli, jak to robił i wtedy podejmowano decyzję.

Dziś trzeba wykazać się przynajmniej podstawową wiedzą z zakresu medycyny sądowej.

Rozumiem zatroskanie parlamentarzystów z ramienia Partii Pracy. Muszą spotykać się z wieloma idiotami w czasie swoich godzin przyjęć. Ale i tak ci, którzy przychodzą do dyżurujących parlamentarzystów, to tylko czubek góry lodowej. Bo mam na myśli raczej tych, którzy w ogóle nie wiedzą, kto to jest parlamentarzysta i czym się zajmuje; ludzi, którzy – wydawałoby się – występują jedynie w komiksach *Viz*[2].

Partia Konserwatywna też powinna mieć powody do zmartwień. Znam jedną prawą, nobliwą damę, która zasiadała w ławie przysięgłych. Po procesie powiedziała: „Wiedziałam, że to półdiablę jest winne. Było to widać od razu, jak tylko wszedł na salę".

Ława przysięgłych w założeniu powinna składać się z sędziów równych sobie. W praktyce oznacza to, że wszyscy muszą mieć porównywalną pozycję społeczną i stanowisko. W takim razie przepraszam bardzo, ale ten człowiek z rzekomo ukradzionego samochodu, którego widziałem wtedy wieczorem w telewizji, powinien zasiadać w ławie wyłącznie z roślinami.

---

[1] Ang. *embezzle* – „zdefraudować, sprzeniewierzyć".

[2] Brytyjski prześmiewczy komiks dla dorosłych.

Co gorsza, moim odpowiednikiem, czyli kimś kto pisze o samochodach i czasami występuje w telewizji, jest Stephen Bayley[3]. A ja nie chciałbym się z nim konfrontować.

W chwili obecnej, proces z ławami przysięgłych nie ma nic wspólnego z demokracją, za to ma aż nazbyt wiele wspólnego z autentycznym ślepym losem. Ale czym powinniśmy ten system zastąpić?

Pojedynczym sędzią? O nie. Zawodowymi sędziami przysięgłymi? Kto by chciał na to pójść? Nawet gdyby sprawdzać inteligencję tych, którzy zostali powołani na ławników, nie zdałoby to egzaminu.

Wszyscy inteligentni i bystrzy ludzie udawaliby głupków, by móc z powrotem znaleźć się w domu.

Myślę, że już można zacząć się martwić, co będzie dalej. Obecnie mówi się o tym, żeby na salę sądową wpuszczać kamery telewizyjne. Ciekawe, czy długo będziemy musieli czekać na to, by telewidzowie w domach byli proszeni o „naciśnięcie czerwonego przycisku i oddanie głosu"? W każdym razie, pamiętajcie, że po raz pierwszy przeczytaliście o tym w moim felietonie.

Niedziela, 30 listopada 2003 r.

---

[3] Brytyjski krytyk sztuki, piszący m.in. do magazynu dla panów „GQ".

Próbują oprawić w ramki osiołka o imieniu Kristen Scott[1]

W zeszłym tygodniu byłem bardzo zapracowany i naprawdę ostatnią rzeczą, jakiej potrzebowałem, było rozporządzenie Parlamentu Europejskiego nakazujące mi sprawić paszporty moim trzem osiołkom.

Próbowałem tłumaczyć, że nie mam zamiaru zabierać ich za granicę, ba, nie chcę nawet wyprowadzać ich z zagrody, ale na nic się to nie zdało. Rozporządzenie Rady Europy 90/426/ECC mówi, że każdy posiadacz konia, muła bądź osła musi okazać odpowiednie paszporty. Za dwadzieścia funciaków sztuka.

To będzie niesamowicie upierdliwe. Geoff, mój szary osiołek, jest tak uparty, że nie chce nawet wejść do stajni, więc jak na miłość boską zdołam go wepchnąć do budki fotograficznej?

Podejrzewam, że Eddiemu, który jest rozbrykanym osiołkiem, robienie zdjęć nawet mogłoby się spodobać, ale z drugiej strony, pewnie przy każdym błysku flesza stroiłby głupie miny. Nie zapominajmy też o pięknej ośliczce Kristen Scott, która po odbiorze zdjęć wpatrywałaby się w nie cała we łzach, mówiąc: „Przecież nie mam aż tak długiego nosa".

---

[1] Właściwie Kristin Scott – znana angielska aktorka, grała m.in. w filmie *Angielski pacjent*.

Okazało się, że Unia Europejska pomyślała o tych ewentualnościach i postanowiła, że zamiast fotografii wystarczy prosty rysunek sylwetki zwierzęcia. To znacznie ułatwia życie, ale jestem odrobinę zaniepokojony, czy rzeczywiście takie sylwetki są dobrą metodą identyfikacji.

Spróbowałem narysować kształt osła i wyszło mi coś, co przypominało psa. Wszystko, co narysuję, przypomina psa.

Mój weterynarz twierdzi, że nie będzie to problemem pod warunkiem, że dorysuję we właściwych miejscach łaty.

„A jeśli mój osiołek nie ma łat?" – zapytałem. „No cóż..." – odpowiedział rozkładając ręce. Nic dziwnego, że księżniczka Anna nazwała te wszystkie wytyczne nonsensem.

Pewnie zastanawiacie się, co się dzieje? Dlaczego Unia Europejska postanowiła, że wszystkiej jedno- i głupiokopytne, poza tymi, które żyją w New Forest bądź w Dartmoor[2], muszą mieć identyfikator ze swoją podobizną?

Cóż, pewnie w to nie uwierzycie, ale pomysł jest taki, by każdemu z paszportów towarzyszył rejestr medyczny przebiegu życia zwierzęcia. W ten sposób od razu będzie wiadomo, czy zwierzę, które zechcesz zjeść, brało jakieś szkodliwe lekarstwa.

Wspaniale. Gdy pewnego dnia dopadnie mnie nieodparta chętka, by coś przekąsić, i dojdę do wniosku, że najbardziej odpowiada mi przednia noga Geoffa w sosie i z warzywami, będę w stanie upewnić się, czy jego poprzedni właściciel nie karmił go prochami, które mogą sprawić, że wyrośnie mi druga głowa.

---

[2] New Forest i Dartmoor to parki narodowe w Wielkiej Brytanii.

Myślę, że w tym miejscu warto się przez chwilę zastanowić. Sami zobaczcie. Przez te wszystkie lata zdarzyło mi się zjeść ptaka maskonura, węża, wieloryba (oczywiście tylko kawałek), psa, krokodyla i anchois. Ale już prędzej zjem Niemca, niż zacznę wcinać któregoś z moich osiołków. I myślę, że nie jestem w tym osamotniony.

Oczywiście, gdy zdycha koń, pojawiają się problemy. Nie wolno pochować go we własnym ogrodzie. Sprawę przejmuje lokalne koło łowieckie, które powinno zabrać zwłoki. Ale co będzie, gdy polowania zostaną zakazane?

Czy Unia Europejska sugeruje, że powinniśmy porzucić noże do krojenia mięsa i poprzestać na podgrzewaniu sosów? Nie sądzę. W Wielkiej Brytanii mamy wyraźną granicę pomiędzy tym co można i czego nie można włożyć do ust. Zjemy nawet szczury, pod warunkiem, że zostaną podane pod nazwą „kurczak w ostrym curry". Nigdy jednak nie zjemy koni.

Niestety, ta granica jest w Europie nieco bardziej umowna. Oznacza to, że te gnojki zjedzą dosłownie wszystko. We Francji często spotyka się w menu koninę, a w Niemczech, jak pokazuje nasze zeszłotygodniowe odkrycie, nie jest niezgodne z prawem posilić się swoimi gośćmi. Co więcej, wiem, że w Hiszpanii robi się salami z osłów, które nie zostały bynajmniej uśmiercone przez zrzucenie z najbliższego wieżowca.

Tam, po drugiej stronie kanału, może i znalazłoby się jakieś uzasadnienie wydawania paszportów dla jednokopytnych.

Możliwość sprawdzenia, czy koń w którymś momencie swojego życia nie brał heroiny, dodawałaby otuchy. Trzeba przecież wiedzieć, czy kucyk ćpał, zanim go uwędzili.

Czy jednak choćby na chwilę zdołalibyście uwierzyć, że hodowcy z Andaluzji faktycznie dostosują się do unijnej dyrektywy? Nie myślicie, że zawierający ją list posłuży raczej za paszę dla muła? Przyznaję, tak wyglądała moja pierwsza reakcja. Myślałem, że ta dyrektywa to jakiś głupi żart i że gdy nie będę nic robił, rozejdzie się po kościach. Ależ skąd. Okazuje się, że w Wielkiej Brytanii, w jedynym europejskim kraju, gdzie nie je się Naszej Szkapy i Kłapouchego, lokalne władze zatrudnią oślich inspektorów, którzy będą przeczesywali kraj w poszukiwaniu niezarejestrowanych osłów i koni. Właściciele takowych będą karani za niezgodność z wytycznymi.

I znowu: czy możecie wyobrazić sobie coś takiego w innym miejscu Europy? Bo ja nie. Widziałem, jak ogromne wodne odkurzacze, które Hiszpania nazywa flotą rybacką, zawijają do portu La Coruña i wyładowują tony ryb o długości 2 milimetrów. I jak okiem sięgnąć, nie było tam żadnego unijnego inspektora.

Widzę, że nie działa to nawet w Niemczech. Niemcy miłują prawo bardziej niż ktokolwiek na świecie, ale gdy chcieli wdrożyć podobny system u siebie, tylko 50% niemieckich koni zostało zarejestrowanych. Zabrzmi to tajemniczo, ale żaden z inspektorów, których wysłano do właścicieli pozostałych 50%, nigdy już nie powrócił.

Niedziela, 7 grudnia 2003 r.

Marzę o zakazie świątecznych przyjęć w pracy

Tradycyjnie o tej porze roku felietoniści narzekają, jak bardzo gardzą dosłownie wszystkim, co jest związane ze świętami Bożego Narodzenia. Przykro mi, ale nie zamierzam do nich dołączyć.

Oczywiście, istnieje jedno czy dwa niewielkie utrapienia. Na przykład nie lubię gdy, kiedy wchodzę do sklepu z zabawkami Hamleys[1], wlatuje mi w twarz model samolotu. Ponadto ja i moja żona mamy osobliwy zwyczaj kupowania sobie nawzajem co roku tego samego. Dlatego właśnie mamy dwie kamery wideo i dwa psy.

Ale w większości lubię święta. Moje lampki na choinkę działają od razu po wyciągnięciu z pudełka. Moje drzewko nie gubi igieł. Nie jem ani nie piję zbyt wiele. Lubię dostawać długie listy z życzeniami od ludzi, których nie widziałem przez cały rok. Podoba mi się narzucona odgórnie świąteczna serdeczność.

Uważam pakowanie prezentów za całkiem satysfakcjonujące zajęcie. Lubię jeść w lutym indyka w curry[2]. Zawsze warto obejrzeć *Wielką ucieczkę*. Nie mam krewnych, którzy moczą się podczas obiadu. Uwielbiam widzieć radosne twarze dzieci o piątej rano. Nie widzę nic złego

---

[1] Londyński sklep z zabawkami, jeden z największych na świecie.
[2] Danie z resztek indyka pozostałych ze świątecznego stołu.

w darowanych na Boże Narodzenie swetrach. Jestem wdzięczny za nowe skarpetki.

Uwielbiam przyjęcia w drugi dzień świąt. Uważam, że szkolne jasełka są zabawne. Nie utykam w korkach wyjeżdżając z Londynu. Nie wpadam w panikę próbując kupić prezenty w ostatniej chwili i nie stresuje mnie w najmniejszym stopniu pozostawanie z rodziną przez parę dni.

Jest jednak coś związanego z Bożym Narodzeniem, co wypełnia mnie takim strachem i lękiem, że autentycznie drżę kiedy tylko się o tym wspomina. To jak mokre drewno w kominku, pleśń na wędzonym łososiu, reklama podczas orędzia Królowej. Jest to... bożonarodzeniowe przyjęcie w pracy.

Gdy byłem dzieckiem, moi rodzice mieli fabrykę zabawek i co roku, poczynając już od stycznia, ich pracownicy odkładali po 10 pensów tygodniowo na coroczną bożonarodzeniową potańcówkę. W okolicach lipca stać ich już było na sałatkę z krewetek, a we wrześniu aż kręciło im się w głowie na myśl o pierwszej szklaneczce Baileysa. Nigdy nie mogłem tego zrozumieć.

Ciągle nie mogę. Pomysł, że można punktualnie o 18.00 wyłączyć komputer by o 18.01 weselić się nad kubkiem Pomagne z ludźmi, których nie za bardzo się lubi, wydaje mi się co najmniej dziwny.

Nie są twoimi przyjaciółmi, ponieważ wtedy spotykalibyście się towarzysko w trakcie roku. Dlaczego więc choć przez chwilę spodziewać się, że wspólny wieczór z nimi będzie w jakiś sposób odróżniał się od piekła?

Ostatnimi czasy święta Bożego Narodzenia w Anglii są niemal kompletnie zepsute przez przyjęcia w pracy. Ulice wypełniają się zwykłymi ludźmi, którzy nagle utracili zdolność poruszania się po linii prostej. A atmosferę w restauracjach skutecznie psują stoły na 60 osób, gdzie zamawia się potrawy nie dla ich smaku, ale ze względu na ich własności aerodynamiczne.

Co więcej, przez ostatni tydzień nie można było dodzwonić się do kogokolwiek, ponieważ wszyscy albo wybierali stroje na przyjęcia, albo wyszukiwali restauracje, gdzie mogliby zbankrutować, albo czesali się u fryzjera, by być gotowym na ten Wielki Dzień. Przysięgam, że niektórzy wkładają więcej wysiłku w przyjęcie w pracy, niż w świąteczne spotkanie rodzinne parę dni później.

W zeszłym roku bożonarodzeniowa impreza dla *Top Gear* została zorganizowana, jak to często bywa z tego typu imprezami, przez jakiegoś dziewiętnastolatka. Wylądowałem wtedy w dudniących podziemiach i co kilka minut spoglądałem na zegarek myśląc: czy naprawdę uda mi się wyjść stąd o dziesiątej? Dlatego w tym roku wcale się tam nie wybieram.

To po pierwsze. Nigdy, przenigdy nie pozwólcie, by przyjęcie w pracy było organizowane przez najmłodszych członków zespołu, ponieważ ich wyobrażenie o fajnej nocy na mieście – dużo głupich czapeczek i puszczania pawi – najprawdopodobniej jest bardzo odległe od waszego.

Myślisz, że nie masz o czym rozmawiać z facetem, który jeździ wózkiem widłowym po magazynie, ale z pewnością masz jeszcze mniej wspólnego z młodymi ludźmi z biura.

Twoje rośliny doniczkowe wciąż żyją, ale żadna z nich nie nadaje się na skręta. W twojej lodówce jest więcej jedzenia niż gorzały. Gdy jesteś w dobrym nastroju, nucisz ulubione piosenki i chociaż nadal lubisz oglądać wschód słońca, wolisz wcześniej porządnie się wyspać.

Jest jeszcze inny problem. Gdziekolwiek są młodzi pracownicy, zawsze mówią tylko o tym, dokąd pójdą później. Ty, gdziekolwiek jesteś, masz ochotę tylko pójść spać. Oni na drugi dzień zawsze mówią: „Już nigdy więcej nie wypiję aż tyle". Ty mówisz: „Wydaje mi się, że nie piję już tak dużo, jak kiedyś".

Druga sprawa związana z przyjęciami w pracy to seks. Sondaż przeprowadzony w tym tygodniu wykazał, że 45% ludzi współżyło podczas świątecznego przyjęcia w pracy. Jak to możliwe? Siedzisz na wprost tej pulchnej dziewczyny przez 48 tygodni i ani raz nie przyjdzie ci do głowy, że mogłaby być atrakcyjna. Dlaczego więc po zaledwie jednej lampce grzanego wina wystarczy, że założy papierową czapeczkę, i od razu staje się sexy?

Nawet tegoroczne przyjęcie w „Sunday Times" najprawdopodobniej stanie się koszmarem, ale z raczej nietypowego powodu. Otóż ostatnio BBC zakazało swoim pracownikom pisania felietonów do gazet. Dotknęło to Andrew Marra, Johna Simpsona i naszego własnego Johna Humphrysa.

A co ze mną? BBC najwyraźniej to nie obchodzi. Wygląda na to, że moje zdanie jest nieistotne i nic niewarte. I jestem pewien, że poczucie obowiązku Humphrysa każe mu poruszyć ten problem.

Niedziela, 14 grudnia 2003 r.